便携版

六级词汇
词根+联想
记忆法

俞敏洪 · 编著

西安交通大学出版社
XI'AN JIAOTONG UNIVERSITY PRESS

图书在版编目(CIP)数据

六级词汇词根＋联想记忆法：便携版 / 俞敏洪编著
. —西安：西安交通大学出版社，2012（2013.2 重印）
ISBN 978-7-5605-4239-3

Ⅰ. ①六… Ⅱ. ①俞… Ⅲ. ①大学英语水平考试—词
汇—记忆术—自学参考资料 Ⅳ. ①H313

中国版本图书馆 CIP 数据核字（2012）第 045239 号

书　　名	六级词汇词根＋联想记忆法：便携版	
编　　著	俞敏洪	
责任编辑	王晓芬　　王立坤	
封面设计	大愚设计	
出版发行	西安交通大学出版社	
地　　址	西安市兴庆南路 10 号（邮编：710049）	
电　　话	（010）62605588　　62605019（发行部）	
	（029）82668315（总编室）	
读者信箱	bj62605588@163.com	
印　　刷	北京慧美印刷有限公司	
字　　数	212 千	
开　　本	787×1092　1/32	
印　　张	9.625	
版　　次	2013 年 2 月第 1 版第 3 次印刷	
书　　号	ISBN 978-7-5605-4239-3/H・1310	
定　　价	19.80 元	

新东方图书策划委员会

前　言

　　这本书的读者，大多数应该都出生在上世纪八九十年代，今天的你们，面对着从未有过的机遇，也面临着日益激烈的竞争。无论在大学里选择什么专业，英语都将是助你在日后的学习和工作中不断进步的阶梯。而词汇作为英语学习的基础，其重要性更是不言而喻。

　　好的词汇书不仅能让你们牢固地掌握单词，而且能让你们获得记忆单词的诀窍，让你们喜欢背单词、喜欢学英语。很多英语单词可以拆分成类似汉字偏旁部首的结构——词根、词缀，它们通常的组成形式是：前缀+词根+后缀，例如diversion（n. 转向；消遣）的结构是：di（离开）+vers（转）+ion（名词后缀）→转开，转向。熟识了常用的词根、词缀，就可以避免死记硬背单词，记忆的效率也会迅速提高。即使在考试中遇到生词、难词，也可以通过词根、词缀来猜测其意思。本书介绍了800条左右的词根记忆法，涵盖了六级单词常用的所有词根、词缀，可以使大家在高效背单词的同时掌握一种考试猜词方法。

　　本书中的联想记忆包括分割联想、形近词比较、图形记忆、通过和生活相关的事物记忆等丰富的记忆方法。例如，feature（v. 突出；由…主演 n. 特征；专题节目）的记忆方法为：我的未来（future）由我主演（feature）；insight（n. 洞察力）的记忆方法是：in+sight（眼光）→眼光深入→洞察力。此外，本书还编写了部分发音记忆、组合词记忆等方法，这些贴近学生生活又行之有效的记忆法将带大家体验真正轻松的单词记忆享受。

　　《六级词汇词根+联想记忆法》出版后，大量学员和读者通过书信与新东方联系，我欣喜地看到，这本书实现了我编写时的初衷，"词根+联想"幽默的记忆方法帮助学生更有效地记住了六级词汇。但是很多同学也提到，《六级词汇词根+联想记忆法》太厚，开本太大，不便携带，使随时随地背单词的想法无法实现，而且原书按单词的字母顺序排列，让一些学生对于单词的难易、重要程度无法辨别。因此，我们在结合新六级考试的基础上推出了《六级词汇词根+联想记忆法》的姊妹篇《六级词汇词根+联想记忆法(便携版)》(以下简称《便携版》)。

《便携版》延续了《六级词汇词根+联想记忆法》中实用、诙谐的记忆方法和清晰简洁的讲解，强调了考点提示，让考生的时间分配更有效。同时，《便携版》进一步优化了《六级词汇词根+联想记忆法》的记忆方法，以词根、词缀记单词为主，利用单词的拆分、谐音和词与词之间的联系形成一套系统、灵活、实用的记忆方法；另外，本书还将单词的已考词义变色突出显示，帮助考生把握考试重点。

《便携版》在继承《六级词汇词根+联想记忆法》特色的基础上作出了如下改动：

按词频排列单词

《便携版》结合历年的六级考试真题，通过电脑搜索的方法对大纲单词进行科学统计，标出词频并按照词频高低排序(单词右上角的数字即单词词频)，然后进一步将单词有机地分为高频词汇、常考词汇、中频词汇和低频词汇四部分。同时，我们将历次考试中出现过的熟词僻义和超纲词汇归纳后单独列出，以便考生更合理地分配时间；把最需要掌握的单词和知识点放在最前面来讲，避免考生单词书只能背完"A"的困境。

六级词汇书瘦身，随时随地背诵单词

大多数同学专业课课程任务已经很紧张了，拿出大量的整块时间背单词效果往往并不是很好。因此，本书以口袋书的形式涵盖六级大纲单词和超纲单词，将考试中最需要掌握的难点、辨析、用法等在[注意]中进行归纳讲解，帮助考生利用起零散时间。这样，考生就能随时随地巩固大纲词汇和知识点了。

难点、重点、语义突出显示

对于很多考生来讲，阅读是最难攻克的，而阅读中最难的是语义，语义难在搭配和不常见的词义。大多数学生孤立地背单词，就算啃完整本词书可能也不理解阅读文章。针对这一现象，《便携版》在《六级词汇词根+联想记忆法》的基础上将真题中出现过的常考搭配总结在[考]中，并且我们还把真题中考过的词义以蓝色重点标出，让考生利用有限的时间，直击考题。

优化原书记忆方法，轻松搞定六级单词

《六级词汇词根+联想记忆法》中幽默、诙谐的记忆方法得到了广大考生的肯定，在《便携版》中我们对记忆法进一步优化，添加了新鲜元素，让考生在笑声中轻松记忆单词。

作为《六级词汇词根+联想记忆法》的姊妹篇，本书的选词、考点都保持原书原貌，考生可以在认真学习《六级词汇词根+联想记忆法》原书的基础上，把《便携版》作为学习的有效补充。在复习的初级阶段使用《便携版》"过单词"；然后在有一定词汇量后使用原书进一步全面巩固复习，通过例句深化记忆，熟悉真题的长难句，见识部分真题；在冲刺阶段再利用《便携版》快速巩固单词。

考生的支持和宝贵的建议促成了《六级词汇词根+联想记忆法(便携版)》的完成，同时特别感谢世纪友好的金利、杨云云、龙微、郭丹、高楠楠等各位编辑和排版人员展萍、李素素，他们作出的贡献使本书能够及时与大家见面。衷心希望本书能够陪伴大家更好地进行复习。在此感谢所有热心的读者，并祝愿大家终能实现自己的理想。

新东方教育科技集团董事长兼总裁

目 录

List 1

comprehension³⁶ [ˌkɔmpriˈhenʃən] n. 理解，理解力，领悟；理解力测验

[记] 来自 comprehend(v. 理解)

author³⁵ [ˈɔːθə] n. 著作人，作者

accord³⁴ [əˈkɔːd] n. 一致，符合；(尤指国与国之间的)谅解，协议 v. 相符合，相一致，相和谐；授予，赠与，给予

[记] 词根记忆：ac+cord(心)→使双方都称心→心心相印→一致

[考] with one accord 一致地；in accord with 按照，根据，与…一致

remain³² [riˈmein] vi. 剩下，余留；保持；仍然是 n. [pl.] 残余；残骸；遗迹

[考] 该词有时作系动词，后可跟形容词、过去分词、现在分词、名词和介词短语，表"继续(处于某种状态)"。

statement³² [ˈsteitmənt] n. 陈述，声明；结算单，报表

[考] a bank statement 一张银行对账单

concern³¹ [kənˈsəːn] n. 关切的事，有关的事；关心，挂念；关系，关联；公司，企业 vt. 涉及，关于；使关心，使担心

[记] 词根记忆：con(表加强)+cern(搞清)→一定要搞清楚→关心

given³¹ [ˈgivən] a. 规定的，特定的；假设的，已知的；有癖好的，有倾向的 prep. 考虑到

expense[30] [ik'spens] n. 花费，费用；消费；[pl.] 开支，业务费用

[记] 词根记忆：ex(出去)+pens(花费)+e→花费，消费

[考] at the expense of 以…为代价

environment[29] [in'vaiərənmənt] n. 环境，外界；围绕

individual[29] [ˌindi'vidʒuəl] a. 个别的，独特的 n. 个人，个体

[记] 联想记忆：in(不)+divid(看作 divide，划分)+ual→不可再分的→个体

vary[29] ['veəri] vt. 改变；使多样化 vi. 变化；有差异

compose[28] [kəm'pəuz] vt. 组成，构成；创作(乐曲、诗歌等)，为…谱曲；使平静，使镇静

[记] 词根记忆：com(共同)+pos(放)+e→放到一起→组成

management[28] ['mænidʒmənt] n. 管理；处理；管理部门，管理人员

[记] 联想记忆：man(人)+age(年纪)+ment→一般管理人员都年龄较大，经验丰富→管理人员

outline[28] ['autlain] n. 提纲，要点；外形；略图 vt. 概述；描…外形(或轮廓)

[记] 组合词：out(出)+line(线条)→画出线条→概述；描…外形

compute[27] [kəm'pju:t] v. 计算，估算

[记] 由 computer(n. 计算机)反推

corresponding[27] [ˌkɔri'spɔndiŋ] a. 相应的，符合的

successive[27] [sək'sesiv] a. 连续的，接连的

therefore[27] ['ðeəfɔ:] ad. 因此，所以

apply[26] [ə'plai] vi. 应用，实施，使用；申请，请求；适用 vt. 涂，敷；施

[记] 联想记忆：提供(supply)使用(apply)

avoid[26] [ə'vɔid] vt. 避免，躲开；撤销

[记] 联想记忆：a(使)+void(空的)→使空旷→撤销

encourage[26] [inˈkʌridʒ] *vt.* 鼓励；促进，助长；激发

[记]联想记忆：en(使)+courage(勇气)→使有勇气→鼓励

paragraph[26] [ˈpærəgrɑːf] *n.* (文章的)段，节

[记]词根记忆：para(半)+graph(写)→分成几半地写→(文章的)段，节

performance[26] [pəˈfɔːməns] *n.* 演出；履行，执行，完成；工作情况，表现；(机器等的)工作性能

process[26] [ˈprəʊses] *n.* 过程；制作法；(法律)程序

[prəˈses] *vt.* 加工；办理

[记]词根记忆：pro(向前)+cess(走)→向前走→过程

promote[26] [prəˈməʊt] *vt.* 促进，增进；发扬；提升；宣传，推销(商品等)

[记]词根记忆：pro(向前)+mot(动)+e→向前动→促进，增进

available[25] [əˈveiləbəl] *a.* 现成可使用的；通用的；可取的；可得到的

[记]词根记忆：a(表加强)+vail(价值)+able(可…的)→有价值的→现成可使用的

design[25] [diˈzain] *vt.* 设计；预定，指定 *n.* 设计，构想；图样；企图

[记]联想记忆：de+sign(标记)→做标记→指定；设计

economic[25] [ˌiːkəˈnɔmik] *a.* 经济的，经济学的 *n.* [-s]经济学；经济状况

[记]来自economy(*n.* 经济)

imply[25] [imˈplai] *vt.* 暗示，意指

[记]词根记忆：im(进入)+ply(重叠)→重叠表达→暗示

accident[24] [ˈæksidənt] *n.* 意外，事故

[记]联想记忆：accid(看作acid，酸的)+ent→

高频词汇

令人感到酸楚的事情→意外

[考] by accident 意外地,偶然地

attitude[24] [ˈætitjuːd] n. 态度,看法;姿势

[记] 发音记忆:"爱踢球的"→尽管人们对国足态度不一,但青少年踢球的热情无法阻挡→态度

benefit[24] [ˈbenifit] n. 利益,恩惠;救济金;保险金,津贴 vt. 有益于 vi. 得益

[记] 词根记忆:bene(善,好)+fit→利益

contribute[24] [kənˈtribjuːt] v. 捐献,捐款;投稿

[考] contribute to 捐献

culture[24] [ˈkʌltʃə] n. 文化;文明;教养;<u>培养</u>;培养菌

[记] 词根记忆:cult(培养)+ure(表状态)→培养;文化

approach[23] [əˈprəutʃ] vt. 向…靠近 n. 靠近;途径,方式

[记] 词根记忆:ap(表加强)+proach(接近)→一再接近→靠近

[考] approach to 向…靠近

avail[23] [əˈveil] n. [一般用于否定句或疑问句中]效用,利益;帮助

[记] 发音记忆:"啊一喂!"→叫人过来帮忙→帮助

claim[23] [kleim] vt. 声称,主张;对…提出要求,索取;(灾难等)使失踪或死亡;需要,值得 n. 要求,索赔;认领;声称,断言

[记] 本身为词根,意为"大叫"→声称;要求

[考] lay claim to 声称对…有权利;claim for 要求

involve[23] [inˈvɔlv] vt. 使卷入,牵涉;包含,含有

[记] 词根记忆:in(使)+volve(卷)→使卷入,牵涉

limitation[23] [ˌlimiˈteiʃən] n. 限制,限度;[常 pl.] 局限

potential[23] [pəˈtenʃəl] a. 潜在的,可能的 n. 潜力,潜能

[记] 词根记忆:po+tent(伸展)+ial→无限伸展的潜能→潜能

predict²³ [pri'dikt] *vt.* 预言，预告，预测
[记] 词根记忆：pre(预先)+dict(说)→预言

behavio(u)r²² [bi'heivjə] *n.* 行为，举止，表现

blank²² [blæŋk] *a.* 空白的；茫然的，无表情的 *n.* 空白；空白表格

demand²² [di'mɑ:nd] *vt.* 要求，需要；询问 *n.* 要求，需要
[记] 词根记忆：de (表加强)+mand(命令)→一再命令→要求

generate²² ['dʒenəreit] *vt.* 发生，引起；生殖
[记] 词根记忆：gener(产生)+ate(做)→发生，引起

professional²² [prə'feʃənəl] *a.* 职业的；专业的，专门的 *n.* 自由职业者；专业人员

project²² ['prɔdʒekt] *n.* 方案，计划；课题；项目；工程
[prə'dʒekt] *v.* (使) 伸出；投射，放映
[记] 词根记忆：pro(向前)+ject(扔)→向前扔→投射

sample²² ['sɑ:mpl] *n.* 样品，试样，样本 *vt.* 从…抽样(试验或调查)；品尝，体验
[记] 联想记忆：简单的(simple)样品(sample)

aspect²¹ ['æspekt] *n.* 方面；样子，外表；(建筑物的)朝向，方向
[记] 词根记忆：a(表加强)+spect(看)→仔细看一个东西的外表→样子，外表

chief²¹ [tʃi:f] *a.* 主要的，为首的；总的 *n.* 首领，长官；酋长，族长
[记] 发音记忆："欺负"→位高权重的人才能欺负人→首领，长官

current²¹ ['kʌrənt] *a.* 当前的；通用的；流行的，流传的 *n.* 潮流；趋势，倾向；电流

maintain²¹ [mein'tein] *vt.* 维持；维修，保养；主张；赡养
[记] 词根记忆：main(主要)+tain(保持)→保持大体上的完好→维持；维修

provided²¹ [prə'vaidid] *conj.* 假如，若是

various²¹ ['veəriəs] *a.* 各种各样的，不同的

attract²⁰ [ə'trækt] *vt.* 吸引，引起…注意

[记] 词根记忆：at(表加强)+tract(拉)→拉过来→吸引

community²⁰ [kə'mjuːniti] *n.* 社区，社会，公社；团体，界；(动植物的)群落

[记] 联想记忆：com+mun(公共的)+ity→大家一起的→社区；团体

define²⁰ [di'fain] *vt.* 给…下定义，限定

[记] 词根记忆：de(表加强)+fin(范围)+e→划定范围→给…下定义，限定

disease²⁰ [di'ziːz] *n.* 病，疾病；不健全，弊端

[记] 联想记忆：dis(不)+ease(舒适)→不适→疾病；弊端

factor²⁰ ['fæktə] *n.* 因素，因子；系数

[记] 联想记忆：fact(事实，论据)+or→重要论据→因素

force²⁰ [fɔːs] *v.* 强迫；用力推动，用力打开 *n.* [*pl.*] 军队，兵力；暴力，武力；力，力气；影响力，效力

[考] force sb. to do 强迫某人去做

function²⁰ ['fʌŋkʃən] *n.* 功能；职务；函数；重大聚会 *vi.* 工作，运行，起作用

[记] 发音记忆："放颗心"→公务员的职务就是让人民放心→职务

legal²⁰ ['liːgəl] *a.* 法律的，合法的

[记] 词根记忆：leg(法律)+al→法律的

significant²⁰ [sig'nifikənt] *a.* 相当数量的；重要的，意义重大的，意味深长的

[记] 来自 signify(*v.* 有重要性)

similar²⁰ ['similə] *a.* 相似的，类似的

[记] 词根记忆：simil(相类似)+ar→相似的

survive[20] [sə'vaiv] v. 活下来, 继续存在; 从(困境等)中挺过来; 比…活得长; 从…逃出, 幸免于

[记] 联想记忆: sur(在…下面)+viv(生命)+e→在废墟下面活下来→活下来

List 2

threaten[20] ['θretn] *v.* 威胁，恐吓；<u>预示(危险)快要来临，是…的征兆，可能发生</u>

[考] threaten to do sth. 威胁做某事

✓ **afford**[19] [ə'fɔ:d] *vt.* 担负得起；提供

[记] 联想记忆：af+ford（Ford 是美国福特家族）→财大气粗→担负得起

aware[19] [ə'weə] *a.* 知道的，意识到的

consumer[19] [kən'sju:mə] *n.* 消费者，消耗者

✓ **critical**[19] ['kritikəl] *a.* <u>决定性的</u>，批评的

[考] 在阅读中表明态度的词：critical 批评的；questioning 质问的；approving 满意的；objective 客观的   approve 批准 赞成 满意.

decade[19] ['dekeid] *n.* 十年，十年期

[记] 词根记忆：dec(十)+ade→十年，十年期

desire[19] [di'zaiə] *vt.* 渴望，要求 *n.* 愿望，欲望

[记] 联想记忆：要求(desire)退休(retire)

☆ **effective**[19] [i'fektiv] *a.* 有效的；有影响的

[考] effective measures 有效措施

essential[19] [i'senʃəl] *a.* 必要的；本质的 *n.* [常 *pl.*]要素；必需品

[记] 词根记忆：es+sent(感觉)+ial(…的)→有感觉是必要的→必要的

issue¹⁹ [ˈiʃuː] *n.* 问题；发行，分发 *v.* 发行，分发，发出

responsible¹⁹ [riˈspɒnsəbəl] *a.* 需负责任的，承担责任的；有责任感的，负责可靠的；责任重大的，重要的
[记] 词根记忆：re+spons(约定)+ible→遵守约定→有责任感的

worthy¹⁹ [ˈwəːði] *a.* 有价值的，值得的
[考] be worthy of 值得…，配得上的；worthy to do 值得做…

advantage¹⁸ [ədˈvɑːntidʒ] *n.* 优点，优势，好处
[记] 联想记忆：advant(看作 advance，前进)+age(表行为)→前进，进步→优点，优势

attach¹⁸ [əˈtætʃ] *vt.* 缚，系，贴；使依恋，使喜爱；使附属；附加；认为有(重要性、责任等)
[记] 词根记忆：at(表加强)+tach(接触)→系，贴
[考] attach to 使依恋；把…放在；be attached to 附属于

challenge¹⁸ [ˈtʃælindʒ] *n.* 挑战，邀请比赛；艰巨的任务；怀疑，质问 *vt.* 反对，公然反抗；向…挑战；对…质疑

constant¹⁸ [ˈkɒnstənt] *a.* 经常的，不断的，连续发生的；永恒的；忠实的，忠诚的 *n.* 常数，恒量
[记] 词根记忆：con(共同)+stant(站，立)→永远站在一起→忠实的

creation¹⁸ [kriˈeiʃən] *n.* 创造，创建；创造的作品，(智力、想象力的)产物；宇宙，天地万物
[记] 来自 create(v. 创造)

evidence¹⁸ [ˈevidəns] *n.* 根据，证据；证人
[记] 词根记忆：e+vid(看见)+ence→证实所看见的人或物→证人；证据

executive¹⁸ [igˈzekjutiv] *a.* 执行的；行政的 *n.* 经理，管理人员
[记] Chief Executive Officer (CEO)首席执行官

financial[18] [fai'nænʃəl] *a.* 财政的，金融的

industrial[18] [in'dʌstriəl] *a.* 工业的；产业的

✓ **inventory**[18] ['invəntəri] *n.* 详细目录，存货清单

[记] 词根记忆：in(进来)+vent(来)+ory(表物)→进来清查库存货物→详细目录，存货清单

literature[18] ['litərətʃə] *n.* 文学，文学作品；文献，图书资料

[记] 词根记忆：liter(文字)+ature(表状态)→文学，文学作品

pressure[18] ['preʃə] *n.* 压(力)，压强；压迫 *vt.* 对…施加压力(或影响)，迫使；说服

[记] 词根记忆：press(压)+ure(表行为)→压迫

previous[18] ['pri:viəs] *a.* 先的，前的，以前的

[记] 词根记忆：pre(预先，前)+vi(路)+ous(…的)→先的，前的

[考] previous to 在…之前

recognize[18] ['rekəgnaiz] *vt.* 认出，识别；承认，确认，认可；赏识，表彰；报偿

[记] 词根记忆：re+cogni(知道)+ze→认出

✓ **reflect**[18] [ri'flekt] *v.* 反映，显示；反射，映现；深思，考虑，反省

[记] 词根记忆：re(反)+flect(弯曲)→弯曲过来→反射

✓ **relative**[18] ['relətiv] *a.* 有关系的；相对的 *n.* 亲属，亲戚

temper[18] ['tempə] *n.* 心情，情绪；韧度 *vt.* 调和，使缓和；(冶金)回火

[记] 联想记忆：情绪(temper)会影响体温(temperature)

✓ **account**[17] [ə'kaunt] *n.* 记述，解释；账目 *vi.* 说明…的原因；(在数量、比例方面)占…

[记] 联想记忆：ac(表加强)+count(数)→账目需要一数再数，保证正确→账目

[考] account for 解释，说明；占有；on account

of 由于，为了…; on no account 决不可以，无论如何也不

alternative[17] [ɔːl'təːnətiv] n. 替换物；选择；选择的自由 a. 两者选一的，供选择的；另类的

[记] 词根记忆：alter（改变；其他的）+na+ tive（…的）→其他的→替换物

appropriate[17] [ə'prəupriit] a. 适当的，恰当的

[ə'prəuprieit] vt. 私吞；拨款供专用

[记] 联想记忆：ap+propr（看作 proper, 适当的）+iate→适当的

argue[17] ['ɑːgjuː] vi. 争论，争辩，辩论 vt. （坚决）主张；说服

[记] 发音记忆："阿 Q"→阿 Q 喜欢和人争论→争论

attempt[17] [ə'tempt] vt. 尝试，试图；努力

[记] 词根记忆：at（表加强）+tempt（诱惑；考验）→试图引诱别人→试图

compare[17] [kəm'peə] vt. 比较，对照；把…比作

[记] 联想记忆：com（一起）+pare（看作 pair, 对）→把这对一起比较→比较

[考] compare to 把…比作

concept[17] ['kɔnsept] n. 概念，观念；设想

[记] New Concept English《新概念英语》

conduct[17] ['kɔndʌkt] n. 举止，行为；指导；管理（方式），实施（方式）

[kən'dʌkt] vt. 管理，指挥，引导；进行；传输，传导（热、电等）

[记] 词根记忆：con（表加强）+duct（引导）→引导

[考] conduct oneself（行为）表现

conflict[17] ['kɔnflikt] n. 冲突，抵触；争论；战斗，战争

[kən'flikt] vi. 冲突，抵触

conflict

[记] 词根记忆：con(共同)+flict(打击)→互相打→冲突

enormous[17] [i'nɔːməs] *a.* 巨大的，庞大的

[记] 词根记忆：e(出)+norm(规范)+ous(…的)→超出规范的→巨大的

expert[17] ['ekspəːt] *n.* 专家 *a.* 熟练的

[记] 联想记忆：警察期待(expect)谈判专家(expert)的到来

graduate[17] ['grædjuit] *n.* 毕业生；研究生 *a.* 研究生的
['grædjueit] *v.* (使)毕业

investigate[17] [in'vestigeit] *v.* 调查，调查研究

occur[17] [ə'kəː] *vi.* 发生，出现；存在；被想起，被想到

[记] 词根记忆：oc+cur(跑)→跑过去看发生了什么事→发生，出现

persist[17] [pə'sist] *vi.* 坚持，持续

[记] 词根记忆：per(始终)+sist(坐)→始终坐着→坚持，持续

[考] persist for 持续

unique[17] [juː'niːk] *a.* 唯一的，独一无二的；极不寻常的，极好的

[记] 词根记忆：uni(单一)+que(…的)→唯一的

competitive[16] [kəm'petitiv] *a.* 竞争的，比赛的；(价格等)有竞争力的；好竞争的，求胜心切的

consist[16] [kən'sist] *vi.* 由…组成；在于

[记] 词根记忆：con(共同)+sist(站)→站在一起→由…组成

[考] consist of 组成，构成；consist in 在于，存在于

despite[16] [di'spait] *prep.* 不管，不顾

economy[16] [i'kɔnəmi] *n.* 经济；节约，节省

[记] 发音记忆："依靠农民"→中国是农业大国，经济生活中离不开农民→经济

efficient[16] [i'fiʃənt] *a.* 效率高的；有能力的

[记] 词根记忆：ef(出)+fic(做)+ient(…的)→能做出来的→有能力的

12 effective a. 有效的

✓ **eliminate**¹⁶ [iˈlimineit] *vt.* 消灭，消除，排除；淘汰

[记] 词根记忆：e(出)+limin(看作 limit，界限)
+ate(做)→划出界线外→消除，排除

[考] eliminate sb./sth. from sth. 从…中除去…

inspire¹⁶ [inˈspaiə] *vt.* 鼓舞；给…以灵感

[记] 词根记忆：in(使)+spir(呼吸)+e→使呼吸
澎湃→鼓舞

电影《勇敢的心》中谈到："His courage inspired a
country；his heart defied a king."

[考] inspire sb. with sth. / inspire sth. in sb. 激起
某人的…，使某人产生…

✓ **scale**¹⁶ [skeil] *n.* 大小，规模；等级，级别；[*pl.*]天平，
磅秤；比例(尺)；刻度，标度；(鱼等的)鳞 *vt.* 攀
登，爬越

[考] on a large scale 大规模地

✓ **species**¹⁶ [ˈspiːʃiːz] *n.* 种，类

[考] endangered species 濒危物种

trend¹⁶ [trend] *vi.* 伸向，倾向 *n.* 倾向

[记] 联想记忆：tend(倾向)加 r 还是倾向(trend)

wealthy¹⁶ [ˈwelθi] *a.* 富的，富裕的

academic¹⁵ [ˌækəˈdemik] *a.* 学术的；学院的；纯理论的，
不切实际的 *n.* 大学教师

✓ **alternate**¹⁵ [ɔːlˈtəːnit] *a.* 交替的，轮流的；间隔的

[ˈɔːltəːneit] *v.* (使)轮流，(使)交替

[记] 词根记忆：alter(改变)+n+ate(…的)→交替
改变的→轮流的

attack¹⁵ [əˈtæk] *n.* / *vt.* 攻击，进攻；突然发作

[记] 联想记忆：at(表加强)+tack(看作 tank，坦
克)→用坦克加强进攻→攻击，进攻

beyond¹⁵ [biˈjɔnd] *prep.* 在…的那边，远于；越出；迟于
ad. 在更远处；再往后

[记] 发音记忆："不一样的"→不一样自然就越

高频词汇

13

出其他的→越出

香港红极一时的乐队"Beyond"就是这个词

climate[15] [ˈklaimit] n. 气候；风土，地带；风气，气氛

commit[15] [kəˈmit] vt. 犯(错误)，干(坏事)；使承诺；把…托付给；调拨…供使用，拨出

[记] 词根记忆：com(共同)+mit(送出)→一起送出→把…托付给

concentrate[15] [ˈkɔnsəntreit] v. 全神贯注，全力以赴；集中，聚集，浓缩 n. 浓缩物，浓缩液

[记] 词根记忆：con(表加强)+centr(中心)+ate(做)→精神放在一个中心→全神贯注

[考] concentrate on (doing) sth. 集中精力(做)某事

conclude[15] [kənˈkluːd] vt. 推断出，推论出；缔结，议定 vi. 结束，终了

[记] 词根记忆：con(共同)+clud(关闭)+e→全部关闭→结束

confront[15] [kənˈfrʌnt] vt. 迎面遇到，遭遇；勇敢地面对，正视；使对质，使当面对证

[记] 联想记忆：con+front(前面)→在前面出现→迎面遇到

foster 力12速.

List 3

destruction n. 毁坏.

✓ construct[15]　[kənˈstrʌkt] vt. 建造；构思

　　[ˈkɔnstrʌkt] n. 建筑物；构想，观念

　　[记] 词根记忆：con(表加强)+struct(建立)→建造

describe[15]　[diˈskraib] vt. 形容，描写；画出(图形等)

　　[记] 词根记忆：de(表加强)+scribe(写)→描写

detail[15]　[ˈdiːteil] n. 细节，枝节；零件 vt. 详细说明

　　[记] 联想记忆：de(去掉，离开)+tail(尾巴)→去

　　掉尾巴→细枝末节的改动→细节

display[15]　[diˈsplei] n. / vt. 陈列，展览；显示

　　[记] 词根记忆：dis(分开)+play(播放；表演)→

　　分列展示→陈列

emotion[15]　[iˈməuʃən] n. 情感，感情；激动

　　[记] 词根记忆：e+mot(动)+ion→容易波动的情

　　绪→感情；激动

engine[15]　[ˈendʒin] n. 引擎，发动机；机车

enhance[15]　[inˈhɑːns] vt. 提高，增加，加强

✓ ensue[15]　[inˈsjuː] vi. 接着发生，接踵而来，因而产生

　　[记] 联想记忆：确定(ensure)的事情就会继而

　　发生(ensue)

establish[15]　[iˈstæbliʃ] vt. 建立，设立；确立；证实

figure[15]　[ˈfigə] n. 数字；人物；[pl.] 算术；体型，风姿；

　　轮廓；画像，塑像；(插)图，图形 vi. (引人注目

　　地)出现；合乎情理 vt. 计算；认为，猜想

　　[记] 发音记忆："菲戈"(著名球星)→人物

✓ **identify**[15] [aiˈdentifai] v. 认出，鉴定；把…等同于
[记] 来自 identity (n. 身份)

impact[15] [ˈimpækt] n. 影响，作用；冲击
[imˈpækt] v. 冲击，碰撞；对…产生影响
[记] *Deep Impact* 电影《天地大冲撞》

✓ **intense**[15] [inˈtens] a. 强烈的，紧张的；认真的；热情的
[记] 联想记忆：in+tense(紧张)→紧张的

oppose[15] [əˈpəuz] vt. 反对，反抗
[记] 词根记忆：op(相反)+pos(放)+e→摆出相反的姿态→反对，反抗

✓ **original**[15] [əˈridʒənl] a. 最初的；新颖的；原版的 n. 原件，原作

positive[15] [ˈpɔzətiv] a. 确实的，明确的；积极的，肯定的
[记] 联想记忆：posit(看作 post，邮件)+ive→邮件上的地址要写清楚→明确的

regulation[15] [ˌregjuˈleiʃən] n. 规章，规则；管理，控制，调节
[考] the regulation of public spending 公共开支的管理

response[15] [riˈspɔns] n. 回答，答复；反应，响应
[记] 来自 respond(v. 回答，答复)
[考] in response to 响应

reward[15] [riˈwɔːd] n. 报答，奖赏；报酬，酬金 vt. 报答，酬谢，奖励
[记] 联想记忆：re+ward(看作 word，话语)→再次发话给予奖赏→奖赏

sensitive[15] [ˈsensitiv] a. 敏感的，灵敏的；神经过敏的，容易生气的；易受伤害的
[记] 词根记忆：sens(感觉)+i+tive(…的)→敏感的

✓ **slash**[15] [slæʃ] v. 砍；大幅度削减 n. 砍，砍痕；斜线号
[记] 联想记忆：sl+ash(灰尘)→举着斧子乱砍，弄得到处是灰尘→砍

solution[15] [səˈluːʃən] n. 解决；解决办法；溶液
[记] 来自 solve(v. 解决，解答)

[考] solution to the problem 问题的解决方法

sour[15] ['sauə] *a.* 酸的，酸味的；馊的；脾气坏的 *v.* 使变酸，使变馊；使变得乖戾(或暴躁)

[记] 发音记忆："馊啊"→酸的，馊的

联想记忆：馊的(sour)汤(soup)

sufficient[15] [sə'fiʃənt] *a.* 足够的，充分的

survival[15] [sə'vaivl] *n.* 幸存；幸存者，残存物

vision[15] ['viʒən] *n.* 想象力；幻影；视力，视觉

[记] 词根记忆：vis(看)+ion→视力，视觉

addition[14] [ə'diʃən] *n.* 加，加法；附加物(人)

application[14] [ˌæpli'keiʃən] *n.* 申请；申请书；涂抹；应用，实施；实用性

background[14] ['bækɡraund] *n.* 出身背景，经历；背景资料；(画等的)背景，底子

budget[14] ['bʌdʒit] *n.* 预算，预算拨款 *v.* 规划，安排；编预算 *a.* 低廉的，收费公道的

cancel[14] ['kænsl] *vt.* 取消，撤销；删去

charge[14] [tʃɑːdʒ] *v.* 索价；控告；使充电，使充满；向前冲 *n.* 费用；管理；控告，指责；电荷，充电

[考] in charge (of) 管理，负责；take charge of 负责，接管

complain[14] [kəm'plein] *vi.* 抱怨，诉苦；控告，投诉

~~complaint~~ [记] 联想记忆：com+plain(平常的)→不要抱怨生活的平淡→抱怨，诉苦

[考] complain of/about 抱怨…；complain to 向…抱怨

complex[14] ['kɔmpleks] *a.* 由许多部分组成的，复合的；复杂的，难懂的 *n.* 综合体，集合体；情结，夸大的情绪反应

[记] 词根记忆：com+plex(重叠，交叉)→重叠交叉的→复杂的

complicated[14] ['kɔmplikeitid] *a.* 复杂的，难懂的

[记] 词根记忆：com(共同)+plic(重叠)+ated→重叠在一起的→复杂的

高频词汇

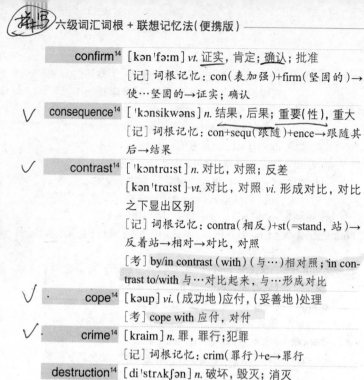

confirm[14] [kən'fə:m] *vt.* 证实，肯定；确认；批准
[记] 词根记忆：con(表加强)+firm(坚固的)→使…坚固的→证实；确认

consequence[14] ['kɔnsikwəns] *n.* 结果，后果；重要(性)，重大
[记] 词根记忆：con+sequ(跟随)+ence→跟随其后→结果

contrast[14] ['kɔntrɑ:st] *n.* 对比，对照；反差
[kən'trɑ:st] *vt.* 对比，对照 *vi.* 形成对比，对比之下显出区别
[记] 词根记忆：contra(相反)+st(=stand, 站)→反着站→相对→对比，对照
[考] by/in contrast (with) (与…)相对照；in contrast to/with 与…对比起来，与…形成对比

cope[14] [kəup] *vi.* (成功地)应付，(妥善地)处理
[考] cope with 应付，对付

crime[14] [kraim] *n.* 罪，罪行；犯罪
[记] 词根记忆：crim(罪行)+e→罪行

destruction[14] [di'strʌkʃən] *n.* 破坏，毁灭；消灭
[记] 词根记忆：de(变坏)+struct(建立)+ion→使建立好的东西变坏→破坏
参考：construction (*n.* 建筑)

equip[13] [i'kwip] *vt.* 装备，配备；(智力、体力上)使有准备
[记] 参考：equipment(*n.* 设备)

evaluate[14] [i'væljueit] *vt.* 评价，估…的价
[记] 联想记忆：e(出)+valu(看作 value, 价值)+ate(做)→评定出价值→评价，估…的价

expand[14] [ik'spænd] *vt.* 扩大，使膨胀
[记] 词根记忆：ex(向外)+pand(分散)→向外分散→扩大

extreme[14] [ik'stri:m] *a.* 极度的；最后的 *n.* 极端，过分
[记] 联想记忆：extre(看作 extra, 额外的)+me(我)→在我的忍受极限之外→极端，过分

focus[14] [ˈfəukəs] v. 聚焦，注视 n. 焦点，中心
[记] 联想记忆：foc(看作 for, 为了)+us→《焦点访谈》的口号是"为人民大众服务"→聚焦，注视

fund[14] [fʌnd] n. 资金，基金；[pl.] 存款 vt. 为…提供资金
[记] 发音记忆："放的"→企业发放资金→资金

intellectual[14] [ˌintəˈlektʃuəl] n. 知识分子 a. 智力的
[记] 词根记忆：intel(中间)+lect(选择)+ual→能从中选择的→智力的

intelligent[14] [inˈtelidʒənt] a. 聪明的，理智的
[记] 词根记忆：intel(看作 inter, 在…之间)+lig(选择)+ent(…的)→聪明的，理智的

norm[14] [nɔːm] n. 标准，规范；[常 pl.] 准则
[记] 本身为词根，意为"标准"

notion[14] [ˈnəuʃən] n. 概念，观念；意图，想法，(怪)念头
[记] 词根记忆：not(知道)+ion(性质)→知道了→概念

objective[14] [ɔbˈdʒektiv] n. 目标，目的 a. 客观的，无偏见的
subjective 主观的
[考] 阅读题中出现的表态度的词：objective 客观的；optimistic 乐观的；neutral 中立的；critical 批评的；doubtful 怀疑的；approving 赞成的

participant[14] [pɑːˈtisipənt] n. 参加者，参与者
[记] 联想记忆：parti(看作 party, 聚会)+cip(抓，拿)+ant→被抓去参加聚会的人→参与者

possess[14] [pəˈzes] vt. 占用，拥有

specific[14] [spiˈsifik] a. 特有的；明确的，具体的 n. [pl.] 详情，细节

virtual[14] [ˈvəːtʃuəl] a. 实质上的，事实上的，实际上的

access[13] [ˈækses] n. 通道，入口；接近(或进入、享用)的机会；接近 vt. 存取(计算机文件)
[记] 词根记忆：ac+cess(去)→来去要走通道→通道

[考] access to 通往…的道路；have access to 有机会、权利享用或接近…

appearance[13] [ə'piərəns] n. 出现，来到；外观
[记] 联想记忆：appear(出现)+ance(表状态)→出现
[考] judge by appearance 以貌取人

assume[13] [ə'sjuːm] vt. 假定，假设，臆断；承担，担任；呈现
[记] 词根记忆：as+sume(拿，取)→拿了东西就要负责→承担

attribute[13] [ə'tribjuːt] vt. 把…归因于
['ætribjuːt] n. 属性
[记] 词根记忆：at(表加强)+tribute(给予)→一再给予原因→把…归因于
[考] attribute to 归因于，因为

characteristic[13] [ˌkæriktə'ristik] a. 特有的，典型的 n. 特性

communication[13] [kəˌmjuːni'keiʃən] n. 通讯，交流，交际；[pl.] 通信(或交通)工具

complain= **complaint**[13] [kəm'pleint] n. 抱怨，怨言；控告

contact[13] ['kɔntækt] n. 接触，联系，交往
[kən'tækt] vt. 与…接触，与…取得联系
[记] 词根记忆：con(共同)+tact(接触)→接触，联系

corporate[13] ['kɔːpərit] a. 法人团体的，公司的；全体的，共同的
[记] 词根记忆：corpor(团体)+ate→法人团体的，公司的

cooperate v. 合作

List 4

credit[13] [ˈkredit] *n.* 信贷，赊欠；学分；赞扬，荣誉；信任 *vt.* 相信；把…记入贷方；把…归于
[记] 词根记忆：cred(相信)+it→信任
[考] credit card 信用卡

✓ **crowd**[13] [kraud] *n.* 群，一批 *vt.* 挤；挤满 *vi.* 聚集；挤，涌
[记] 联想记忆：crow(乌鸦)+d→像乌鸦一样成群的→群，一批

deserve[13] [diˈzəːv] *vt.* 应得，值得
[记] 联想记忆：de+serve(服务)→充分享受服务→应得，值得

disaster[13] [diˈzɑːstə] *n.* 灾难，灾祸，天灾；彻底的失败
[记] 词根记忆：dis(不，没有)+aster(星)→星星消失了，预示着灾难的来临→灾难

efficiency[13] [iˈfiʃənsi] *n.* 效率；功效，效能
efficient a.效率高的
[记] 词根记忆：ef(出)+fic(做)+iency→效率
[考] energy efficiency 能源效率

equality[13] [iˈkwɔləti] *n.* 等同，平等，相等

estimate[13] [ˈestimeit] *vt.* 估计，评价
[ˈestimit] *n.* 估计，评价，看法

√ **excess**[13] [ˈekses] *n.* 超越；过量，过度 *a.* 过量的，额外的
= extra 额外的
[记] 词根记忆：ex(出)+cess(走)→走出界限→过量，过度
[考] in excess of 超过

fundamental[13] [ˌfʌndəˈmentl] *a.* 基础的，基本的 *n.* [*pl.*] 基本原则
foundation n.基础   foundational a.基础的 基本的

guarantee[13] [ˌgærən'tiː] n. 保证；担保物 vt. 保证，担保

[记] 联想记忆：guar(看作 guard，保卫)+antee →保证；担保物

ignore[13] [ig'nɔː] vt. 不顾，不理；忽视

[记] 联想记忆：ig+nore (看作 nose，鼻子)→翘起鼻子不理睬→不理

impose[13] [im'pəuz] vt. 把…强加；征(税)

[记] 词根记忆：im(使)+pos(放)+e→强行放置→把…强加

[考] impose on/upon 把…强加于

innovation[13] [ˌinəu'veiʃən] n. 新方法，新事物；革新，创新

[记] 词根记忆：in(进入)+nov(新的)+ation→革新

insert[13] [in'səːt] vt. 插入，嵌入；登载

[记] 词根记忆：in(进入)+sert(插，放)→插入，嵌入

medium[13] ['miːdiəm] n. 媒质，媒介物，传导体 a. 中等的

[记] 词根记忆：medi(中间)+um→中间的→中等的；媒介物

moral[13] ['mɔrəl] a. 道德的，有道德的 n. [pl.] 品行，道德规范；寓意

[记] 词根记忆：mor(风俗，习惯)+al(…的)→中国自古就有循礼法、讲道德的传统→道德的

object[13] ['ɔbdʒikt] n. 实物，物体；目的，目标；对象，客体；宾语

[əb'dʒekt] vi. 反对，不赞成

[记] 词根记忆：ob(反)+ject(扔)→反向扔→反对

pattern[13] ['pætən] n. 型，式样；模，模型 vt. 仿制，使照…的样子做

[记] 联想记忆：pat(轻拍)+tern(燕鸥)→燕鸥轻拍留下图案→式样

poverty[13] ['pɔvəti] n. 贫穷，贫困

refuse v. 拒绝

✓ **refusal**[13] [ri'fjuːzəl] n. 拒绝

represent[13] [ˌrepri'zent] vt. 作为…的代表(或代理); 表示, 象征; 描绘, 表现

[记] 联想记忆: re+present(出席)→作为…的代表; 象征

✓ **reveal**[13] [ri'viːl] vt. 揭露, 泄露; 展现, 显示

[记] 联想记忆: re(相反)+veal(看作 veil, 面纱)→除去面纱→揭露; 展现

✓ **transform**[13] [træns'fɔːm] vt. 使改观, 改革; 变换, 把…转换成

[记] 词根记忆: trans(改变)+form(形状)→改变形状→把…转换成

✓ **valid**[13] ['vælid] a. 有效的, 正当的; 有根据的, 有理的

[记] 词根记忆: val(价值)+id→有价值的→有效的

✓ **vital**[13] ['vaitl] a. 生死攸关的, 极其重要的; 生命的, 有生命力的

[记] 词根记忆: vit(生命)+al→事关生命的→生死攸关的

accurate[12] ['ækjurit] a. 准确的, 正确无误的

[记] 词根记忆: ac+cur(关心)+ate→不断关心使其准确无误→准确的, 正确无误的

additional[12] [ə'diʃənəl] a. 附加的, 追加的

[考] additional information 附加信息, 额外信息

approve[12] [ə'pruːv] vt. 赞成, 称许; 批准 vi. 赞成, 称许

[考] approve of 赞成; 批准

attractive[12] [ə'træktiv] a. 有吸引力的; 引起注意的

authority[12] [ɔː'θɔriti] n. [pl.]官方; 权力; 当权者, 行政管理机构; 权威, 专家

[记] 联想记忆: author(作家)+ity→作家是写作领域的权威→权威, 专家

✓ **capacity**[12] [kə'pæsiti] n. 容量; 能力; 才能; 身份, 地位

[记] 词根记忆: cap(拿)+acity(表状态、情况)→能拿住→有能力→能力

高频词汇

character[12] ['kæriktə] n. 性格；特性，性质；人物，角色；符号，(汉)字

commercial[12] [kə'mə:ʃəl] a. 商业的，商务的；商品化的，商业性的

conserve[12] [kən'sə:v] vt. 保护，保藏，保存
[记] 词根记忆：con+serv(保持)+e→保持住→保存

court[12] [kɔ:t] n. 法院，法庭；庭院；宫廷；球场

crash[12] [kræʃ] vt. 碰撞，砸碎；冲，闯 vi. 倒下，坠落；发出撞击声；垮台，破产 n. 碰撞；破裂声
[记] 象声词：破裂声→碰撞

debate[12] [di'beit] n. / v. 争论，辩论
[记] 词根记忆：de(表加强)+bat(打)+e→反击→争论，辩论

decrease[12] [di'kri:s] n. / v. 减少
[记] 词根记忆：de(变慢)+cre(生长)+ase→减少
参考：increase(n. / v. 增加，增大)

deliberate[12] [di'libərit] a. 故意的，蓄意的；慎重的，深思熟虑的
[di'libəreit] v. 仔细考虑，思考
[记] 词根记忆：de+liber(自由的)+ate(做)→做事不随便的→深思熟虑的

dramatic[12] [drə'mætik] a. 引人注目的，激动人心的；戏剧的
[考] dramatic performance 戏剧表演

employment[12] [im'plɔimənt] n. 工作，雇用；使用

extinct[12] [ik'stiŋkt] a. 灭绝的，绝种的；(火山等)不再活跃的；(火等)熄灭了的；(风俗等)已废弃的
[记] 词根记忆：ex+tinct(刺；促使)→使…失去→灭绝的

feature[12] ['fi:tʃə] n. 特征，特色；[pl.] 面貌；特写，专题节目；故事片 vt. 突出；由…主演

[记]联想记忆：我的未来(future)由我主演(feature)

grant¹² [grɑːnt] n. 授给物 vt. 授予，给予

[记]联想记忆：授予(grant)显赫的(grand)贵族爵位

ideal¹² [aiˈdiəl] a. 理想的；观念的，空想的 n. 理想；理想的东西(或人)

[记]联想记忆：idea(想法)+l→想法总是理想的→理想的

[考] be ideal for sb. / sth. 适合…

insight¹² [ˈinsait] n. 洞察力；洞悉；深刻的见解

[记]联想记忆：in+sight(眼光)→眼光深入→深刻的见解

[考] have an insight into sth. 对…有深入了解

institution¹² [ˌinstiˈtjuːʃən] n. 协会；制度；习俗

instruct¹² [inˈstrʌkt] vt. 指示，通知；教育

[记]词根记忆：in+struct(建筑)→指示人如何建筑→指示

[考] instruct sb. in (doing) sth. 教某人某种技巧

intellect¹² [ˈintəlekt] n. 智力，理解力；才智非凡的人

[记]词根记忆：intel(看作 inter 在…之间)+lect(选择)→能在很多事物中作出选择的能力→智力

interact¹² [ˌintərˈækt] vi. 相互作用，相互影响

[记]词根记忆：inter(在…之间)+act(行动)→互动→相互作用

interaction¹² [ˌintərˈækʃən] n. 相互作用；干扰

[记]词根记忆：inter(在…之间，相互)+act(行动)+ion→相互作用

majority¹² [məˈdʒɔriti] n. 多数，大多数

manufacturer¹² [ˌmænjuˈfæktʃərə] n. 制造商，制造厂

neglect¹² [niˈglekt] n. / vt. 忽视，忽略；疏忽

= ˈignore

[记]词根记忆：neg(否定)+lect(选择)→不去选它→忽视；疏忽

obscure[12] [əbˈskjuə] *a.* 不著名的,不重要的;费解的,模糊不清的 *vt.* 使变模糊,掩盖

[记] 词根记忆:obs(看作 ob,表强调)+cur(流)+e→流下的泪水模糊了她的视线→模糊不清的

priority[12] [praiˈɔriti] *n.* 优先(权),重点;优先考虑的事

privacy[12] [ˈpraivəsi] *n.* (不受干扰的)个人自由;隐私,私生活,私事

[记] 词根记忆:priv(私有的)+acy→隐私

procedure[12] [prəˈsiːdʒə] *n.* 程序,手续,步骤

purchase[12] [ˈpəːtʃəs] *vt.* 买,购买 *n.* 购买;购买的物品

[记] 联想记忆:pur+chase(追逐)→为了得到紧俏的商品而竞相追逐→购买的物品

rarely[12] [ˈreəli] *ad.* 不常,难得

reaction[12] [riˈækʃən] *n.* 反应;反作用

security[12] [siˈkjuəriti] *n.* 安全,保障;抵押品;[*pl.*] 证券

severe[12] [siˈviə] *a.* 严重的;严厉的,严格的;严峻的,艰难的;朴素的,不加装饰的

[记] 联想记忆:s+ever(曾经,永远)+e→曾经艰难的日子,一去不复返了→艰难的

transaction[12] [trænˈzækʃən] *n.* 交易;业务;办理,处理

[记] 词根记忆:trans(交换)+act(行为)+ion→交易

注意:transformation 意为 "变化;改革";transmission 是"发射;播送"的意思;transition 是"转变,转换"之意;transaction 意为"办理,处理"。

ultimate[12] [ˈʌltimit] *a.* 最后的,最终的 *n.* 终极,顶点

[记] 词根记忆:ultim(最后的)+ate(…的)→最后的,最终的

whereas[12] [weərˈæz] *conj.* 然而,但是,尽管

核心词汇·常考词汇

List 5

accommodate[11] [əˈkɔmədeit] *vt.* 容纳；向…提供住处（或膳宿）；使适应，顺应

[记] 联想记忆：ac+commo（看作 common，普通的）+date（日子）→人们适应了过普通的日子→使适应

注意：accommodate 指调整以适应、迁就，例：I will accommodate my plans to yours.（我将调整我的计划以便和你的计划相适应。）adapt 常指改变自己以适应新环境；adjust 指作出适当的调整以符合要求；reconcile 是承认外在状况而改变自身，含不满情绪。

accomplish[11] [əˈkɔmpliʃ] *vt.* 达到（目的），完成

[记] 联想记忆：ac+compl（看作 complete，完成）+ish（使）→完成

acquire[11] [əˈkwaiə] *vt.* 取得，获得，学到

[记] 词根记忆：ac+quire（追求）→不断寻求才能够获得→获得

[考] acquire the skills 掌握技能

adapt[11] [əˈdæpt] *vt.* 使适应；改编

[记] 联想记忆：ad+apt（适当的）→使适应

[考] adapt to 适应…

注意：不要和 adopt（*v.* 采用，收养）弄混。

27

adopt[11] [ə'dɒpt] *vt.* 收养；采用，采取；正式通过，批准

[记] 词根记忆：ad+opt(选择)→通过选择→采用

analyse[11] ['ænəlaiz] *vt.* 分析，分解，解析

[记] 词根记忆：ana(类似)+lyse(放)→类似的放到一起→分析，分解

✓ **appeal**[11] [ə'piːl] *vi.* 求助，诉请，要求 *vt.* 控诉，移交上级法院审理 *n.* 吸引力；呼吁，上诉

[记] 联想记忆：ap(表加强)+peal(鸣响)→呼吁

[考] appeal to 吸引；向…上诉；appeal to sb. for help 向某人求助

✓ **associate**[11] [ə'səuʃieit] *v.* (在思想上)把…联系在一起；交往；联合，结合

[ə'səuʃiət] *n.* 伙伴，同事 *a.* 副的

[记] 联想记忆：as(表加强)+soci(看作 social，社会的)+ate(做)→在社会上要学会交往→交往

参考：associate professor 副教授

[考] associate with 与…相结合，联合

audience[11] ['ɔːdiəns] *n.* 听众，观众，读者

[记] 词根记忆：audi(听)+ence→听的人→听众

basis[11] ['beisis] *n.* 基础，根据；原则

cancer[11] ['kænsə] *n.* 癌，癌症，肿瘤

[记] 发音记忆："看色"→看气色就知道得了癌症→癌症

cancer

candidate[11] ['kændideit] *n.* 候选人；投考者；申请求职者

[记] 联想记忆：can(能)+did(做)+ate→能做实事的人才能当候选人→候选人

compete[11] [kəm'piːt] *vi.* 比赛，竞争，对抗

[记] 词根记忆：com(共同)+pete(追求，寻求)→共同追求一个目标→竞争

[考] compete against/with 和…竞争

consult[11] [kən'sʌlt] vt. 请教；查阅；商议

[记] 联想记忆：不怕侮辱(insult)，不耻请教(consult)

contract[11] ['kɔntrækt (n.)契约，合同

[kən'trækt (v.)缩小；订合同；感染(疾病)；染上(恶习)

[记] 词根记忆：con(共同)+tract(拉，拽)→合同将双方损益拉到一起→合同

contribution[11] [,kɔntri'bju:ʃən] n. 贡献，促成作用；捐款，捐献物；(投给报刊登的)稿件

convey[11] [kən'vei] vt. 表达，传递；运送，输送

[记] 词根记忆：con+vey(道路)→在路上运输→传递；输送

criticism[11] ['kritisizəm (n.)批评，批判；评论，评论文章

demonstrate[11] ['demənstreit] vt. 说明，论证；表露

[记] 词根记忆：de(表加强)+monstr(表示)+ate(做)→加强表示→论证

deprive[11] [di'praiv] vt. 剥夺，使丧失

[记] 词根记忆：de(去掉)+priv(使丧失)+e→剥夺，使丧失

[考] deprive of 使丧失

descend[11] [di'send] vi. 下来，下降 vt. 走下，爬下

[记] 词根记忆：de(向下)+scend(爬)→向下爬→下来，下降

[考] descend from 起源于，是…的后裔；descend on 袭击；descend to 沦为，把身份降至

device[11] [di'vais] n. 器械，装置；设计；手段，策略

[记] 词根记忆：de+vice(代替)→器械代替人力→装置

dominate[11] ['dɔmineit] v. 在…中占首要地位；支配，统治，控制；耸立于，俯视；拥有优势

[记] 词根记忆：domin(支配)+ate→支配，控制

electronic[11] [iˌlek'trɔnik] a. 电子的 n. [-s] 电子学;电子设备
[记] 来自 electric(a. 电的)

emphasize[11] ['emfəsaiz] vt. 强调,着重
[记] 联想记忆:em+phas(看作 phrase,用短语表达)+ize→用短语表达是为了强调→强调

enthusiastic[11] [inˌθjuːzi'æstik] a. 满腔热情的,热心的;极感兴趣的
[记] 来自 enthusiasm(n. 狂热,热情)

entitle[11] [in'taitl] vt. 给…权利(或资格);给(书、文章等)题名
[记] 联想记忆:en(使)+title(题目,标题)→给…题名
[考] be entitled to (do) sth. 有权做某事

exceed[11] [ik'siːd] vt. 超过,胜过,超出
[记] 词根记忆:ex(出)+ceed(走)→走出→超出,超过

excessive[11] [ik'sesiv] a. 过多的,极度的

exclusive[11] [ik'skluːsiv] a. 独有的,独享的;奢华的,高级的;排斥的,排他的;不包括…的,不把…计算在内的 n. 独家新闻
[记] 来自 exclude(v. 把…排除在外)
[考] exclusive of 除…外,不计算在内

existence[11] [ig'zistəns] n. 存在,实在;生存

explore[11] [ik'splɔː] v. 探险,探索;仔细查阅,探究
[记] 联想记忆:ex+pl+ore(矿石)→把矿石挖出来→探索

expose[11] [ik'spəuz] vt. 使暴露,揭露
[记] 词根记忆:ex(出)+pos(放)+e→放出来→使暴露

frequent[11] ['friːkwənt] a. 时常发生的,常见的

fuel[11] [fjuəl] n. 燃料,燃料剂 vt. 给…加燃料;刺激
[记] 联想记忆:加满(full)燃料(fuel)

indifferent[11] [inˈdifərənt] a. 冷漠的，不积极的；一般的，(表现)平平的

[记] 联想记忆：in+different(不同的)→并非与众不同的→一般的

[考] 听力和阅读中表态度的词：indifferent 无关紧要的；positive 肯定的，积极的；negative 否定的，消极的；cautious 谨慎的；critical 批评的；prejudiced 有偏见的；pessimistic 悲观的；doubtful 疑心的；concerned 关心的

✓ initiate[11] [iˈniʃieit] vt. 开始，创造；发起接纳(新成员)，让…加入；使初步了解

[iˈniʃiit] n. 新加入组织的人

instance[11] [ˈinstəns] n. 例子，实例，事例

[考] for instance 例如

luxury[11] [ˈlʌkʃəri] n. 奢侈，奢侈品

[记] 词根记忆：luxur(丰富，精美)+y→奢侈品

mass[11] [mæs] n. 众多，大量；团，块，堆；[pl.] 群众；(物体的)质量 a. 大量的，大规模的 v. 聚集，集中

mere[11] [miə] a. 仅仅的，纯粹的

migrate[11] [maiˈgreit] vi. (候鸟等)迁徙，移栖；移居(尤指移居国外)，迁移

[记] 词根记忆：migr(移动)+ate→迁徙；移居

✓ modify[11] [ˈmɔdifai] vt. 更改，修改；(语法上)修饰

[记] 词根记忆：mod+ify(使)→使…改变方式→修改

moreover[11] [mɔːrˈəuvə] ad. 而且，再者，此外

motivate[11] [ˈməutiveit] vt. 作为…的动机；激励，激发

[记] 来自 motive(n. 动机)

negative[11] [ˈnegətiv] a. 否定的，消极的；负的，阴性的 n. (照相的)负片，底片；负数

[记] 词根记忆：neg(否定)+ative(…的)→否定的

[考] 表态度的常见单词有：negtive 否定的；positive 肯定的；indifferent 漠然的；cautious 谨慎的

常考词汇

objection[11] [əbˈdʒekʃən] n. 反对，异议；反对的理由

persistent[11] [pəˈsistənt] a. 坚持不懈的；执意的；持续的
[记] 词根记忆：per(贯穿)+sist(站立)+ent→始终站着的→执意的；持续的

✓ **property**[11] [ˈprɔpəti] n. 财产，所有物；**房产**；物业；性质，性能
[记] 词根记忆：proper(固有的)+ty(表物)→固有物→财产，所有物

psychological[11] [ˌsaikəˈlɔdʒikəl] a. 心理(学)的
[记] 词根记忆：psycho(心灵，精神)+log(说)+ical(…的)→心理(学)的

release[11] [riˈliːs] n./vt. 释放，排放；放开，松开；解除，解脱；发布；发行
[记] 联想记忆：re(又，再)+lease(出租)→发行

reliable[11] [riˈlaiəbl] a. 可靠的，可依赖的
[记] 来自 rely(vi.信赖)

✓ **resident**[11] [ˈrezidənt] n. 居民，定居者；住院医生 a. 居住的，定居的；住校的，住院的
[记] 联想记忆：resi(看作 rest，休息)+dent(表人、物)→居民，定居者
[考] a resident tutor 住校教师

restrict[11] [riˈstrikt] vt. 限制，约束，限定
[记] 联想记忆：re(一再)+strict(严格的)→一再对其严格→限制，约束

settle[11] [ˈsetl] v. 安排，安放；调停；安家；支付，核算；(鸟等)飞落，停留；安定
[记] 联想记忆：set(放置)+tle→安放
[考] settle down 定居，过安定的生活；平静下来，定下心来；settle in/into 在新居安顿下来；适应新环境(或新工作)

✓ **suspicious**[11] [səˈspiʃəs] a. 猜疑的，疑心的；可疑的；表示怀疑的
[记] 来自 suspect(v.怀疑)
[考] suspicious of 对…表示怀疑的

注意：suspicious 表对人、事的怀疑，例：I became suspicious of him when I first saw him.（我第一眼看到他时就开始怀疑了。）doubtful 常与 suspicious 互换，但其含义更广；skeptical 主要是对声明言论的怀疑；questionable 指有问题的、不可靠的，主要用作定语。

sustain[11] [sə'stein] *vt.* 保持，使持续下去；支持，支撑；经受，遭受；供养，维持（生命等）
[记] 词根记忆：sus+tain(保持)→保持；供养

transfer[11] [træns'fə:] *v.* 搬，转移；调动，转学；转让，过户；乘车，转乘
[trænsfə:] *n.* 转移，转让
[记] 词根记忆：trans(转移)+fer(带来)→转移

transform
改革 把…转变成

transport[11] [træn'spɔ:t] *vt.* 运输 *n.* 运输，运输工具
[记] 词根记忆：trans(穿过)+port(搬运)→穿过地域搬运→运输

trivial[11] ['triviəl] *a.* 琐碎的，不重要的
[记] 来自 trifle(*n.* 琐事)

vast[11] [vɑːst] *a.* 巨大的；大量的；浩瀚的
[记] 联想记忆：东方(east)地大物博(vast)

victim[11] ['viktim] *n.* 牺牲者，受害者
[记] 联想记忆：有胜利者(victor)，就会有受害者(victim)
[考] victims of domestic abuse 家庭暴力的受害者

abandon[10] [ə'bændən] *vt.* 离弃，丢弃；放弃；遗弃，抛弃
[记] 联想记忆：a+band(乐队)+on→一个乐队在演出→放纵自己，抛弃约束→抛弃

abandon

achievement[10] [ə'tʃiːvmənt] *(n.)* 完成；成就，成绩

adjust[10] [ə'dʒʌst] *vt.* 调整，调节，校正 *vi.* 适应
[记] 词根记忆：ad+just(正确)→使正确→校正，调节

admit[10] [əd'mit] *vt.* 承认，供认；准许…进入 *vi.* 承认
[记] 词根记忆：ad+mit(送)→送进去→准许…进入

advocate[10] ['ædvəkeit] *vt.* 拥护，提倡，主张
['ædvəkit] *n.* 拥护者，提倡者；辩护者，律师
[记] 词根记忆：ad(表加强)+voc(声音，喊叫)+ate(做)→大声喊→拥护，提倡

alarm[10] [ə'lɑːm] *n.* 惊恐，忧虑；警报 *vt.* 使惊恐，使担心
[记] 联想记忆：al+arm(武器)→受了惊吓，拿起武器→惊恐

assignment[10] [ə'sainmənt] *n.* 任务，指定的作业；分配，指派
[考] personnel assignment 人员调配

✓ **circumstance**[10] ['səːkəmstəns] *n.* 情况，条件；境遇；[*pl.*] 境况，经济情况
[记] 词根记忆：circum(周围)+stance(站)→周围的存在→情况
[考] under no circumstances 无论如何不，决不；in/under the circumstances 在这种情况下，(情况)既然如此

✓ **collide**[10] [kə'laid] *vi.* 碰撞，互撞；冲突，抵触
[记] 联想记忆：col(共同)+lide(看作 lie, 谎言)→为避免情感冲突，他俩靠谎言度日→冲突

✓ **comply**[10] [kəm'plai] *vi.* 遵从，依从，服从
[记] 词根记忆：com+ply(重)→观点重合→服从
[考] comply with 遵从，服从

conference[10] ['kɒnfərəns] *n.* （正式）会议，讨论会；讨论，商谈
[记] 词根记忆：con(共同)+fer(带来)+ence→带着问题和观点一起讨论→会议，讨论会

XXX International Conference
USA France Japan UK

confidence[10] ['kɒnfidəns] *n.* 信任，信赖；信心，自信
[记] 词根记忆：con(表加强)+fid(相信)+ence→信任

List 6

conform[10] [kənˈfɔːm] *vi.* 遵守，适应；顺从；相似，一致，符合

[记] 词根记忆：con(共同)+form(形状)→有共同的形状→相似，符合

[考] conform to/with 适应，遵守

conscious[10] [ˈkɒnʃəs] *a.* 意识到的，自觉的；神志清醒的；有意的，存心的

[记] 词根记忆：con+sci(知道)+ous→知道的→神志清醒的

[考] be conscious of 知道；become conscious 恢复知觉，意识到

contradict[10] [ˌkɒntrəˈdikt] *vt.* 反驳，否认…的真实性；与…发生矛盾，与…抵触

[记] 词根记忆：contra(反对)+dict(说话，断言)→说反对的话→反驳

controversy[10] [ˈkɒntrəvɜːsi] *n.* 争论，辩论

[记] 词根记忆：contro(相反)+vers(转)+y→意见转向相反的方向→争论

[考] a political controversy 一场政治辩论

conventional[10] [kənˈvenʃənəl] *a.* 普通的；习惯的；常规的；因循守旧的

[考] conventional opinions 守旧的观念；conventional weapons 常规武器

credible[10] ['kredəbəl] *a.* 可信的,可靠的

[记] 词根记忆:cred(相信)+ible(可…的)→可信的

criminal[10] ['kriminəl] *n.* 犯人,罪犯,刑事犯 *a.* 犯罪的,刑事的

[考] criminal behavior 犯罪行为

dispose[10] [di'spəuz] *v.* 去掉,丢掉,销毁;使倾向于;处理,解决

[考] dispose of 去掉,丢掉,除掉

distinct[10] [di'stiŋkt] *a.* 与其他不同的;清楚的,明确的

[记] 词根记忆:di+stinct(刺)→刺眼的→清楚的,明确的

distinguish[10] [di'stiŋgwiʃ] *vt.* 区别,辨别,识别;使杰出,使著名

[记] 词根记忆:di(分开)+sting(刺)+uish→将刺挑出来→区别,辨别

[考] distinguish...from... 把…从…中区分出来

diverse[10] [dai'vəːs] *a.* 不一样的,相异的;多种多样的

[记] 词根记忆:di(分开)+vers(转)+e→转开→不一样的

electron[10] [i'lektrɔn] *n.* 电子

element[10] ['elimənt] *n.* 成分,要素,元素;[pl.]基础,纲要;自然力

[记] 联想记忆:e+lemen(看作lemon,柠檬)+t→柠檬是水果的一种→成分,要素

注意:element 意为"成分,元素",指整体中不可或缺的基本组成部分;component 意为"成分",表示与其他部分关系紧密但可以与整体分割的部分,多用于机器或系统;ingredient 意为"成分,因素",指混合整体中的一个部分,既可以是主要部分也可以是次要部分;constituent 意为"要素",指一个整体中起决定作用的关键性部分,失去它们,整体的性质就会有极大的改变。

exchange[10] [iks'tʃeindʒ] *n. / vt.* 交换, 交流; 兑换
[记] 联想记忆: ex+change(变换)→双方相互交换→交换, 交流

exploit[10] [ik'sploit] *vt.* 剥削; 利用; 开拓
['eksploit] *n.* [常 *pl.*] 业绩, 功绩
[记] 词根记忆: ex+ploit(利用)→利用

inevitable[10] [i'nevitəbəl] *a.* 不可避免的, 必然的
[记] 词根记忆: in(不)+evitable(可避免的)→不可避免的

intensify[10] [in'tensifai] *v.* (使)增强, (使)加剧
[记] 词根记忆: in+tens(伸展)+ify(使)→使…伸展→(使)增强, (使)加剧

interpret[10] [in'tə:prit] *v.* 解释, 说明; 口译
[记] 词根记忆: inter(在…之间)+pret(说)→在两种语言中间说→口译
[考] interpret... as... 把…理解为

mental[10] ['mentl] *a.* 心理的, 精神的, 思想上的; (治疗)精神病的; 智力的
[记] 词根记忆: ment(想, 心智)+al(…的)→精神的

obtain[10] [əb'tein] *v.* 获得; 通用, 流行; 存在
[记] 词根记忆: ob(表加强)+tain(拿住)→触手可及的→获得

occupy[10] ['ɔkjupai] *vt.* 占领; 占, 占有
[记] 联想记忆: 占领(occupy)的现象发生(occur)了
oc+cupy(看作 copy, 复印)→复印一份据为己有→占有

phenomenon[10] [fi'nɔminən] *n.* 现象, 迹象; 非凡的人(或事物)

primary[10] ['praiməri] *a.* 首要的, 主要的; 基本的; 最初的, 初级的
[记] 词根记忆: prim(第一; 主要的)+ary(具有…的)→主要的

principle[10] [ˈprinsəpl] *n.* 原则, 原理, 道义; 基本信念, 信条
[记] 词根记忆: prin(第一)+cip(取)+le→须第一位选取的→原则, 原理

pursue[10] [pəˈsju:] *vt.* 继续; 从事; 追赶, 追踪; 追求
[记] 发音记忆: "怕羞"→尽管怕羞, 她还是追求他到底→追求

region[10] [ˈri:dʒən] *n.* 地区, 地带, 区域; 范围, 幅度
[记] 词根记忆: reg(统治)+ion→统治的区域→区域

retain[10] [riˈtein] *vt.* 保留, 保持
[记] 词根记忆: re+tain(拿住)→保留, 保持

retrieve[10] [riˈtri:v] *vi.* 重新得到, 取回, 收回; 挽回, 补救; 检索
[记] 词根记忆: re(重新)+trieve(找到)→重新找到→重新得到

scan[10] [skæn] *vt.* 细看, 审视; 浏览 *n.* 扫描
[记] 发音记忆: "四看"→四处看→扫描

schedule[10] [ˈʃedju:l] *n.* 时刻表, 日程安排表; 清单, 明细表 *vt.* 安排, 排定
[记] 发音记忆: "沙斗"→古代拿沙漏计时→时刻表

spite[10] [spait] *n.* 恶意, 怨恨; 不顾 *vt.* 刁难, 欺侮
[记] 联想记忆: spi(看作 spy, 间谍)+te→人们普遍对间谍怀有恨意→恶意, 怨恨
[考] in spite of 尽管, 不管, 任凭

stability[10] [stəˈbiliti] *n.* 稳定, 稳固

strategy[10] [ˈstrætidʒi] *n.* 战略, 策略
[考] the government's long-term economic strategy 政府的长期经济发展战略

target[10] [ˈtɑ:git] *n.* 靶, 标的, 目标

urban[10] [ˈə:bən] *a.* 都市的, 住在都市的
[记] 发音记忆: "饿奔"→初到大都市讨生活, 饿得狂奔→都市的

vehicle[10] ['viːikl] *n.* 车辆，机动车；传播媒介，工具，手段

absorb[9] [əb'sɔːb] *vt.* 吸收；吸引…的注意，使全神贯注；把…并入，同化
[记] 词根记忆：ab(离去)+sorb(吸收)→吸收
[考] be absorbed in 全神贯注于…

accelerate[9] [æk'seləreit] *vt.* (使)加快，(使)加速
[记] 词根记忆：ac(表加强)+celer(速度)+ate(使)→(使)加速

acknowledge[9] [ək'nɔlidʒ] *vt.* 承认，承认…的权威(或主张)；告知收到，确认；鸣谢，报偿
[记] 联想记忆：ac+know(知道)+ledge→大家都知道了，所以不得不承认→承认

alert[9] [ə'ləːt] *a.* 警觉的；留神的，注意的 *vt.* 使认识到，使意识到 *n.* 警戒(状态)，戒备(状态)；警报
[记] 联想记忆：Red Alert "红色警戒"，风靡全球的电脑游戏

alter[9] ['ɔːltə] *vt.* 改变，变更，变动
[记] 本身为词根：改变

ambiguous[9] [æm'bigjuəs] *a.* 引起歧义的，模棱两可的，含糊不清的
[记] 词根记忆：ambi(两边)+gu+ous(…的)→两边都想顾→模棱两可的

anticipate[9] [æn'tisipeit] *vt.* 预料，预期，期望；先于…行动，提前使用
[记] 词根记忆：anti(先)+cip(拿)+ate(做)→先拿到→先于…行动

apartment[9] [ə'pɑːtmənt] *n.* 一套公寓房间
[记] 联想记忆：apart(分离)+ment→单独分离出来的一套房→一套公寓房间

ascribe[9] [ə'skraib] *vt.* 把…归因于，把…归属于
[记] 词根记忆：a+scribe(写)→把…写下来→把…归因于
[考] ascribe to 把…归因于

常考词汇

association⁹ [əˌsəusiˈeiʃən] n. 协会，团体；联合；交往

assure⁹ [əˈʃuə] vt. 使确信；确保，向…保证

[记] 联想记忆：as+sure(肯定)→一再肯定→使确信

border⁹ [ˈbɔːdə] n. 边，边缘，边界 vt. 给…加上边，围；接近 vi. 近似；与…接壤

[记] 联想记忆：b+order(命令)→听从命令不许出边界→边缘，边界

combine⁹ [kəmˈbain] v. 结合，联合；化合 n. 联合企业(或团体)；联合收割机

[记] 词根记忆：com(共同)+bi(两个)+ne→使两个在一起→结合

conceive⁹ [kənˈsiːv] vt. (构)想出，认为；怀(胎) vi. 构想出，设想；怀孕

[记] 词根记忆：con+ceive(抓，握住)→抓住想法→构想

[考] conceive of 构想出，设想

consume⁹ [kənˈsjuːm] vt. 消费，吃完，喝光 vi. 消灭，毁灭

[记] 词根记忆：con(全部)+sume(取)→把钱全部取出来消费→吃完，喝光

consumption⁹ [kənˈsʌmpʃən] n. 消耗(量)，消费(量)；肺病

convince⁹ [kənˈvins] vt. 使确信，使信服，说服

[记] 词根记忆：con+vince(征服)→征服→说服，使信服

crisis⁹ [ˈkraisis] n. 危机，存亡之际；关键阶段

[记] 联想记忆：cri(看作 cry，哭)+sis(看作 SOS，求救信号)→哭喊着发求救信号→危机

depress⁹ [diˈpres] vt. 使沮丧；使不景气；按下

[记] 词根记忆：de(向下)+press(挤压)→向下压→按下

depression⁹ [diˈpreʃən] n. 抑郁，沮丧；不景气，萧条(期)；洼地，凹陷

detect[9] [di'tekt] *vt.* 察觉，发觉；侦查出
[记] 词根记忆：de(去掉)+tect(遮盖)→去除遮盖→察觉，发觉

domestic[9] [də'mestik] *a.* 本国的，家庭的；驯养的
[记] 词根记忆：dom(家)+estic(…的)→家庭的
[考] domestic troubles 家庭纠纷

emphasis[9] ['emfəsis] *n.* 强调，重点，重要性

enforce[9] [in'fɔːs] *vt.* 实施，执行；强制，强迫，迫使
[记] 联想记忆：en(使)+force(强迫)→强迫，迫使

engage[9] [in'geidʒ] *vt.* 使从事，聘用；吸引，占用(时间、精力等)；使订婚
[考] engage in 参加，从事

enthusiasm[9] [in'θjuːziæzəm] *n.* 热情，热心，热忱；巨大兴趣
[记] 词根记忆：enthus(使充满热情)+iasm→热心，热情

evolution[9] [ˌiːvə'luːʃən] *n.* 进化，演化；发展
[记] 词根记忆：e+vol(意志)+ution→人类的进化史就是一部意志战胜自然的史诗→进化

exaggerate[9] [ig'zædʒəreit] *v.* 夸大，夸张

extensive[9] [ik'stensiv] *a.* 广阔的，广泛的

fluctuate[9] ['flʌktʃueit] *vi.* 波动，涨落，起伏
[记] 词根记忆：flu(流动)+ctu+ate→流动→涨落，波动

grain[9] [grein] *n.* 谷物，谷粒，颗粒；少量，微量
[记] 和 brain(*n.* 大脑)一起记

hesitate[9] ['heziteit] *vi.* 犹豫，踌躇，含糊；不情愿
[记] 词根记忆：hes(黏附)+it+ate(做)→脚像被粘住了一样→犹豫

hesitate
嫁给我!! 嫁给我!!

hostile[9] ['hɔstail] *a.* 敌对的，不友善的
[记] 联想记忆：host(主人)+ile→鸿门宴的主人→敌对的

incidentally[9] [ˌinsiˈdentli] *ad.* 顺便说及地, 顺便提一句

[记] 来自 incident(*n.* 事件 *a.* 附带的)

install[9] [inˈstɔːl] *vt.* 安装, 设置; 使就职, 任命

[记] 词根记忆: in(进入)+stall(放)→放进去→安装, 设置

institute[9] [ˈinstitjuːt] *n.* 研究所, 学院 *vt.* 建立, 设立

[记] 词根记忆: in+stitut(建立)+e→建立, 设立

intent[9] [inˈtent] *n.* 意图, 意向, 目的 *a.* 专心的, 专注的; 急切的

[记] 词根记忆: in(向内)+tent(帐篷)→深夜摸进帐篷, 意欲何为?→意图, 目的

[考] to all intents(and purposes) 几乎完全; 差不多等于; intent on 热衷于, 专心于

List 7

irritate⁹ ['iriteit] *vt.* 使恼怒，使烦躁；使(身体某部分)不适，使疼痛

magnify⁹ ['mægnifai] *vt.* 放大，扩大；夸大，夸张
[记] 词根记忆：magn(大)+ify(使)→放大，扩大

merely⁹ ['miəli] *ad.* 仅仅，只不过

minority⁹ [mai'nɔriti] *n.* 少数；少数民族

optimism⁹ ['ɔptimizəm] *n.* 乐观，乐观主义
[记] 词根记忆：optim(最好)+ism→认为自己是最好的→乐观主义

permanent⁹ ['pəːmənənt] *a.* 永久(性)的，固定的
[记] 词根记忆：per(自始至终)+man(手)+ent(具…性质的)→人类的劳动创造了世界，这是永恒的真理→永久(性)的

perspective⁹ [pə'spektiv] *n.* 视角，观点；远景，景观；透视法，透视图
[记] 词根记忆：per(透)+spect(看)+ive→可以看透事物的方法→透视法

planet⁹ ['plænit] *n.* 行星
[记] 联想记忆：plane(飞机)+t→坐飞机，看行星→行星

presentation⁹ [‚prezən'teiʃən] *n.* 提供；显示；外观，(显示的)图像；授予，赠送(仪式)；表演；报告，介绍

preserve⁹ [pri'zəːv] *vt.* 保护，维持；保存，保藏；腌制
[记] 词根记忆：pre(前面)+serve(服务)→提前提供服务→保护；保藏

常考词汇

43

profession[9] [prə'feʃən] n. 职业；公开表示

[记] 词根记忆：pro(很多)+fess(说)+ion→当着许多人的面说→公开表示

[考] the profession 同业，同行

profound[9] [prə'faund] a. 深度的；深切的，深远的；知识渊博的，见解深刻的；深奥的

[记] 词根记忆：pro(在…前)+found(创立)→有超前创见性→见解深刻的

prospect[9] ['prɔspekt] n. 前景，前途；(成功等的)可能性；景象，景色；可能成为主顾的人，有希望的候选人

[记] 词根记忆：pro(向前)+spect(看)→向前看→前景

protest[9] [prə'test] v. 抗议，反对

['prəutest] n. 抗议，反对

[记] 联想记忆：pro(很多)+test(测验)→考试太多，遭到学生反对→反对

recover[9] [ri'kʌvə] v. 重新获得，挽回；恢复

[记] 词根记忆：re(重新)+cover(包括)→重新获得

reinforce[9] [riːin'fɔːs] vt. 增强，加强；增援

[记] 联想记忆：re+inforce(强化)→加强

reject[9] [ri'dʒekt] vt. 拒绝；驳回，否决；摒弃

['riːdʒekt] n. 被拒货品，不合格产品

[记] 词根记忆：re(反)+ject(扔)→被扔回来→拒绝

relevant[9] ['reləvənt] a. 有关的；切题的

[记] 联想记忆：re(一再)+lev(举)+ant(…的)→不要一再抬高，要切题一些→切题的

[考] relevant experience 相关经验

relieve[9] [ri'liːv] vt. 使轻松，使宽慰；使得到调剂；接替，替下；缓解，减轻，解除

reluctant⁹ [ri'lʌktənt] *a.* 不情愿的，勉强的

[记] 发音记忆："驴拉坦克"→勉强的

[考] be reluctant to do sth. 勉强做某事

驴拉坦克？真的够强！

reluctant

remote⁹ [ri'məut] *a.* 遥远的，偏僻的；关系疏远的；脱离的；绝少的；微乎其微的；孤高的，冷淡的

[记] 词根记忆：re(反)+mot(移动)+e→向后移动→脱离的

reserve⁹ [ri'zə:v] *vt.* 保留，留存；预订 *n.* 储备(物)；保留，(言语、行动的)拘谨，矜持；替补队员，后备部队；自然保护区

[记] 词根记忆：re(反复)+serve(保持)→保留，留存

revenue⁹ ['revənju:] *n.* (尤指大宗的)收入，收益；(政府的)税收，岁入

[记] 词根记忆：re(回)+ven(来)+ue→回来的东西→收入

reverse⁹ [ri'və:s] *v.* 撤销，推翻；使位置颠倒，使互换位置；(使)反向，(使)倒转 *n.* 相反情况，对立面；反面，背面，后面；挫折，逆境 *a.* 反向的，相反的，倒转的

[记] 词根记忆：re+vers(移动，转向)+e→反向的，相反的

routine⁹ [ru:'ti:n] *n.* 例行公事，惯例，惯常的程序 *a.* 例行的，常规的

series⁹ ['siəri:z] *n.* 一系列，连续；丛书，(电视)连续剧

slip⁹ [slip] *v.* 滑跤，滑落；下降，跌落；悄悄放进 *n.* 疏漏，差错

[记] 联想记忆：s+lip (嘴唇)→从唇边滑落→滑落

symbol⁹ ['simbəl] *n.* 象征；符号，标志

[记] 联想记忆：创造符号(symbol)是为了使表达更简单(simple)

常考词汇

transition[9] [træn'ziʃn] *n.* 过渡；转变

accuse[8] [ə'kjuːz] *vt.* 指责，归咎于
[记] 词根记忆：ac(表加强)+cuse(理由)→有理由指责别人→指责
[考] accuse sb. of doing sth. 指控某人……

aggressive[8] [ə'gresiv] *a.* 侵略的，好斗的；敢做敢为的；有进取心的
[记] 词根记忆：ag(表加强)+gress(行走)+ive(……的)→不断行走，进入别国→侵略的

aid

aid[8] [eid] *n.* 帮助；救护；助手；辅助手段 *vt.* 帮助，援助

ambitious[8] [æm'biʃəs] *a.* 有抱负的，雄心勃勃的；有野心的
[记] 来自 ambition(*n.* 雄心)

ambitious

assign[8] [ə'sain] *vt.* 指派，分配，布置(作业)；指定(时间、地点等)
[记] 联想记忆：as+sign(签名，做记号)→签名委派某人做某事→指派

boom[8] [buːm] *n.* (营业等的)激增，(经济等的)繁荣，迅速发展；隆隆声，嗡嗡声 *vi.* 激增，繁荣，迅速发展；发出隆隆声

breakthrough[8] ['breikθruː] *n.* 突破，突破性进展；重要的新发现
[记] 来自词组 break through (突破)

burden[8] ['bəːdn] *n.* 重担；精神负担 *vt.* 负担，装载；加重压于，烦扰
[记] 联想记忆：burd(看作 bird，鸟)+en→鸟负重就飞不动了→负担

capable[8] ['keipəbl] *a.* 有能力的，有才能的
[记] 词根记忆：cap(握住)+able(能……的)→能

握得住的→有能力的

[考] be capable of 能够

cater[8] ['keitə] *vi.* 满足需要（或欲望），迎合；提供饮食及服务，承办酒席

cater

[记] 联想记忆：cat(小猫)+er→小猫见主人回来就迎了上去→迎合

[考] cater for... 为…提供所需；迎合；cater to sth. 满足某种需要或要求

client[8] ['klaiənt] *n.* 委托人，当事人；顾客

coincide[8] [,kəuin'said] *vi.* 同时发生；相符，一致；位置重合，重叠

[记] 词根记忆：co(共同)+in+cide(切)→切成一样的→相符，一致

colleague[8] ['kɔli:g] *n.* 同事，同僚

[记] 联想记忆：col(共同)+league(联盟)→在同一个联盟工作→同事

commission[8] [kə'miʃən] *n.* 委员会；委任状；佣金，回扣；授权，委托 *vt.* 委任，委托

[记] 词根记忆：com(表加强)+miss(送)+ion→送交给某人→委任，委托

communicate[8] [kə'mju:nikeit] *v.* 通讯；交际，交流；连接，相通；传达，传播；传染

[记] 词根记忆：com(共同)+muni(服务)+cate(做)→互相服务→交流，交际

compatible[8] [kəm'pætəbəl] *a.* 兼容的；能和睦相处的，合得来的

[记] 联想记忆：com+pat(=path，感情)+ible→有共同感情的→能和睦相处的，合得来的

compromise[8] ['kɔmprəmaiz] *n.* 妥协，和解；折中办法 *v.* 妥协；危及；放弃(原则、理想等)

[记] 联想记忆：com(共同)+promise(保证)→相互保证→妥协

consequently[8] ['kɔnsikwəntli] *ad.* 因此，因而，所以

consistent[8] [kən'sistənt] *a.* 坚持的，一贯的；一致的，符合的

[记] 联想记忆：consist(一致)+ent(…的)→一致的

constrain[8] [kən'strein] *vt.* 限制，约束；克制，抑制

[记] 词根记忆：con(表加强)+strain(拉紧)→限制，约束

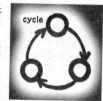

cycle[8] ['saikl] *n. / v.* (骑)自行车、摩托车；循环

decorate[8] ['dekəreit] *vt.* 装饰，装潢，修饰

[记] 词根记忆：decor(装饰)+ate(做)→装饰

definitely[8] ['definitli] *ad.* 一定地，明确地

derive[8] [di'raiv] *vt.* 取得，得到；追溯…的起源或来由 *vi.* 起源，衍生

[记] 联想记忆：de+rive(看作 river，河)→黄河是中华文明的发源地→起源

[考] derive from 得自，由来，衍生

diminish[8] [di'miniʃ] *v.* 减少，变小，降低

[记] 词根记忆：di+mini(小)+(i)sh(使)→变小，减少

discipline[8] ['disiplin] *n.* 纪律；训练；惩罚；学科 *vt.* 训练；惩罚，处罚

[记] 联想记忆：dis(不)+cip(拿)+line(线)→不站成一线就要受惩罚→惩罚

distract[8] [di'strækt] *vt.* 转移(注意力)，使分心

[记] 词根记忆：dis(分开)+tract(拉)→(精神)被拉开→使分心

electricity[8] [iˌlekˈtrisiti] *n.* 电

emerge[8] [iˈməːdʒ] *vi.* 出现，涌现，冒出

[记] 联想记忆：e(出)+merge（浸没）→从浸没之中出来→出现

electricity

emergency[8] [iˈməːdʒənsi] *n.* 紧急情况，突然事件

[记] 联想记忆：emerg(e)(出现)+ency→紧急情况突然出现→紧急情况，突然事件

essence[8] [ˈesəns] *n.* 本质，实质，要素；精髓，精华

[记] 词根记忆：ess(存在)+ence→存在的根本→本质，实质

[考] in essence 本质上，基本上；of the essence 极其重要的，必不可少的

evident[8] [ˈevidənt] *a.* 明显的，明白的

[记] 词根记忆：e+vid(看见)+ent(…的)→容易看见的→明显的

exclude[8] [ikˈskluːd] *vt.* 把…排除在外

[记] 词根记忆：ex(出)+clud(关闭)+e→关出去→把…排除在外

exclude

exert[8] [igˈzəːt] *vt.* 尽(力)；运用

[记] 词根记忆：ex(出)+ert(能量，活动)→运用

expansion[8] [ikˈspænʃən] *n.* 扩大，扩充，扩张；膨胀

federal[8] [ˈfedərəl] *a.* 联邦的，联盟的

[记] 联想记忆：FBI(联邦调查局)中的 F 就代表 federal

finance[8] [ˈfainæns] *n.* 财政，金融；[常 *pl.*] 财源，财务情况 *vt.* 为…提供资金

[记] 联想记忆：fin(看作 fine, 好的)+ance→为希望工程等措资金是一件好事→为…提供资金

formal[8] [ˈfɔːməl] *a.* 正式的，礼仪上的

furnish[8] ['fə:niʃ] *vt.* 供应，提供；装备

[记] 联想记忆：fur(皮毛)+nish→用皮毛提供装备→提供；装备

grave[8] [greiv] *n.* 坟墓 *a.* 严重的；严肃的

[记] 联想记忆：勇(brave)者无畏生死，不惧坟墓(grave)

identical[8] [ai'dentikəl] *a.* 完全相同的，同一的

[记] 来自 identic(*a.* 同一的)

[考] identical to/with sb./sth. 与…完全一样

illegal[8] [i'li:gəl] *a.* 不合法的，非法的

[记] 联想记忆：il(不，非)+legal(合法的)→不合法的

impulse[8] ['impʌls] *n.* 冲动，一时的念头；推动，驱使；脉冲

[记] 词根记忆：im(使)+puls(推)+e→推动

[考] on impulse 一时冲动，一时心血来潮

incident[8] ['insidənt] *n.* 发生的事，事件

[记] 词根记忆：in+cid(落下)+ent(表物)→从天而降的东西→发生的事

List 8

incredible[8] [in'kredəbəl] *a.* 不能相信的，不可信的；难以置信的，不可思议的，惊人的

[记] 词根记忆：in(不)+cred(相信)+ible(能…的)→不能相信的

independence[8] [ˌindi'pendəns] *n.* 独立；自主，自立

[记] 联想记忆：in(不)+depend(依靠)+ence→不依靠别人→独立

induce[8] [in'djuːs] *vt.* 引导，劝；引起，导致

[记] 词根记忆：in(使)+duce(引导)→引起

inherent[8] [in'hiərənt] *ad.* 内在的，固有的，生来就有的

[记] 词根记忆：in(向内)+her(黏附)+ent(…的)→内在的，固有的

[考] inherent in 生来就有的；内在的

justify[8] ['dʒʌstifai] *vt.* 证明…是正当的

[记] 联想记忆：just(正义)+ify(使)→证明…是正当的

mechanical[8] [mi'kænikəl] *a.* 机械的，机械制造的，机械学的；力学的；呆板的

minimum[8] ['miniməm] *n.* 最低限度，最小量 *a.* 最低的，最小的

[记] 词根记忆：mini(小)+mum→最小量

monitor[8] ['mɒnitə] *n.* 班长；监视器，检测器；(计算机)显示器 *vt.* 监听；检测

[记] 词根记忆：mon(警告)+itor→给你忠告的物或人→监视器；班长

常考词汇

myth⁸	[miθ] *n.* 杜撰出来的人(或事物)；神话
occasional⁸	[əˈkeiʒənəl] *a.* 偶尔的，间或发生的
originate⁸	[əˈridʒineit] *vi.* 起源于，来自，产生 *vt.* 创造，创始，开创
	[记] 来自 origin(*n.* 起源，产生)
	[考] originate in/from/with 起源于，产生
overwhelm⁸	[ˌəuvəˈwelm] *vt.* (感情上)使受不了，使不知所措；征服，制服
	[记] 组合词：over(在…上)+whelm(淹没，压倒)→在…上压倒→征服，制服
paradox⁸	[ˈpærədɔks] *n.* 似乎矛盾而(可能)正确的说法；自相矛盾的人(或事物)
	[记] 词根记忆：para(在旁边)+dox(观点)→似乎矛盾而(可能)正确的说法
preference⁸	[ˈprefərəns] *n.* 喜爱，偏爱；优先(权)；偏爱的事物(或人)
	[记] 联想记忆：prefer(更喜欢)+ence(表名词)→偏爱
presume⁸	[priˈzjuːm] *vt.* 推测，假定，(没有证据地)相信；认定，推定；冒昧(做)，擅自(做) *vi.* 擅自行事
	[记] 词根记忆：pre(预先)+sum(结论)+e→预先下的结论→假定
	[考] presume on (不正当地)利用
prevalent⁸	[ˈprevələnt] *a.* 流行的，普遍的
	[记] 词根记忆：pre(前)+val(强壮的)+ent→有走在前面的力量→流行的
productive⁸	[prəˈdʌktiv] *a.* 多产的，富饶的；富有成效的
pursuit⁸	[pəˈsjuːt] *n.* 追求，寻求；追赶，追逐；[常 *pl.*](花时间和精力的)事；嗜好，消遣
	[考] in hot pursuit 穷追不舍
radical⁸	[ˈrædikəl] *a.* 根本的，基本的；激进的，激进派的 *n.* 激进分子

[记] 词根记忆：radi(光线)+cal→光是生物生长之本→根本的

rank[8] [ræŋk] *n.* 军衔，职衔；地位，社会阶层；排，行列 *v.* 把…分等，给…评定等级；列入，(在序列中)占特定等级

[记] 联想记忆：银行(bank)拥有不同社会阶层(rank)的客户

recognition[8] [ˌrekəgˈniʃən] *n.* 认出，识别；承认，确认，认可；赏识，表彰；报偿

reconcile[8] [ˈrekənsail] *vt.* 使协调；使和解；使顺从(于)，使甘心(于)

[记] 联想记忆：re+concile(看作 council, 委员会)→召开委员会→使协调，使和解

[考] reconcile to 使顺从(于)

recovery[8] [riˈkʌvəri] *n.* 恢复，痊愈；追回，寻回；收复

reputation[8] [ˌrepjuˈteiʃən] *n.* 名誉，名气，名声

[记] 词根记忆：re(重新)+put(想)+ation(表状态)→反复想想，名气只是过眼烟云→名气，名声

scope[8] [skəup] *n.* (活动、影响等的)范围；(发挥能力等的)余地，机会

[记] 联想记忆：s+cope(对付，处理)→人处理的事情多了，眼界自然就会开阔→范围

semester[8] [siˈmestə] *n.* 学期

[记] 联想记忆：seme(看作 semi, 半)+s+ter(看作 term, 学期)→学期

sensible[8] [ˈsensəbəl] *a.* 明智的；合情理的

[记] 词根记忆：sens(感觉)+ible(可…的)→可感觉到的→明智的；合情理的

shed[8] [ʃed] *vt.* 脱落，脱去；发出(光等)，散发；流出，流下 *n.* 棚，小屋，货棚

[考] shed light on sth. 使某事清楚地显示出来

shrink[8] [ʃriŋk] *vi.* 起皱，收缩；退缩，畏缩

sophisticated[8] [səˈfistikeitid] *a.* 老于世故的；精密的，复杂的；高级的；高雅的

[记] 联想记忆：sophist(诡辩家)+icated→诡辩家都是老于世故的→老于世故的

stable[8] ['steibəl] *a.* 稳定的，不变的；沉稳的，持重的 *n.* 马厩，牛棚

[记] 联想记忆：s(音同：似)+table(桌子)→像桌子一样四平八稳→稳定的

status[8] ['steitəs] *n.* 地位，身份；情形，状况

[考] the marital status 婚姻状况

substance[8] ['sʌbstəns] *n.* 物质；实质；大意，要旨；根据，理由

[记] 联想记忆：sub(在…下)+stance(看作stand，站)→站立的根本→实质

suburb[8] ['sʌbə:b] *n.* 郊区，郊外，近郊

[记] 词根记忆：sub(靠近)+urb(城市)→靠近城市的地方→近郊

superior[8] [sju: 'piəriə] *a.* 上级的，(在职位、地位等方面)较高的；优越的；有优越感的，高傲的 *n.* 上级，长官

[记] 联想记忆：super(在…上面)+ior→较高的

tremendous[8] [tri 'mendəs] *a.* 极大的，非常的；精彩的，了不起的

[记] 词根记忆：trem(抖动)+end(表抽象名词)+ous(…的)→让人颤抖的→极大的

unemployment[8] [ˌʌnim 'plɔimənt] *n.* 失业，失业人数

[记] 来自 employ(*v.* 雇用)

urge[8] [ə:dʒ] *vt.* 鼓励；推进，催促；竭力主张，强烈要求 *n.* 冲动，强烈的欲望

[考] urge sb. to do sth. 催促某人做某事

vigorous[8] ['vigərəs] *a.* 朝气蓬勃的；有力的，用力的

[记] 联想记忆：vigor(活力)+ous(…的)→有活力的→朝气蓬勃的

violent[8] ['vaiələnt] *a.* 暴力引起的，凶暴的；猛烈的，剧烈的

virtue[8] ['və:tʃu:] *n.* 善，美德；优点，长处

[考] by virtue of 借助，由于

wealth[8] [welθ] *n.* 财富，财产；丰富

[记] 联想记忆：健康（health）是我最大的财富（wealth）

abuse[7] [ə'bju:z] *vt.* 滥用；虐待；辱骂

[ə'bju:s] *n.* 滥用；虐待；辱骂

[记] 词根记忆：ab（变坏）+use（使用）→使用不当→滥用

accommodation[7] [əˌkɔmə'deiʃən] *n.* 住处，膳宿

[记] 联想记忆：ac+commod（看作 common，普通的）+ation（表状态）→学生的膳宿条件很普通→住处，膳宿

administration[7] [ədˌminis'treiʃən] *n.* 管理；管理部门，行政机关；实行，执行

[记] 联想记忆：ad（做）+ministr（看作 minister，部长）+ation（表状态、动作）→部长负责管理和执行工作→管理

affection[7] [ə'fekʃən] *n.* 感情；爱，爱慕

agent[7] ['eidʒənt] *n.* 代理人，代理商；政府代表；动因，原因；剂

[记] 来自 agency（*n.* 代理）

analysis[7] [ə'næləsis] *n.* 分析，分析报告；分解，解析

ancient[7] ['einʃənt] *a.* 古代的，古老的；年老的，看上去很老的

[记] 发音记忆："安神的"→那古老的旋律让人心安神宁→古代的，古老的

annual[7] ['ænjuəl] *a.* 每年的，一年一次的 *n.* 年报，年鉴；一年生的植物

[记] 词根记忆：ann（年）+ual（…的）→每年的

artificial[7] [ˌɑ:ti'fiʃəl] *a.* 人工的，人为的；矫揉造作的；模拟的

[记] 词根记忆：arti（技

artificial additives

Apple Juice

natural

术)+fic(面)+ial(…的)→在表面使技术的→人 为的

assert[7] [ə'sə:t] vt. 肯定地说, 断言; 维护, 坚持

[记] 词根记忆: as+sert(插入)→强行插入观 点→断言

[考] assert oneself 坚持自己的权利(或意见); 显示自己的权威(或威力)

assumption[7] [ə'sʌmpʃən] n. 假定, 臆断; 担任, 承担

atmosphere[7] ['ætməsfiə] n. 大气, 空气; 气氛, 环境

[记] 词根记忆: atmo+sphere(球体)→围绕地球 的空气→大气

bargain[7] ['bɑ:gin] n. 特价商品; 协议, 交易 vi. 讨价还价

[记] 联想记忆: bar(看作 barter, 交易)+gain(获 得)→交易获得好价钱, 需要讨价还价→讨价 还价

beneficial[7] [ˌbeni'fiʃəl] a. 有利的, 有益的

[记] 词根记忆: bene(善, 好)+fic(做)+ial(… 的)→做的事情有好处→有利的, 有益的

[考] beneficial insects 益虫

bound[7] [baund] a. 一定的; 有义务的 v. 跳跃; 弹回, 反跃; 成为…的界限, 给…划界 n. 跳跃; 界限, 限制

[记] 和 round(n. 圆)一起记

[考] be bound to 对…有义务的

brand[7] [brænd] n. 商标, 牌子 vt. 铭刻, 打烙印于; 加 污名于; 谴责

breed[7] [bri:d] n. 品种 v. 繁殖; 养育, 培育; 酿成, 产生

brief[7] [bri:f] a. 简短的, 短暂 的 vt. 向…介绍基本情况, 做…的提要 n. 概要, 摘要

[考] in brief 简言之, 简单地说

casualty[7] [ˈkæʒuəlti] *n.* 伤亡人员，死伤者；受害人，损失的东西
[记] 来自 casual(*a.* 偶然的)

cautious[7] [ˈkɔːʃəs] *a.* 十分小心的，谨慎的
[记] 联想记忆：caut(看作 cat，猫)+ious(…的) →像猫一样的→十分小心的，谨慎的

cherish[7] [ˈtʃeriʃ] *vt.* 珍爱，珍视；爱护，抚育；抱有，怀有(希望、想法、感情等)
[记] 联想记忆：c+her(她)+ish→父母将她视若珍宝→珍视

commitment[7] [kəˈmitmənt] *n.* 承诺，许诺，保证；承担的义务；信奉，献身
[考] family commitments 家庭义务

comparison[7] [kəmˈpærisən] *n.* 比较，对照；比拟，比喻

confine[7] [kənˈfain] *vt.* 限制，使局限；使不外出，禁闭 *n.* [*pl.*] 界限，范围
[记] 词根记忆：con(表加强)+fin(限制)+e→限制

confusion[7] [kənˈfjuːʒən] *n.* 困惑，糊涂；混淆；骚乱

congress[7] [ˈkɔŋgres] *n.* 代表大会；国会，议会
[记] 词根记忆：con(共同)+gress(行走)→走到一起开议会→议会

considerable[7] [kənˈsidərəbəl] *a.* 相当大(或多)的；重要的
[记] 联想记忆：consider(考虑)+able(能…的)→能纳入考虑范围的→重要的

consultant[7] [kənˈsʌltənt] *n.* 顾问；会诊医师，专科医生
[记] 联想记忆：consult(请教，查阅)+ant(表人) →提供咨询的人→顾问

criticize[7] [ˈkritisaiz] *vt.* 批评，非难；评论

deadline[7] [ˈdedlain] *n.* 最后期限
[记] 组合词：dead(死)+line(线)→死期→最后期限

deadly[7] [ˈdedli] *a.* 致死的，致命的；不共戴天的；极度的，十足的 *ad.* 非常，极度地

decent[7] [ˈdiːsənt] *a.* 像样的，过得去的，体面的；正派的；合乎礼仪的，得体的；宽厚的，大方的

[记] 联想记忆：de(离开)+cent(分币)→离开分币，不计较钱→大方的

List 9

defect[7] [di'fekt] *n.* 缺点；缺陷，欠缺 *v.* 变节，叛变
[记] 词根记忆：de(变坏)+fect(做)→没做好→缺点
[考] a genetic defect 遗传缺陷

degrade[7] [di'greid] *vt.* 降低…的身份，有辱…的人格；使降解；使退化
[记] 联想记忆：de(向下)+grade(级别)→降低级别→降低…的身份

desirable[7] [di'zaiərəbəl] *a.* 值得向往的，可取的
[记] 联想记忆：desir(看作 desire，期望，要求)+able(可…的)→值得向往的

destination[7] [ˌdesti'neiʃən] *n.* 目的地，终点；目标
[记] 联想记忆：destin(看作 destine，预定)+ation→预定的地方→目的地

destructive[7] [di'strʌktiv] *a.* 破坏(性)的，毁灭(性)的
[记] 词根记忆：de(去掉)+struct(建筑)+ive(…的)→破坏(性)的

deteriorate[7] [di'tiəriəreit] *vi.* 恶化，变坏
[记] 词根记忆：deterior(拉丁文：糟糕的)+ate→变糟糕→变坏

devote[7] [di'vəut] *vt.* 将…奉献给；把…专用(于)
[记] 词根记忆：de+vote(发誓)→拼命发誓→将…奉献给
[考] devote to 把…专用于；devote oneself to 献身于

常考词汇

disable[7] [dis'eibl] *vt.* 丧失能力，伤残

[记] 词根记忆：dis(消失掉)+able(能)→丧失能力，伤残

discriminate[7] [di'skrimineit] *vi.* 区别，辨别；有差别地对待，歧视

[记] 词根记忆：dis(分开)+crim(罪行)+inate→把人当罪犯→歧视

[考] discriminate between 区别；discriminate against 歧视

dominant[7] ['dɔminənt] *a.* 占优势的，支配的，统治的；居高临下的，高耸的

elementary[7] [ˌeli'mentəri] *a.* 基本的，初级的

[考] elementary education 初等教育

encounter[7] [in'kauntə] *vt.* 遭遇，遇到 *n.* 遭遇

[记] 联想记忆：en(使)+counter(相反的)→使从两个相反方向来→遭遇，遇到

entertainment[7] [ˌentə'teinmənt] *n.* 娱乐，文娱节目，表演会；招待，款待，请客

exhaust[7] [ig'zɔːst] *vt.* 使筋疲力尽，用尽；详尽论述 *n.* 排气装置；废气

extent[7] [ik'stent] *n.* 广度，范围，程度

[记] 词根记忆：ex(出)+tent(伸展)→伸展出的距离→广度，范围

facilitate[7] [fə'siliteit] *vt.* 使…变得(更)容易，使便利

fascinate[7] ['fæsineit] *vt.* 强烈地吸引，迷住

[记] 联想记忆：fasc(看作 fast，牢固的)+in(里面的)+ate→牢牢地困在里边→强烈地吸引，迷住

注意：fascinate 指使入迷、使神魂颠倒，例：You'd be fascinated by what is on display. （你会被陈列的物品完全吸引住的。）engross 强调全神贯注，心无旁骛；absorb 表吸引、使专心于、吸收；engage 表示能引起注意并可使之持续一段时间。

fiction[7] ['fikʃən] *n.* 小说；虚构，杜撰

[记] 联想记忆：大家都爱看的《科幻世界》就是 *Science Fiction World*

flexible[7] ['fleksəbəl] *a.* 易弯曲的；灵活的

[记] 词根记忆：flex(弯曲)+ible(易…的)→易弯曲的

frequency[7] ['fri:kwənsi] *n.* 屡次；次数，频率；经常发生

fulfill[7] [ful'fil] *vt.* 履行，实现，完成；满足，使满意

[记] 联想记忆：ful(看作 full，充满的)+fill(装满)→做得圆满→履行，实现

hazard[7] ['hæzəd] *n.* 危险，公害 *vt.* 尝试着做(或提出)，冒…风险

[记] 发音记忆："骇人的"→危险

illustrate[7] ['iləstreit] *vt.* (用图等)说明

[记] 词根记忆：il+lust(光，照亮)+rate→(用图等)说明

imitate[7] ['imiteit] *vt.* 模仿，仿效；仿制，假冒

imitation[7] [,imi'teiʃən] *n.* 模仿；仿制；伪制品，赝品

[记] 来自 imitate(*v.* 模仿，仿效)

immigrant[7] ['imigrənt] *n.* 移民，侨民

[记] 词根记忆：im(进入)+migr(迁移)+ant(表人)→移入的人→移民，侨民

inferior[7] [in'fiəriə] *a.* 下等的，劣等的 *n.* 下级，下属

[记] 联想记忆：infer(推断)+ior→推断的东西是次要的，事实才是依据→下等的

[考] (be) inferior to 比…差的；比…地位低的

ingenious[7] [in'dʒi:niəs] *a.* (物件等)设计独特的，(方法等)别致的，巧妙的；(人、头脑)灵巧的，善于创

常考词汇

造发明的

[记] 联想记忆：in(时尚的，入围的)+genious (看作 genius，天才)→引领潮流的天才设计才独特→设计独特的

insist[7] [in'sist] v. 坚持，坚决认为；坚持要求

[记] 词根记忆：in(里面)+sist(站)→一直站在里面→坚持

[考] insist on/upon 坚持，强调，坚决要求

instinct[7] ['instiŋkt] n. 本能；直觉；天性

[记] 词根记忆：in(内)+stinct(刺激)→内在的刺激→本能，天性

insurance[7] [in'ʃuərəns] n. 保险，保险费

internal[7] [in'tə:nəl] a. 内部的；国内的；内心的

[记] 词根记忆：inter(在…中间)+nal→在其中的→内部的

intuition[7] [ˌintju'iʃən] n. 直觉；由直觉获知的信息

[记] 联想记忆：in+tuition(学费)→凡事只凭直觉，终究要为此交"学费"的→直觉

isolate[7] ['aisəleit] vt. 使隔离，使孤立

[记] 词根记忆：i+sol(孤独的)+ate(做)→使孤立

manifest[7] ['mænifest] a. 明显的，显然的，明了的 vt. 显示，表明；证明；使显现，使显露

注意：manifest 指让隐蔽的事物明白地表现出来，常接抽象名词，例：They manifested dense interest in their studies. (他们对学习显示出了浓厚的兴趣。) show 为最普通用词，是"表示，说明"的意思；demonstrate 指通过实例、实验来推理、证明。

manufacture[7] [ˌmænju'fæktʃə] vt. (大量)制造，加工 n. 制造，制造业

[记] 词根记忆：manu(手)+fact(制作)+ure→用手制作→制造，加工

mature⁷ [mə'tʃuə] *a.* 成熟的, 成年人的; 深思熟虑的; (票据等)到期的, 应支付的 *v.* (使)成熟

[记] 联想记忆: 自然(nature)中的 n 更换成 m 就是成熟的(mature)

military⁷ ['militəri] *a.* 军事的, 军用的 *n.* 军队, 武装力量

[记] 词根记忆: milit(军事)+ary→军事的, 军用的

neutral⁷ ['njuːtrəl] *a.* 中立的, 中性的

[记] 和 natural(*a.* 自然的)一起记

obligation⁷ [ˌɔbli'geiʃən] *n.* 义务, 责任

[记] 来自 oblige(*v.* 迫使)

origin⁷ ['ɔridʒin] *n.* 起源, 起因; 出身, 血统

[记] 词根记忆: ori(开始)+gin→开始→起源

overwhelming⁷ [ˌəuvə'welmiŋ] *a.* 势不可挡的, 压倒的; 巨大的

poetry⁷ ['pəuitri] *n.* 诗, 诗歌, 诗集

poisonous⁷ ['pɔizənəs] *a.* 有毒的; 恶毒的

pose⁷ [pəuz] *v.* 造成, 引起(困难等); 提出(问题等), 陈述(论点等); 摆姿势; 假装, 冒充, 装腔作势 *n.* 样子, 姿势

precise⁷ [pri'sais] *a.* 精确的, 准确的; 严谨的

predominant⁷ [pri'dɔminənt] *a.* 占主导地位的; 显著的

[记] 联想记忆: pre(前)+dominant(统治的)→在前面统治的→占主导地位的

prejudice⁷ ['predʒudis] *n.* 偏见, 成见 *vt.* 使有偏见; 对…不利, 损害

[记] 词根记忆: pre(预先)+jud(判断)+ice(表行为)→先入为主的判断, 容易产生偏见→偏见

prolong⁷ [prə'lɔŋ] *vt.* 延长, 拉长; 拖延

[记] 词根记忆: pro(向前)+long(长)→向前延长→拉长; 拖延

proof⁷ [pruːf] *n.* 证据, 证明; 校样, 样张 *a.* 耐…的, 能防…的

常考词汇

[记] 联想记忆:屋顶(roof)有了 p 就能防雨→能防…的

recreation⁷ [ˌrekriˈeiʃən] *n.* 娱乐活动, 消遣

[记] 词根记忆: re(一再)+cre(制造)+ation→一遍遍地制造娱乐新闻→娱乐活动

[考] recreation facilities 娱乐设施

rectify⁷ [ˈrektifai] *vt.* 纠正, 修复

[记] 词根记忆: rect(直)+ify(使)→使…直→纠正, 修复

reform⁷ [riˈfɔːm] *n./v.* 改革, 改良, 改造; 改正, 改过自新

[记] 词根记忆: re(重新)+form(形成)→重新形成→改革, 改良

relief⁷ [riˈliːf] *n.* 轻松, 宽慰; 使得到调剂; 接替, 替下; (痛苦等)缓解, 减轻, 解除

[记] 联想记忆:坚定的信念(belief)能缓解(relief)痛苦

[考] relief supplies 救援物资

reservation⁷ [ˌrezəˈveiʃən] *n.* (住处、座位等的)预订; (美国印第安部落的)居留地; 保留; 犹豫

[记] 来自 reserve(*v.* 保留)

restore⁷ [riˈstɔː] *vt.* 恢复, 使回复; 修复, 整修; 归还, 交还

[记] 联想记忆: re+store(储存)→身体重新储存能量→恢复; 修复

sacrifice⁷ [ˈsækrifais] *v.* 牺牲, 舍身; 献祭, 供奉 *n.* 祭品; 牺牲

[记] 词根记忆: sacr(神圣的)+i+fic(做)+e→牺牲是神圣的做法→牺牲

scheme⁷ [skiːm] *n.* 计划, 方案; 阴谋 *v.* 密谋, 策划

scratch⁷ [skrætʃ] *v.* 抓, 搔, 扒; 刮, 擦, 刻, 划 *n.* 抓痕, 划痕; 抓, 搔, 刮

[考] from scratch 从零开始, 从头做起

skip[7] [skip] *vi.* 跳，蹦跳；跳绳 *vt.* 跳过，略过，漏过 *n.* 跳，蹦跳

sociology[7] [ˌsəusiˈɔlədʒi] *n.* 社会学
[记] 词根记忆：soci(同伴，结交)+ology(学科) →社会学

spontaneous[7] [spɔnˈteiniəs] *a.* 自发的，无意识的；自然的，天真率直的

stream[7] [striːm] *n.* 河，溪流；一股，一串 *v.* 流出，涌出
[记] 联想记忆：s+tream(看作 dream，梦想)→梦想的河流→河，溪流

submit[7] [səbˈmit] *v.* 屈从，听从，服从；呈送，提交；主张，建议
[记] 词根记忆：sub(下面的)+mit(放出)→被关押的人从下面放出来，因为服从→屈从，服从
[考] submit to 屈服，听从；提交；建议；submit oneself to 遵守

subordinate[7] [səˈbɔːdinit] *a.* 下级的，级别低的；次要的，从属的 *n.* 部属，下级
[səˈbɔːdineit] *vt.* 使处于次要地位，使从属于
[记] 词根记忆：sub(在下面)+ordin(顺序)+ate→顺序在下→从属的
[考] subordinate to 次要的，从属的

surgery[7] [ˈsəːdʒəri] *n.* 外科；外科手术；手术室
[记] 联想记忆：sur(看作 sure，确定的，安全的)+gery→这个外科手术是安全的→外科手术

sympathy[7] [ˈsimpəθi] *n.* 同情，同情心；(思想感情上的)支持，赞同
[记] 词根记忆：sym(相同)+path(感情)+y→怀有相同的感情→同情

tackle[7] [ˈtækəl] *vt.* 对付，处理；与…交涉；(足球等比赛中)阻截，擒抱 *n.* 阻截，擒抱；用具，钓具；辘轳，滑车(组)
[考] fishing tackle 钓具

testify[7] ['testifai] *vi.* 作证,证明;表明,说明 *vt.* 作证,证明

[记] 词根记忆:test(证据)+ify→用证据来证明→作证,证明

[考] testify to 表明,说明

transmission[7] [trænz'miʃən] *n.* 传播,发射;传送,传递;传染

[记] 词根记忆:trans(越过)+miss(放出)+ion→传送;发射

trial[7] ['traiəl] *n.* 试验;审判;讨厌的人(或事物)

vulnerable[7] ['vʌlnərəbəl] *a.* 易受伤的,脆弱的;易受攻击的,难防御的

web[7] [web] *n.* (蜘蛛等的)网;网络;错综复杂的事物

[考] a spider's web 蜘蛛网

yield[7] [ji:ld] *v.* 出产;屈服,顺从;倒塌,垮掉;让出,放弃 *n.* 产量

[记] 联想记忆:这片田地(field)盛产(yield)西瓜

[考] yield to 屈服,让步

List 10

中频词汇

abnormal⁶ [æbˈnɔːməl] a. 反常的，异常的
[记] 词根记忆：ab(相反)+norm(规则)+al→违反规则的→反常的

abnormal

abolish⁶ [əˈbɔliʃ] vt. 彻底废除，废止
[记] 词根记忆：a+bol(抛)+ish(使)→抛弃→废止
参考：polish(v. 磨光，擦亮)

abundance⁶ [əˈbʌndəns] n. 大量，丰富，充足
[记] abundant(a. 丰富的，充裕的)的名词形式
[考] in abundance 充足，丰富

accustomed⁶ [əˈkʌstəmd] a. 惯常的，习惯的
[记] 联想记忆：ac+custom(习惯，习俗)+ed→惯常的，习惯的
[考] accustomed to (doing) sth. 习惯(做)某事

adhere⁶ [ədˈhiə] vi. 遵守，坚持；黏附，附着；追随，支持
[记] 词根记忆：ad(表加强)+her(黏附)+e→黏附，附着

adhere

[考] adhere to 黏附，附着；遵守；坚持

amplify⁶ [ˈæmplifai] vt. 放大(声音等)，增强；扩大，详述，进一步阐述
[记] 词根记忆：ampl(大)+ify(使)→放大，增强

arouse[6] [əˈrauz] vt. 引起，唤起，唤醒
　　[记] 联想记忆：a+rouse(唤醒，激起)→引起，唤起，唤醒

arrange[6] [əˈreindʒ] v. 安排；准备；整理
　　[记] 词根记忆：ar(表加强)+range(排列)→有顺序地排列→安排

assemble[6] [əˈsembəl] vi. 集合，召集 vt. 集合，聚集；装配
　　[记] 联想记忆：as(表加强)+semble(类似)→物以类聚→集合

assess[6] [əˈses] vt. 对(财产等)估价；评价，评论
　　[记] 联想记忆：给驴子(ass)估价(assess)

athlete[6] [ˈæθliːt] n. 运动员，体育家
　　[记] 发音记忆："爱死你的"→运动员体格健美，让人喜爱→运动员

attain[6] [əˈtein] vt. 获得；完成，达到
　　[记] 词根记忆：at+tain(拿住)→稳稳拿住→获得

award[6] [əˈwɔːd] n. 奖，奖品；判定 v. 授予，给予；判给，裁定
　　[记] 联想记忆：a(一)+ward(看作 word，话)→这一句话是给你的最好奖励→奖，奖品

bacteria[6] [bækˈtiəriə] n. [pl. of bacterium] 细菌

barrier[6] [ˈbæriə] n. 栅栏；检票口；屏障；障碍，隔阂
　　[记] 联想记忆：bar(栅栏)+rier→栅栏；障碍

certify[6] [ˈsəːtifai] vt. 证明，证实；发证书(或执照)给
　　[记] 词根记忆：cert(搞清)+ify(使)→使…清楚→证明

collision[6] [kəˈliʒən] n. 碰撞；冲突，抵触
　　[记] 来自 collide(v. 冲撞)

combat[6] [ˈkɔmbæt] n. 战争，斗争；格斗 vt. 与…斗争，与…战斗
　　[记] 词根记忆：com(共同)+bat(打，击)→互相打→战争

combination[6] [ˌkɔmbiˈneiʃən] n. 结合(体)，联合(体)；化合
[记] 来自 combine(v. 结合)

compensate[6] [ˈkɔmpenseit] v. 补偿，弥补；抵消
[记] 词根记忆：com(全部)+pens(花费)+ate(做)→支付所有花费→补偿

confidential[6] [ˌkɔnfiˈdenʃəl] a. 秘密的，机密的；表示信任(或亲密)的；担任机密工作的
[记] 来自 confident(a. 自信的，确信的)

conservation[6] [ˌkɔnsəˈveiʃən] n. 保存，(对自然资源的)保护，避免浪费；守恒
[记] 联想记忆：con(表加强)+serv(看作 serve，服务)+ation→一再为其服务→保护

conservative[6] [kənˈsəːvətiv] a. 保守的，守旧的；(式样等)不时兴的，传统的 n. 保守的人

constitute[6] [ˈkɔnstitjuːt] vt. 组成，形成；设立；任命
[记] 词根记忆：con(表加强)+stitute(建立，放)→建立，设立

continual[6] [kənˈtinjuəl] a. 连续的；频繁的

contrive[6] [kənˈtraiv] vt. 谋划，策划；设法做到；设计，想出

convert[6] [kənˈvəːt] vt. (使)转变，(使)转化；(使)改变(信仰或态度)
[记] 词根记忆：con+vert(转)→转变
[考] convert defeat into victory 反败为胜

deceive[6] [diˈsiːv] vt. 欺骗，蒙蔽，行骗
[记] 词根记忆：de(变坏)+ceive(拿，抓)→用不好的手段拿→欺骗，蒙蔽

deceive

deficit[6] [ˈdefisit] n. 赤字，亏空，亏损
[记] 词根记忆：de(向下)+fic(做)+it→经济滑坡，财政赤字→赤字

definition⁶ [ˌdefiˈniʃən] *n.* 定义，释义；定界；清晰(度)，鲜明(度)

delicate⁶ [ˈdelikit] *a.* 纤细的，易碎的；微妙的；精美的

descendant⁶ [diˈsendənt] *n.* 后裔，后代

[记] 词根记忆：descend(下来，下降)+ant(表人)→下一代→后裔，后代

deviate⁶ [ˈdiːvieit] *vi.* 背离，偏离

[记] 词根记忆：de(离开)+vi(道路)+ate(做)→离开道路→偏离，背离

[考] deviate from 背离，偏离

discount⁶ [ˈdiskaunt; disˈkaunt] *n.* (价格、债款等)折扣

[disˈkaunt] *vt.* 把…打折扣；不全信；漠视，低估

[记] 词根记忆：dis(分离)+count(计算)→不计算在内的部分→折扣

dismiss⁶ [disˈmis] *vt.* 不再考虑；解雇，解散；驳回

[记] 词根记忆：dis(分开)+miss(送，放出)→解散

distort⁶ [diˈstɔːt] *vt.* 歪曲，曲解；扭曲，使变形 *vi.* 变形

[记] 词根记忆：dis(分开)+tort(卷缠)→扭曲

drastic⁶ [ˈdræstik] *a.* 严厉的，极端的；激烈的，迅猛的

electric⁶ [iˈlektrik] *a.* 电的，电动的

[记] 词根记忆：electr(电的)+ic→电的，电动的

[考] electric current 电流

elevate⁶ [ˈeliveit] *vt.* 提升…的职位；提高，改善；使情绪高昂，使兴高采烈；举起，使上升

[记] 词根记忆：e(出)+lev(升)+ate(使)→使上升；提高

embarrass⁶ [imˈbærəs] *vt.* 使窘迫，使为难

[记] 联想记忆：em+barr(看作 bar，酒吧)+ass(驴)→在酒吧喝醉了表现得像头驴→使窘迫

enroll⁶ [inˈrəul] *vi.* 入学，加入 *vt.* 招收，吸收

[记] 联想记忆：en(进入)+roll(名单)→上了名

单→加入

[考] enroll in/on 加入，入学

exception[6] [ik'sepʃən] n. 例外，除外

exhibit[6] [ig'zibit] vt. 显示；陈列，展览 n. 展览品

[记] 词根记忆：ex(出)+hibit(拿住)→拿出来→显示；展览

exotic[6] [ig'zɔtik] a. 奇异的；外(国)来的，异国情调的

[记] 词根记忆：exo(外面)+tic(…的)→外国的→异国情调的

exotic

expression[6] [ik'spreʃən] n. 词语；表达，表情

extravagant[6] [ik'strævəgənt] a. 奢侈的；过度的，过分的，(言行等)放肆的

faith[6] [feiθ] n. 信任；信心；信仰，信条

[记] 联想记忆：屡败(fail)屡战，信心(faith)不减

flat[6] [flæt] a. 平的；(价格)固定的；漏气的；单调的，沉闷的；浅的 n. 一套房间，单元住宅 ad. 平直地，直截了当地

furniture[6] ['fə:nitʃə] n. 家具

furthermore[6] [ˌfə:ðə'mɔ:] ad. 而且，此外

gloomy[6] ['glu:mi] a. 忧郁的，沮丧的；令人沮丧的，令人失望的；昏暗的，阴暗的，阴沉的

hamper[6] ['hæmpə] vt. 妨碍，束缚；限制 n. (有盖的)大篮子

[记] 联想记忆：大篮子(hamper)里放着锤子(hammer)

harmony[6] ['hɑ:məni] n. 调和，协调，和谐

[考] in harmony (with) (与…)协调一致，(与…)和睦相处

hinder[6] ['hində] *vt.* 阻碍，妨碍

[记] 联想记忆：hind(后面)+er→落在后面→阻碍，妨碍

immerse[6] [i'məːs] *vt.* 使浸没；使沉浸在，使专心于

[记] 词根记忆：im(进入)+mers(沉)+e→沉进去→使浸没

[考] immerse in 沉浸在，专心于

impair[6] [im'peə] *vt.* 损害，损伤；削弱

[记] 词根记忆：im(使)+pair(坏)→使…变坏→损害；削弱

implication[6] [ˌimpli'keiʃən] *n.* 含义；暗示，暗指；卷入，牵连

[记] 词根记忆：im+pli(重)+cation→有双重含义→含义；暗示

infant[6] ['infənt] *n.* 婴儿 *a.* 婴儿的；幼稚的

[记] 词根记忆：in+fant(看作 faint，无力的，虚弱的)→处于无力虚弱的状态→婴儿

inhabit[6] [in'hæbit] *vt.* 居住于，(动物)栖居于

[记] 词根记忆：in(使)+habit(居住)→居住于，栖居于

inhabitant[6] [in'hæbitənt] *n.* 居民，住户

[记] 联想记忆：in+habit(习惯)+ant(表人)→习惯居住于此→居民，住户

initial[6] [i'niʃəl] *a.* 最初的，开始的 *n.* [常 *pl.*](姓名等的)首字母

[记] 词根记忆：init(开始)+ial(…的)→开始的

initiative[6] [i'niʃətiv] *n.* 主动性，首创精神；主动的行动，倡议；主动权

[记] 来自 initial(*a.* 开始的)

inspiration[6] [ˌinspə'reiʃən] *n.* 灵感；鼓舞人心的人(或事物)

[记] 词根记忆：in(进入)+spir(呼吸)+ation→呼吸进灵气→灵感

instantaneous[6] [ˌinstən'teiniəs] *a.* 瞬间的，即刻的

[记] 联想记忆：instant（立即的）+aneous→瞬间的，即刻的

instrument[6] ['instrumənt] *n.* 仪器，工具；乐器

interfere[6] [ˌintə'fiə] *vi.* 干涉，干预，妨碍

[记] 词根记忆：inter(在…之间)+fer(带来)+e→来到中间→干涉

[考] interfere with 干扰

intricate[6] ['intrikit] *a.* 错综复杂的，复杂精细的

[记] 联想记忆：intri(看作 intro，向内)+cat(猫)+e→猫是一种让人难以理解的动物→错综复杂的

invariably[6] [in'veəriəbli] *ad.* 不变地，始终如一地，总是

[记] 联想记忆：in(不，无)+vari(看作 vary，变化)+ably→不变地

invest[6] [in'vest] *v.* 投资，投入；授予

item[6] ['aitəm] *n.* 条，条款，一条

legislation[6] [ˌledʒis'leiʃən] *n.* 法律，法规；立法，法律的制定(或通过)

leisure[6] ['leʒə] *n.* 空闲时间，悠闲

logical[6] ['lɔdʒikəl] *a.* 逻辑的，合乎常理的

loyalty[6] ['lɔiəlti] *n.* 忠诚，忠心

manipulate[6] [mə'nipjuleit] *vt.* 操纵，控制，影响；(熟练地)操作，使用

[记] 词根记忆：mani(手)+pul(看作 pull，拉)+ate→用手拉→操纵，控制

margin[4] ['mɑːdʒin] *n.* 页边空白；余地；边缘；差数，差额

中频词汇

List 11

misery⁶ ['mizəri] *n.* 痛苦，苦恼，苦难；悲惨的境遇，贫苦

[记] 联想记忆：mis(看作 miss，思念)+ery→相思成灾→痛苦，苦难

mobile⁶ ['məubail] *a.* 运动的；流动的；多变的 *n.* 移动电话

[记] 词根记忆：mob(动)+ile(易…的)→易动的→运动的；多变的

[考] mobile phone 手机

morality⁶ [mə'ræliti] *n.* 道德，(行为等的)道德性；德行，品行；道德观，道德规范

[记] 来自 moral(*a.* 道德的)

motive⁶ ['məutiv] *n.* 动机，目的

[记] 词根记忆：mot(移动)+ive→移动的目的→动机，目的

multiply⁶ ['mʌltiplai] *v.* 增加，繁殖；乘

obstacle⁶ ['ɔbstəkəl] *n.* 障碍，障碍物，妨害

[考] obstacle to …的障碍

occupation⁶ [ˌɔkju'peiʃən] *n.* 占领，占据；职业；(人)从事的活动，消遣

offensive⁶ [ə'fensiv] *a.* 冒犯的，无礼的，使人不快的；进攻的，攻击性的 *n.* 进攻，攻势

74

opponent[6] [ə'pəunənt] *n.* 对手，敌手，对抗者

[记] 词根记忆：op（相反）+pon（位置）+ent（表人）→立场不同的人→对手，对抗者

optimistic[6] [ˌɔpti'mistik] *a.* 乐观的，乐观主义的

[记] 词根记忆：optim（最好）+istic（…的）→什么都往最好处想的→乐观的

[考] 表示态度的常见词有：optimistic 乐观的；enthusiastic 热情的；pessimistic 悲观的；cautious 谨慎的

option[6] ['ɔpʃən] *n.* 选择，选择权，选择的自由；（供）选择的事物（或人）；选课

[记] 词根记忆：opt（选择）+ion→选择，选择权

overcome[6] [ˌəuvə'kʌm] *vt.* 战胜，克服；（感情等）压倒，使受不了

[记] 来自词组 come over（战胜，支配）

owe[6] [əu] *vt.* 欠；应把…归功于；感激，感恩

[考] owe to 应该把…归功于；由于，因为

perception[6] [pə'sepʃən] *n.* 感知（能力），觉察（力）；认识，观念，看法

perpetual[6] [pə'petjuəl] *a.* 永久的，永恒的，长期的；无休止的，没完没了的

[记] 词根记忆：per（贯穿）+pet（追求）+ual→自始至终追求的→永久的，永恒的

precedent[6] ['presidənt] *n.* 先例，范例，判例；惯例

[记] 词根记忆：pre（预先）+ced（前进）+ent→先例；惯例

prime[6] [praim] *a.* 首要的；最好的 *n.* 青春；全盛时期 *vt.* 使准备好

[记] 词根记忆：prim（主要的）+e→首要的

primitive[6] ['primitiv] *a.* 原始的，早期的；简单的；粗糙的 *n.* 原（始）人，原始事物

[记] 词根记忆：prim（第一）+itive（具…性质的）→第一时间的→原始的

probability[6] [ˌprɔbəˈbiliti] *n.* 可能性；可能发生的事；概率

[记] 来自 probably(*ad.* 大概，可能)

[考] in all probability 十有八九，很可能

promising[6] [ˈprɔmisiŋ] *a.* 有希望的，有前途的

[记] 来自 promise(*n.* 诺言)

provoke[6] [prəˈvəuk] *vt.* 对…挑衅，激怒；激起，引起

[记] 词根记忆：pro(在前)+voke(呼喊)→在某人前面呼喊→激怒

recall[6] [riˈkɔːl] *v.* 回忆(起)；召回，叫回；收回，撤销

recession[6] [riˈseʃən] *n.* (经济的)衰退，衰退期

[记] 词根记忆：re(反)+cess(行走)+ion→向后走→衰退

[考] economic recession 经济衰退

refrain[6] [riˈfrein] *vi.* 抑制，克制，戒除 *n.* (诗歌的)叠句，副歌

[记] 词根记忆：re+frain(笼头)→上笼头→抑制

[考] refrain from 抑制，克制

refute[6] [riˈfjuːt] *vt.* 驳斥，驳倒

[记] 和 refuse(*v.* 拒绝)一起记

register[6] [ˈredʒistə] *n.* 登记，注册；登记表，注册簿 *v.* 登记，注册；给…注册，(仪表等)指示，自动记下；表示，表达；注意到，记住；把(邮件)挂号

religious[6] [riˈlidʒəs] *a.* 宗教的；笃信宗教的，虔诚的

rely[6] [riˈlai] *vi.* 依靠，依赖；信赖，指望

[考] rely on/upon 信赖，指望

repel[6] [riˈpel] *vt.* 使厌恶；击退，逐回，驱除；排斥

[记] 词根记忆：re(反)+pel(推)→向后推→击退

resolve[6] [riˈzɔlv] *n. / v.* 解决，解答；决定，决意；分解

[记] 联想记忆：re+solve(解决)→解决

respective[6] [riˈspektiv] *a.* 各自的，各个的，分别的

restrain[6] [riˈstrein] *vt.* 阻止，控制；抑制，遏制

[记] 词根记忆：re+strain(拉紧)→重新拉紧→阻止，抑制

revive[6] [ri'vaiv] *vt.* 使复苏 *vi.* 恢复

[记] 词根记忆：re(重新)+viv(生命)+e→使…重新获得生命→使复苏

rigorous[6] ['rigərəs] *a.* 严密的，缜密的；严格的，严厉的

[记] 联想记忆：rig(看作 rog，要求)+orous→不断要求的→严格的

ruin[6] ['ruːin] *n.* 毁灭；[*pl.*] 废墟 *v.* (使)毁坏

[记] 联想记忆：大雨(rain)毁坏(ruin)了庄稼

sake[6] [seik] *n.* 缘故，理由

[考] for the sake of 为了…起见，看在…的份儿上

score[4] [skɔː] *n.* 得分，比数，成绩；二十 *vt.* 得分，给…打分；做记号于；获胜

sensation[6] [sen'seiʃən] *n.* (感官的)感觉能力；感觉，知觉；轰动，引起轰动的事件(或人物)

[记] 词根记忆：sens(感觉)+ation→感觉，知觉

settlement[6] ['setlmənt] *n.* 解决，协议；居留地

signal[6] ['signəl] *n.* 信号，暗号；标志，表示 *vt.* (向…)发信号；标志着 *a.* 显著的，重大的

[记] 来自 sign(*n.* 标记)

skeptical[6] ['skeptikəl] *a.* 表示怀疑的

spoil[6] [spɔil] *vt.* 损坏，糟蹋；宠坏，溺爱 *vi.* (食物)变质 *n.* 战利品，掠夺物

[记] 联想记忆：战争结束后，在土地(soil)上插个旗(p)就将其归为战利品(spoil)

stack[6] [stæk] *n.* 堆，垛 *vt.* 堆积，堆放于

[记] 联想记忆：库存(stock)一堆(stack)商品

stock[6] [stɔk] *n.* 原料；股本，公债；库存品；世系，血统；汤汁；[总称]家畜，牲畜 *v.* 储备 *a.* 常用的，常备的

[考] out of stock 已脱销

superficial[6] [ˌsuːpə'fiʃəl] *a.* 表面的；肤浅的，表面上的

[记] 词根记忆：super(在…上面)+fic(做)+ial→表面的

supplement[6] ['sʌplimənt] n. 增补(物), 补充(物); 增刊, 副刊

['sʌpliment] vt. 增补, 补充

[记] 联想记忆: supple(看作 supply, 补给)+ment→补充

tedious[6] ['tiːdiəs] a. 冗长乏味的, 沉闷的

terminate[6] ['təːmineit] v. (使)停止, (使)终止

[记] 词根记忆: termin(结束)+ate→停止

联想记忆: Terminator 电影《终结者》

texture[6] ['tekstʃə] n. 质地; (材料等的)结构

[记] 词根记忆: text(编织)+ure→质地

theme[6] [θiːm] n. 主题, 题目

[记] 联想记忆: the+me→就是我→研究的主题就是我→主题

toss[6] [tɒs] vt. 扔, 抛, 掷; 猛抬(头); 拌(食品); (打赌等时)掷(钱币); 使摇动, 使颠簸 vi. 掷钱币来决定; 翻来覆去 n. 掷钱币来决定, 猛抬头

[记] 联想记忆: 气得我想把老板(boss)扔(toss)出去

[考] toss up (打赌等时)掷(钱币)

tumble[6] ['tʌmbəl] vi. 跌倒, 摔下, 滚下; 翻滚; (价格等)暴跌; 不由自主地卷入 n. 跌倒, 摔倒

[考] tumble to (突然)明白, 领悟

twist[6] [twist] v. 缠绕, 盘绕; 转动, 旋动; 捻, 搓; 歪曲, 曲解; 扭歪, 扭伤; 曲折前进; 转身 n. 扭弯; 转折, 转变; 弯曲, 曲折处

twist

[记] 联想记忆: tw(看作 two, 两个)+ist(表人)→两个人扭打在一起→扭弯; 缠绕

volume[6] ['vɒljuːm] n. 卷, 册, 书卷; 容积, 体积; 音量, 响度

[记] 联想记忆: volu(看作 volut, 卷)+me→卷

volunteer[6] [ˌvɔlənˈtiə] *n.* 志愿者；志愿兵 *v.* 自愿(做)；自愿提供；志愿

weapon[6] [ˈwepən] *n.* 武器，兵器

witness[6] [ˈwitnis] *n.* 证据；目击者，证人 *vt.* 目击；为…作证，证明

absence[5] [ˈæbsəns] *n.* 缺席，不在；缺乏，不存在；缺席的时间，外出期

absurd[5] [əbˈsəːd] *a.* 荒谬的，荒唐的
[记] 词根记忆：ab(变坏)+sur(超过)+d→坏到超过一定程度→荒谬的

acceptance[5] [əkˈseptəns] *n.* 接受，承认；容忍

accumulate[5] [əˈkjuːmjuleit] *v.* 积累，堆积
[记] 词根记忆：ac(表加强)+cumul(堆积)+ate(使)→使不断堆积起来→积累

acquaint[5] [əˈkweint] *vt.* 使认识，使了解，使熟悉
[记] 词根记忆：ac+quaint(知道)→使了解
[考] acquaint with 认识，了解，熟悉

acute[5] [əˈkjuːt] *a.* 严重的；急性的；灵敏的，敏锐的；精明的
[记] 联想记忆：a+cut(切)+e→得了急性阑尾炎，要手术切除阑尾→急性的；严重的
[考] acute pain 剧痛

addict[5] [ˈædikt] *n.* 有瘾的人；入迷的人
[əˈdikt] *vt.* 使成瘾；使入迷
[记] 词根记忆：ad(表加强)+dict(说，要求)→不断要求→使成瘾

adequate[5] [ˈædikwit] *a.* 足够的；可以胜任的
[记] 词根记忆：ad(表加强)+equ(平等)+ate(…的)→比平等多的→足够的

adverse[5] [ˈædvəːs] *a.* 不利的，有害的
[记] 词根记忆：ad(坏)+vers(转)+e→往坏的方向转→不利的

注意：adverse 指敌对的、相反的，常指无生命的力量或条件对人或物不利，例：Drugs have adverse effects on human beings.（毒品对人体有害。）contrary 指意见、态度上的分歧；counter 指方向或行为方式上的对立、相反；opposite 指两物完全相异或永远处于相对的极端。

aggravate[5] [ˈægrəveit] vt. 加重，加剧，使恶化；激怒，使恼火
［记］词根记忆：ag(表加强)+grav(重)+ate(使)→加重，使恶化

alien[5] [ˈeiliən] a. 外国的，外国人的；陌生的；性质不同的，不相容的 n. 外国人，外侨；外星人
［记］发音记忆："爱恋"→跨国恋很流行→外国的，外国人的

alleviate[5] [əˈliːvieit] vt. 减轻，缓解，缓和
［记］词根记忆：al(表加强)+lev(轻)+iate(使)→使…轻→减轻

ambition[5] [æmˈbiʃən] n. 雄心，抱负；野心；期望得到的东西
［记］词根记忆：ambi(二)+tion→期望得到两倍于别人的东西→野心

anxiety[5] [æŋˈzaiəti] n. 焦虑，忧虑；渴望，热望
［记］来自 anxious(a. 担忧的，渴望的)

arrest[5] [əˈrest] vt. 逮捕，拘留；停止，阻止；吸引 n. 逮捕，拘留，扣留
［记］联想记忆：ar+rest(休息)→让人休息→拘留；停止

ascertain[5] [ˌæsəˈtein] vt. 弄清，查明；确定
［记］联想记忆：as(与…一样)+certain(肯定的)

→和肯定的一样→确定

词根记忆：as+cert(搞清)+ain→弄清，查明

authorize[5] [ˈɔːθəraiz] *vt.* 授权，批准

[记] 来自 authority(*n.* 权威，权力)

barely[5] [ˈbeəli] *ad.* 仅仅，只不过；几乎不

behave[5] [biˈheiv] *vi.* 表现，举止；(机器等)运转；(事物)作出反应 *vt.* 检点自己的行为

[考] behave oneself 检点自己的行为

中频词汇

List 12

bewilder[5] [bi'wildə] *vt.* 使迷惑，使难住
　　[记] 联想记忆：be(使)+wild(荒野的)+er→迷失在荒野中→使迷惑

brilliant[5] ['briljənt] *a.* 光辉的；卓越的
　　[记] 词根记忆：brilli(发光)+ant(…的)→发光的→光辉的

catastrophe[5] [kə'tæstrəfi] *n.* 大灾难，灾祸
　　[记] 联想记忆：cat(看作 cad, 落下)+astro(星星)+phe→星星坠落，大难临头→大灾难

caution[5] ['kɔ:ʃən] *n.* 小心，谨慎；注意(事项)，警告 *vt.* 警告，劝…小心
　　[记] 发音记忆："考生"→考生要谨慎答题→谨慎，小心

characterize[5] ['kæriktəraiz] *vt.* 成为…的特征，以…为特征；描绘(人或物)的特性，描述

chronic[5] ['krɔnik] *a.* (疾病)慢性的，(人)久病的；长久的，不断的；积习难改的
　　[记] 词根记忆：chron(时间)+ic(…的)→长时间的→长久的

cite[5] [sait] *vt.* 引用，引证；传唤，传讯；表彰，嘉奖
　　[记] 联想记忆：家里的狗咬(bite)了人，所以被传讯(cite)

classic[5] ['klæsik] *a.* 典型的，标准的；最优秀的；传统式样的，典雅的 *n.* 文学名著，经典作品，杰作；优秀的典范；[*pl.*]古典文学，古典语文研究

clerk[5] [klɑːk; klɜːk] *n.* 店员；办事员，职员

collapse[5] [kəˈlæps] *n. / vi.* 倒塌，瓦解；崩溃，突然失败
[记] 词根记忆：col(表加强)+lapse(滑倒)→彻底滑倒→倒塌；崩溃

command[5] [kəˈmɑːnd] *vt.* 命令，指挥；控制
[记] 词根记忆：com(共同)+mand(命令)→命令大家一起做→指挥

companion[5] [kəmˈpæniən] *n.* 同伴，共者；伴侣
[记] 联想记忆：compani (看作 company, 陪伴)+on→伴侣；同伴

companion

compel[5] [kəmˈpel] *vt.* 强迫，迫使屈服
[记] 词根记忆：com+pel(驱使)→强迫

compound[5] [ˈkɔmpaund] *n.* 化合物，复合物；复合词 *a.* 复合的，化合的
[kəmˈpaund] *vt.* 使恶化，加重；使化合，使合成
[记] 词根记忆：com+pound(放置)→放到一起的东西→化合物

confident[5] [ˈkɔnfidənt] *a.* 确信的，肯定的；自信的

considerate[5] [kənˈsidərit] *a.* 考虑周到的，体贴的，体谅的

conspicuous[5] [kənˈspikjuəs] *a.* 显眼的，明显的
[记] 词根记忆：con(表加强)+spic(看)+uous→惹人不断看的→显眼的

contaminate[5] [kənˈtæmineit] *vt.* 弄脏，污染
[记] 词根记忆：con+tamin(接触)+ate→接触脏东西→弄脏

contemplate[5] [ˈkɔntempleit] *vt.* 盘算，计议；思量，对…周密考虑；注视，凝视
[记] 联想记忆：con+templ(看作 temple, 庙)+ate(做)→庙里的和尚常常深思→思量

contemplate

contradiction[5] [ˌkɔntrəˈdikʃən] *n.* 矛盾,不一致;否认,反驳

[记] 词根记忆:contra(反)+dict(说)+ion→反着说→否认,反驳

convenience[5] [kənˈviːniəns] *n.* 方便;便利设施

[记] 来自 convenient(*a.* 方便的)

convention[5] [kənˈvenʃən] *n.* 习俗,惯例;公约;(正式或定期)会议

[记] 词根记忆:con(共同)+vent(来)+ion→大家共同来遵守的东西→公约;习俗,惯例

convict[5] [kənˈvikt] *vt.* (经审讯)证明…有罪,宣判…有罪

[ˈkɔnvikt] *n.* 囚犯

convict

谋杀罪,
死刑!

[记] 词根记忆:con+vict(征服)→征服罪犯→宣判…有罪

counterpart[5] [ˈkauntəpɑːt] *n.* 与对方地位相当的人,与另一方作用相当的事物

[记] 组合词:counter(相反)+part(部分)→与另一方作用相当的事物

critic[5] [ˈkritik] *n.* 批评家,爱挑剔的人

[记] 词根记忆:crit(判断)+ic→判断是非→批评家,爱挑剔的人

crucial[5] [ˈkruːʃəl] *a.* 至关重要的,决定性的

[记] 词根记忆:cruc(十字形,交叉)+ial(…的)→十字路口→至关重要的

curb[5] [kəːb] *vt.* 控制,约束 *n.* 控制,约束;(街道或人行道的)路缘

[记] 词根记忆:cur(跑)+b→跑不出去→控制,约束

注意:curb 所指的起约束或控制作用的事物一般较突然、猛烈,例:She curbed her anger. (她抑制着怒气。)inhibit 指通过某种约束力,如道德、社会规范等来防止事情的发生或事物的生

成；check 指中途阻止，带有延缓、拖延的意思，语气比 curb 弱。

decisive[5] [di'saisiv] *a.* 决定性的；坚定的，果断的，决断的
[记] 来自 decide(*v.* 决定)

dedicate[5] ['dedikeit] *vt.* 题献(著作等)；把(一生等)献给，把(时间、精力等)用于
[记] 词根记忆：de(表加强)+dic(宣称)+ate(做)→宣誓为祖国献身→把(一生等)献给
[考] dedicate to 把(一生、时间、精力)献给，用于

denial[5] [di'naiəl] *n.* 否认；拒绝，拒绝给予
[记] 来自 deny(*v.* 否认)

deny[5] [di'nai] *vt.* 否定；拒绝相信
[记] 发音记忆："抵赖"→拒绝相信

diagnose[5] ['daiəgnəuz] *vt.* 诊断，判断
[记] 词根记忆：dia(穿过)+gnos(知道)+e→古时通过望、闻、问、切来了解病情→诊断，判断
[考] diagnose sb. with sth. 诊断某人患某种病

dictate[5] [dik'teit] *v.* 口授；命令；规定，要求
['dikteit] *n.* 口授；命令；规定，要求
[记] 词根记忆：dict(说话)+ate(做)→口授

digest[5] [di'dʒest] *vt.* 消化；领会
['daidʒest] *n.* 文摘
[记] 词根记忆：di(分开)+gest(运)→分开运送→消化；领会
Reader's Digest《读者文摘》

discharge[5] [dis'tʃɑːdʒ] *v.* 释放，排出；卸货
['distʃɑːdʒ] *n.* 释放；放电
[记] 词根记忆：dis(离开)+charge(电荷)→让电荷离开→放电

disorder[5] [dis'ɔːdə] *n.* 混乱，杂乱，骚乱
[记] 联想记忆：dis(不)+order(顺序)→没有顺序→杂乱

中频词汇

disperse⁵ [diˈspə:s] *vi.* 分散，散开；消散，消失 *vt.* 分散，赶散；消散，驱散

[记] 词根记忆：di(分开)+sperse(散开)→分散，消散

参考：disappear(*v.* 消失)

divorce⁵ [diˈvɔ:s] *n.* 离婚，离异 *v.* 离婚；分离，脱离

divorce

duplicate⁵ [ˈdju:plikit] *n.* 完全一样的东西，复制品 *a.* 完全一样的，复制的

[ˈdju:plikeit] *vt.* 复制，复印；重复

[记] 词根记忆：du(两，双)+plic(重叠)+ate→两种重叠状态→完全一样的

[考] in duplicate 一式两份

dwell⁵ [dwel] *vi.* 居住

[记] 联想记忆：d(看作 do, 做)+well(好)→做得好就留下居住→居住

[考] dwell on/upon 老是想着；详述

electrical⁵ [iˈlektrikəl] *a.* 电的，电气科学的

[考] electrical appliances 电器

enrich⁵ [inˈritʃ] *vt.* 充实，使丰富；使富裕，使富有

[记] 词根记忆：en(使)+rich(富有的)→使富有

epidemic⁵ [ˌepiˈdemik] *n.* 流行病；流传，盛行 *a.* 流行性的，流传极广的

[记] 词根记忆：epi(在…中)+dem(人)+ic→在人群中流传的→流行性的

evoke⁵ [iˈvəuk] *vt.* 唤起，引起；使人想起

[记] 词根记忆：e(出)+voke(喊)→喊出来→唤起

expenditure⁵ [ikˈspenditʃə] *n.* 经费，费用，支出额；(时间、金钱等的)花费，支出，消耗

expire⁵ [ikˈspaiə] *vi.* 期满，(期限)终止；断气，死亡

[记] 联想记忆：ex(出)+pire(看作 spire, 呼吸)→呼出了最后一口气→断气

fake⁵ [feik] *n.* 假货，赝品；骗子，冒充者 *a.* 假的，伪造的，冒充的 *vt.* 伪造，捏造；伪装，假装

[记] 联想记忆：打击造(make)假(fake)

fantastic⁵ [fæn'tæstik] *a.* 极好的，极出色的；了不起的；极大的；难以相信的；异想天开的，不实际的；奇异的，古怪的

[记] 来自 fantasy(*n.* 幻想)

fatal⁵ ['feitl] *a.* 致命的；灾难性的，毁灭性的；重大的，决定性的

[记] 来自 fate(*n.* 命运)

foresee⁵ [fɔː'siː] *vt.* 预见，预知

[记] 词根记忆：fore(预先)+see(看)→预先看到→预见，预知

format⁵ ['fɔːmæt] *n.* 设计，安排；格式，样式，版式 *vt.* 使格式化

genetic⁵ [dʒi'netik] *a.* 遗传(学)的 *n.* [-s] 遗传学

[记] 联想记忆：gene(基因)+tic→基因的→遗传的

glance⁵ [glɑːns] *vi.* 看一下 *n.* 一瞥

highlight⁵ ['hailait] *vt.* 强调，突出，使显著 *n.* 最精彩的部分，最重要的事件

[记] 组合词：high(高的)+light(发光)→突出

household⁵ ['haushəuld] *n.* 家庭，户；家务 *a.* 家庭的；家喻户晓的

humanity⁵ [hjuː'mæniti] *n.* 人类，[总称]人；人性；人道；博爱，仁慈；[*pl.*]人文学科

[记] 联想记忆：human(人，人类)+ity(表性质)→人类

illuminate⁵ [i'luːmineit] *vt.* 照明，照亮；阐明，启发

[记] 词根记忆：il(表加强)+lumin(光)+ate→加强光亮→照明

impart⁵ [im'pɑːt] *vt.* 告知，透露；赋予，给予

[记] 词根记忆：im(向内)+part(部分)→向内分

开→赋予，给予

参考：import(v. 进口)

indispensable[5] [ˌindiˈspensəbəl] a. 必不可少的，必需的

[记] 联想记忆：in(不)+dispensable(可有可无的)→不是可有可无的→必不可少的

[考] indispensable to/for 必不可少的，必需的

indulge[5] [inˈdʌldʒ] vt. 使(自己)沉溺于，满足(自己的欲望等)；纵容，迁就 vi. 沉溺，纵容自己，肆意从事

[考] indulge in 沉溺，肆意从事

inject[5] [inˈdʒekt] vt. 注射(药液等)，给…注射；注入，引入，投入

[记] 词根记忆：in(进入)+ject(扔)→扔到里面→投入，引入

insect[5] [ˈinsekt] n. 昆虫，虫

[记] 词根记忆：in+sect(切割)→昆虫是节肢动物→昆虫

integrity[5] [inˈtegriti] n. 正直，诚实，诚恳；完整，完全，完善

[记] 词根记忆：integr(整体)+ity→一个正直的人才是完整的人→诚实；完整

intervene[5] [ˌintəˈviːn] vi. 干涉，干预；干扰，阻挠

[记] 词根记忆：inter(在…之间)+ven(来)+e→来到中间→干涉；干扰

intrinsic[5] [inˈtrinsik] a. 固有的，本质的，内在的

[记] 联想记忆：intr(看作 intro，向内)+insic(看作 inside，里面)→内在的，本质的

irony[5] [ˈaiərəni] n. 反话，冷嘲；具有讽刺意味的事，嘲弄

[记] 联想记忆：iron(铁)+y→像铁一样冷冰冰的话→反话

liability[5] [ˌlaiəˈbiliti] n. 责任；[pl.] 负债，债务；不利条件，起妨碍作用的人(物)

[记] 联想记忆：li(看作 lie, 撒谎)+ability(能力)→谎称自己有能力是不负责任的表现→责任

linger[5] [ˈlɪŋgə] vi. (因不愿离开而)继续逗留,留恋徘徊;继续存留,缓慢消失

[记] 联想记忆：歌手(singer)留恋(linger)曾经的舞台

[考] linger on 继续存留

litter[5] [ˈlɪtə] vt. 乱扔东西于 vi. 乱扔废弃物 n. 废弃物,被胡乱扔掉的东西;一窝(崽);(一堆)杂乱的东西

[记] 联想记忆：把 little 的"l"乱丢,错拿成"r"→乱扔

machinery[5] [məˈʃiːnəri] n. 机器,机械

maximum[5] [ˈmæksiməm] n. 最大量;顶点 a. 最大的;最高的,顶点的

[记] 词根记忆：max(大,高)+imum→最大的,最高的

mild[5] [maild] a. 温柔的;温暖的;轻微的

[记] 联想记忆：温柔(mild)的 m 颠倒过来就是野蛮(wild)

mingle[5] [ˈmiŋgəl] vt. 使混合,使相混 vi. 混合起来,相混合;相交往,相往来

[记] 和 single (a. 单一的)一起记

[考] mingle with 与…相融合

minimize[5] [ˈminimaiz] vt. 使减少(或缩小)到最低限度;极力贬低;对…作最低估计

[记] 词根记忆：mini(小)+mize→使减少到最低限度

misfortune⁵ [misˈfɔːtʃən] *n.* 不幸,厄运,逆境;不幸事故,灾难,灾祸

[记] 联想记忆:mis(坏)+fortune(运气)→不幸,逆境

mission⁵ [ˈmiʃən] *n.* 使命,任务;使团

[记] 词根记忆:miss(送)+ion→派送使团→使团

联想记忆:电影《碟中谍》(*Mission Impossible*)直译为《不可能的任务》

modest⁵ [ˈmɔdist] *a.* 谦虚的;适中的;羞怯的

[记] 词根记忆:mod(方式,风度)+est→有风度的→谦虚的

List 13

multiple⁵ [ˈmʌltipəl] a. 复合的，多重的，多样的 n. 倍数
[记] 词根记忆：multi(多)+ple→多样的

negotiate⁵ [niˈgəuʃieit] v. 洽谈，协商，谈判；顺利通过，成功越过

numerous⁵ [ˈnjuːmərəs] a. 众多的
[记] 词根记忆：numer(数)+ous(…的)→众多的

nutrition⁵ [njuːˈtriʃən] n. 营养；营养学
[记] 词根记忆：nutri(营养)+tion→营养；营养学

obedient⁵ [əˈbiːdiənt] a. 服从的，顺从的
[记] 联想记忆：obe(看作 obey，服从)+dient→服从的

oppress⁵ [əˈpres] vt. 压迫，压制；使(心情等)沉重，使烦恼
[记] 词根记忆：op+press(压)→压下去→压迫，压制

orientation⁵ [ˌɔːriənˈteiʃən] n. 方向，目标，方位；熟悉情况，适应，情况介绍

output⁵ [ˈautput] n. 产量；输出，输出功率 vt. 输出(信息、数据等)
[记] 来自词组 put out (产生)

package⁵ [ˈpækidʒ] n. 包裹；包装；一揽子交易(或计划、建议等) vt. 把…打包(或装箱)；包装

passive⁵ [ˈpæsiv] a. 被动的，消极的
[记] 词根记忆：pass(及格，通过)+ive(…的)→考试只追求及格→被动的，消极的

中频词汇

penalty[5] ['penəlti] *n.* 处罚,惩罚;罚金

permeate[5] ['pə:mieit] *v.* 弥漫,遍布,散布;渗入,渗透
[记] 词根记忆: per(贯穿)+meat+e→贯穿进去→渗入

pessimistic[5] [ˌpesi'mistik] *a.* 悲观的,悲观主义的
[记] 联想记忆: pessi(看作 Pepsi, 百事)+mis(错误, 坏)+tic(…的)→并非百事可乐的→悲观(主义)的

portray[5] [pɔː'trei] *vt.* 描写,描绘;扮演,饰演
[记] 联想记忆: por(看作 pour, 倒)+tray(碟)→将颜料倒在碟子上→描绘

pour
portray

premise[5] ['premis] *n.* 前提,假设;[*pl.*](企业、机构等使用的)房屋和地基,经营场址

premium[5] ['priːmiəm] *n.* (投保人向保险公司支付的)保险金;额外费用,加付款;奖品,赠品,额外津贴 *a.* 高级的,优质的;售价高的
[记] 词根记忆: pr(e)(提前)+em(看作 empt, 买)+ium→提前买东西需支付的钱→保险金
[考] at a premium 奇缺的,难得的;以超过一般的价格,以高价; put/place a premium on 高度评价,重视

principal[5] ['prinsəpəl] *a.* 最重要的,主要的 *n.* 负责人,校长;资本,本金;主要演员,主角
[记] 词根记忆: prin(第一)+cip(取)+al(表人、物)→校长享有第一取舍权→校长,负责人

privilege[5] ['privilidʒ] *n.* 特权,优惠
[记] 词根记忆: priv(单个)+i+leg(法律)+e→法律上的独享权利→特权

productivity[5] [ˌprɔdʌk'tiviti] *n.* 生产力;生产率
[记] 来自 produce(*v.* 生产)

prominent[5] [ˈprɔminənt] *a.* 突出的，杰出的；凸起的；凸出的

[记] 词根记忆：pro(向前，在前)+min(伸出，突出)+ent(…的)→突出的

racial[5] [ˈreiʃəl] *a.* 种族的，人种的

[考] racial discrimination 种族歧视

random[5] [ˈrændəm] *a.* 任意的，随机的

[记] 联想记忆：ran(跑)+dom(领域)→可以在各种领域跑的→任意的

[考] at random 随便地，任意地

rational[5] [ˈræʃənəl] *a.* 理性的，理智的；合理的

remedy[5] [ˈremidi] *n.* 补救办法，纠正办法；药品，治疗法 *vt.* 补救，纠正；医治，治疗

[记] 词根记忆：re(表加强)+med(治疗)+y→医治，治疗

resign[5] [riˈzain] *vi.* 辞职 *vt.* 辞去，放弃；使顺从

[记] 词根记忆：re(不)+sign(加上记号)→不加记号→放弃；辞职

resort[5] [riˈzɔːt] *vi.* 求助，诉诸 *n.* 求助，诉诸；凭借；求助(或凭借)的对象，采用的手段(或办法)；常去之地，胜地

[记] 联想记忆：向上级打报告(report)求助(resort)

[考] resort to 求助，诉诸；凭借

resume[5] [riˈzjuːm] *vt.* (中断后)重新开始，继续，恢复

[ˌrezjuːˈmei] *n.* 摘要，概要；简历

[记] 词根记忆：re+sume(拿起)→重新拿起→重新开始

revenge[5] [riˈvendʒ] *n.* 报复，报仇 *vt.* 为…报仇，报…之仇

[记] 词根记忆：re(一再)+venge(报仇)→报仇，报复

scrutiny[5] [ˈskruːtini] *n.* 详细检查，仔细观察

[记] 联想记忆：scru(音似：四顾)+tiny(微小的)→连微小的都要顾到→仔细观察

shield[5] [ʃiːld] *n.* 防护物，护罩；盾(状物) *vt.* 保护，防护

shuttle[5] ['ʃʌtl] *n.* 短程穿梭运行的飞机(或火车、汽车)；航天飞机；(织机的)梭子 *vi.* 穿梭般来回 *vt.* 短程穿梭运送

[记] 联想记忆：shut(关)+tle→封闭的空间→航天飞机

simultaneous[5] [ˌsiməl'teiniəs] *a.* 同时发生的，同时存在的，同步的

[记] 词根记忆：simult(相同)+aneous(…的)→时间相同的→同时发生的

soar[5] [sɔː] *vi.* 猛增，剧增；高飞，升腾；(情绪、期望等)高涨；高耸，屹立

[记] 发音记忆："烧"→发烧了，体温猛增→猛增，剧增

span[5] [spæn] *n.* 跨距，一段时间 *v.* 持续，贯穿；包括；横跨，跨越

[考] life span 寿命

specialist[5] ['speʃəlist] *n.* 专家

[记] 联想记忆：special(专门的)+ist(表人)→专家

speculate[5] ['spekjuleit] *v.* 推测，推断；投机，做投机买卖

stereotype[5] ['steriətaip] *n.* 陈规，老套，固定的模式(或形象) *vt.* 对…形成固定看法

[记] 联想记忆：stereo(立体的)+type(类型)→这种立体的类型很老套→老套

sticky[5] ['stiki] *a.* 黏性的，胶粘的；(天气)湿热的

strain[5] [strein] *n.* 过劳，极度紧张；拉紧；张力；扭伤，拉伤；旋律；品种，家系；气质，个性特点 *v.* 扭伤，拉伤；尽力使用；使紧

张；拉紧

[记] 本身是词根，意为：拉紧

subjective[5] [səb'dʒektiv] *a.* 主观(上)的，个人的

subscribe[5] [səb'skraib] *vi.* 订阅，订购(书籍等)；同意，赞成 *vt.* 捐助，赞助

[记] 词根记忆：sub(下面)+scribe(写)→写下订单→订阅，订购

[考] subscribe to 订阅，订购

substantial[5] [səb'stænʃəl] *a.* 可观的，大量的；物质的；坚固的；实质的，真实的

sympathetic[5] [ˌsimpə'θetik] *a.* 同情的；和谐的；赞同的，支持的；合意的

[考] a sympathetic environment 和谐的环境

temperament[5] ['tempərəmənt] *n.* 气质，性情

[记] 联想记忆：temper(脾气)+ament→气质，性情

tempt[5] [tempt] *vt.* 吸引，引起…的兴趣；引诱，诱惑

[记] 本身为词根，意为：尝试→因为引起兴趣，所以要尝试→引起…的兴趣

tendency[5] ['tendənsi] *n.* 趋向，趋势，倾向

[记] 联想记忆：tend(趋向)+ency(表状态)→趋向，倾向

territory[5] ['teritəri] *n.* 领土，版图；领域

[记] 词根记忆：terr(地)+it+ory(地点)→领域

[考] a sales territory 销售范围

thrive[5] [θraiv] *vi.* 兴旺，繁荣；旺盛

[记] 联想记忆：th+rive(看作 river，河)→古代人类文化的繁荣都起源于几大河流域→繁荣

tolerant[5] ['tɔlərənt] *a.* 宽容的，容忍的

[记] 发音记忆："逃了忍他"→用逃避来容忍他→容忍的

toxic[5] ['tɔksik] *a.* 有毒的；因中毒引起的

[考] toxic chemicals 有毒化学物质

中频词汇

trait⁵ [treit] *n.* 特征，特点，特性

[记] 联想记忆：要根据每位队员的特点(trait)进行训练(train)

[考] personality traits 人格特质

transmit⁵ [trænz'mit] *vt.* 传送，传递；传染；播送，发射

[记] 词根记忆：trans(穿过)+mit(送)→送过去→传送

tuition⁵ [tju:'iʃən] *n.* (某一学科的)教学，讲授，指导；学费

注意：tuition 指学生上大学或私立学校所交纳的学费；cost 为最普通用词，意义较广，指成本、价格等；charge 多用于一次性劳务所收取的费用，如电话费、服务费等；fee 表示私人医生、律师等收取的综合费用；fare 指乘公共交通工具所支付的费用；freight 为海、陆、空运输的费用；tip 特指对一次性劳务支付的小费。

undergo⁵ [ˌʌndə'gəu] *vt.* 经历，经受；忍受

vain⁵ [vein] *a.* 徒劳的；自负的

[记] 联想记忆：他很自负(vain)，到头来一无所获(gain)

[考] in vain 徒劳，无效

versus⁵ ['vɔːsəs] *prep.* 以…为对手，对；与…相对，与…相比之下

[记] 词根记忆：vers(转向)+us→与…相对

violate⁵ ['vaiəleit] *vt.* 违反，违背；亵渎；侵犯，妨碍

[记] 发音记忆：发音像"why late"→违反制度迟到了→违反，违背

vivid⁵ ['vivid] *a.* 鲜艳的；生动的，栩栩如生的

[记] 词根记忆：viv(生命)+id→有生命力的→生动的

worthwhile⁵ [ˌwɔːθ'wail] *a.* 值得花时间做的

[记] 组合词：worth(值得)+while(时间)→值得花时间做的

abstract[4] [ˈæbstrækt] *a.* 抽象的，抽象派的 *n.* 摘要，梗概；抽象派艺术作品
[əbˈstrækt] *vt.* 做…的摘要；提取，抽取
[记] 词根记忆：abs(离去)+tract(拉)→把大意从文中拉出来→做…的摘要

abundant[4] [əˈbʌndənt] *a.* 丰富的，富裕的；大量的，充足的
[记] 联想记忆：a(无)+bund(看作 bound, 边界)+ant(…的)→多得没边的→丰富的

accessory[4] [əkˈsesəri] *n.* 附件，零件，配件；[常 *pl.*] (妇女手提包之类的)装饰品；同谋，帮凶，包庇犯
[记] 联想记忆：access(接近)+ory→接近主件→附件，配件

adolescent[4] [ˌædəuˈlesnt] *n.* 青少年 *a.* 青春期的；青少年的
[记] 联想记忆：adol(看作 adult, 成年人)+esc(计算机上的退出键)+ent(表人)→好想从成年人退回到青少年→青少年

alcohol[4] [ˈælkəhɒl] *n.* 酒精，乙醇
[记] 源自埃及绝世美人克莱奥帕特拉(Cleopatra)的化妆品 al-kohl，这一化妆品的提制过程类似酒精分馏法，故后来转义为酒精。

analogy[4] [əˈnælədʒi] *n.* 比拟，类比，类推
[记] 词根记忆：ana(分开)+log(说)+y→将事物分成类来说明→类比
[考] by analogy 用类推的方法

ancestor[4] [ˈænsistə] *n.* 祖宗，祖先；原型，先驱
[记] 联想记忆：ance(看作 ante, 先)+st+or(表人)→祖先；先驱

annoy[4] [əˈnɔi] *vt.* 使恼怒；打搅
[记] 联想记忆：an(一个)+no+y(看作 yes)→求婚时，一个 no 或 yes 使男人们或苦恼或狂喜→使恼怒

appliance[4] [əˈplaiəns] *n.* 用具，器具，器械
[记] 联想记忆：appli(看作 apply, 运用)+ance(表性质)→可用的东西→用具，器具

arrogant[4] ['ærəgənt] *a.* 傲慢的，自大的

[记] 词根记忆：ar(表加强)+rog(要求)+ant(…
的)→一再要求→傲慢的，自大的

ascend[4] [ə'send] *vi.* 渐渐上升，升高 *vt.* 攀登，登上

[记] 词根记忆：a+scend(爬)→向上爬→攀登

asset[4] ['æset] *n.* 资产，财产；有价值的特性或技能，
优点

[记] 词根记忆：as(表加强)+set(放，置)→不断
置办财产→资产，财产

[考] net asset value 资产净值

authentic[4] [ɔː'θentik] *a.* 真的，真正的；可靠的，可信的

[记] 联想记忆：authen(看作 author，作家)
+tic→作家的亲笔签名→真正的

boring[4] ['bɔːriŋ] *a.* 令人厌烦的，乏味的，无聊的

[记] 来自 bore(*v.* 使厌烦)

breakdown[4] ['breikdaun] *n.* 垮台，破裂；(健康、精神等)衰
竭，衰弱；(机器等的)损坏，故障；分类

[记] 来自词组 break down (倒塌；中止；垮掉)

cable[4] ['keibəl] *n.* 缆，索，电缆；(海底)电报 *vt.* 给…
发电报，用电报传送

[记] 联想记忆：他在工作台(table)上夜以继日
地研究电缆(cable)

cast[4] [kɑːst] *vt.* 投，扔，抛；浇铸 *n.* 演员表，全体演
员；石膏绷带；投，抛；铸型，铸件

List 14

casual[4] ['kæʒuəl] *a.* 偶然的；非正式的；临时的，不定期的；漠不关心的，冷淡的

[记] 联想记忆：平常的(usual)时候可以穿非正式的(casual)服装

chase[4] [tʃeis] *n. / vt.* 追逐，追赶；追求

[记] 联想记忆：谁动了我的奶酪(cheese)，我就去追赶(chase)谁

circulation[4] [ˌsəːkju'leiʃən] *n.* (体液的)循环，(水、空气等的)流通；(货币等的)流通；流传，传播，发行；发行量

[记] 词根记忆：circ(环绕)+ul+ation(表状态)→循环

classical[4] ['klæsikəl] *a.* 古典的，经典的

clue[4] [kluː] *n.* 线索，暗示，提示

[记] 发音记忆："刻录"→一张刻录光盘给了警方新的线索→线索

coincidence[4] [kəu'insidəns] *n.* 巧合，巧事；(意见、爱好等的)一致，符合

commence[4] [kə'mens] *v.* 开始

commute[4] [kə'mjuːt] *vi.* 乘公交车上下班；经常乘车(或船等)往返于两地 *vt.* 减(刑)；折合，折偿；上下班交通

[记] 词根记忆：com(共同)+mut(改变)+e→一起坐车改变位置→经常乘车往返于两地

compliment⁴ [ˈkɔmplimənt] *n.* 赞美(话),恭维(话);[*pl.*]致意,问候 *vt.* 赞美,恭维

[记] 词根记忆:com+pli(倍,重)+ment→超过事实几倍的评价→恭维

comprehensive⁴ [ˌkɔmpriˈhensiv] *a.* 广泛的;综合的;理解的

compulsory⁴ [kəmˈpʌlsəri] *a.* 必须做的,强制性的;(课程)必修的

[记] 词根记忆:com+puls(驱动,推)+ory→不断推的→强制性的

consent⁴ [kənˈsent] *n.* 同意,赞成 *vi.* 同意

[记] 词根记忆:con(共同)+sent(感觉)→感觉一致→同意

[考] consent to 准许,同意,赞成

contend⁴ [kənˈtend] *vi.* 争夺,竞争;搏斗,争斗 *vt.* 声称,主张

[记] 词根记忆:con+tend(伸展)→为了扩展而竞争→竞争

controversial⁴ [ˌkɔntrəˈvɜːʃəl] *a.* 引起争论的,有争议的

corrupt⁴ [kəˈrʌpt] *a.* 堕落的,腐败的,贪赃舞弊的 *vt.* 腐蚀,使堕落

[记] 词根记忆:cor+rupt(断裂)→完全断裂→堕落的,腐败的

council⁴ [ˈkaunsəl] *n.* 理事会,委员会

[考] UN Security Council 联合国安理会

cumulative⁴ [ˈkjuːmjulətiv] *a.* 积累的,渐增的

[记] 词根记忆:cumul(堆积)+ative(…的)→积累的,渐增的

cynical⁴ [ˈsinikəl] *a.* 愤世嫉俗的,(对人性或动机)怀疑的

[记] 发音记忆:"信你可?"→不相信一切的→愤世嫉俗的

dazzle⁴ [ˈdæzəl] *vt.* 使目眩,耀(眼);使赞叹不已;使倾倒 *n.* 耀眼的光;令人赞叹的东西

[记] 联想记忆:爵士乐(jazz)使人倾倒(dazzle)

deduce[4] [di'djuːs] *vt.* 推论，推断，演绎

[记] 词根记忆：de(向下)+duce(引导)→向下引导→推断，演绎

dentist[4] ['dentist] *n.* 牙科医生

[记] 词根记忆：dent(牙齿)+ist(表人)→牙科医生

designate[4] ['dezigneit] *vt.* 指派，委任；标出，把…定名为

[记] 词根记忆：design(指定)+ate(做)→指定…做→指派

注意：designate 指为某特定目标选择人或事物，给某人某称号、职务等，常用于被动语态，例：He was designated by the President as the next Secretary of State.(他被总统任命为新国务卿。)appoint 指"任命，委派"；name 常指提名、命名或指定任某职务；nominate 表示"任命，推荐，提名"。

detection[4] [di'tekʃən] *n.* 察觉，发觉；侦查，探测

dilemma[4] [di'lemə] *n.* (进退两难的)窘境，困境

[记] 发音记忆："地雷嘛"→被困雷区，进退两难→困境

[考] in a dilemma 处于两难境地

disastrous[4] [di'zɑːstrəs] *a.* 灾难性的，造成灾害的；极坏的，很糟的

[记] 联想记忆：dis(消失掉)+astr(看作 astro，星星)+ous(…的)→星星的消失对人类是灾难性的→灾难性的

discard[4] [di'skɑːd] *vt.* 丢弃，抛弃，遗弃

[记] 词根记忆：dis(不)+card(心脏)→婴儿因先天心脏不好被遗弃→遗弃

disgust[4] [dis'gʌst] *n. / vt.* 厌恶，憎恶

[记] 联想记忆：dis(不)+gust(一阵狂风)→厌恶大风天气→厌恶

disregard[4] [ˌdisriˈɡɑːd] vt. 不理会，漠视 n. 忽视，漠视
[记] 联想记忆：dis(不)+regard(关心)→不关心→忽视，漠视

disrupt[4] [disˈrʌpt] vt. 使中断，扰乱
[记] 词根记忆：dis(分开)+rupt(断)→分开断→使中断

dissipate[4] [ˈdisipeit] vi. 消散，消失 vt. 使消散，使消失；浪费，挥霍
[记] 联想记忆：dis(不)+sip(小口喝)+ate(吃)→不能大吃大喝，太浪费→浪费，挥霍

distribution[4] [ˌdistriˈbjuːʃən] n. 分发，分配；分布

disturbance[4] [disˈtəːbəns] n. 扰乱，打扰；骚乱，混乱；心神不安，烦恼
[记] 词根记忆：dis+turb(扰乱)+ance→扰乱，打扰

divert[4] [daiˈvəːt] vt. 使转向，使改道(或绕道)；转移，转移…的注意力；使娱乐，使消遣
[记] 词根记忆：di(离开)+vert(转)→转移

draft[4] [drɑːft] n. 草稿；汇票；征兵；通风 vt. 起草；征募
[记] 发音记忆："抓夫"→征兵

eccentric[4] [ikˈsentrik] a.(人、行为、举止等)古怪的，怪癖的，异乎寻常的 n. 古怪的人，怪癖的人
[记] 词根记忆：ec(出)+centr(中心)+ic→偏离中心→古怪的

eccentric

economical[4] [ˌiːkəˈnɔmikəl] a. 节约的；经济学的；经济的

eject[4] [iˈdʒekt] vt. 驱逐，逐出；喷射，排出；弹出
[记] 词根记忆：e(出)+ject(扔)→被扔出来→驱逐，逐出

elaborate[4] [iˈlæbərit] a. 复杂的；精心制作的
[iˈlæbəreit] v. 详述；详细制定

[记]联想记忆：e(出)+labor(劳动)+ate(使)→辛苦劳动做出来→精心制作的

eligible⁴ ['elidʒəbəl] a. 有条件被选中的,有恰当资格的;(尤指婚姻等)合适的,合意的
[记]词根记忆：e+lig(=lect,选择)+ible→能被选择出来的→合意的

endow⁴ [in'dau] vt. 资助;捐赠,向…捐钱(或物);给予,赋予;认为…具有某种特质
[考] endow with 给予,赋予

energetic⁴ [ˌenə'dʒetik] a. 精力充沛的,充满活力的
[记]词根记忆：en(使…进入状态)+erg(能量,活力)+etic→充满活力的

enlighten⁴ [in'laitn] vt. 启发,开导
[记]联想记忆：en(使进入状态)+light(点亮)+en→点亮→启发

equivalent⁴ [i'kwivələnt] a. 相等的,等量的 n. 相等物,等价物
[记]词根记忆：equi(相等)+val(强壮的)+ent→相等的,等量的

enlighten

erupt⁴ [i'rʌpt] vi. (火山、喷泉等)喷发,(岩浆等)喷出;(战争、危机、问题等)爆发,突然发生
[记]词根记忆：e(出)+rupt(断)→断裂而出→喷出

eternal⁴ [i'tə:nəl] a. 永久的,永世的;无休止的,没完没了的;永恒的,永不改变的
[记]联想记忆：外部(external)世界是永恒的(eternal)诱惑

evil⁴ ['i:vəl] n. 邪恶,祸害 a. 坏的
[记]联想记忆：evil→live 字母顺序颠倒→生活颠倒,罪恶丛生→邪恶

exceptional⁴ [ik'sepʃənəl] a. 优越的,杰出的;例外的,独特的,

异常的

[记] 来自 except(v. 除…之外)

expedition⁴ [ˌekspi'diʃən] n. (为特定目的而组织的)旅行，出行，远征；迅速，动作敏捷；远征队，探险队，考察队

[记] 词根记忆：ex(出)+ped(脚)+ition→出行，远征

expertise⁴ [ˌekspə'tiːz] n. 专门知识(或技能等)，专长

[记] 来自 expert(n. 专家)

feeble⁴ ['fiːbəl] a. 虚弱的，衰弱的，无力的；无效的，无益的

[记] 联想记忆：fee(费用)+ble→需要花钱看病→虚弱的，无力的

注意：feeble 指体质虚弱，意志薄弱；weak 为普通用词，指身体、精神、意志上缺乏力量；fragile 指人容易生病。

feminine⁴ ['feminin] a. 女性的，女子的；女子气的

[记] 词根记忆：femin(女人)+ine(具有…的)→女性的

float⁴ [fləut] v. (使)浮动，(使)漂浮；(使)飘动

flush⁴ [flʌʃ] n. 脸红；红光 vi. 被冲洗，清除；(脸)发红，脸红 vt. 冲洗，清除；使(脸等)涨红，使发红；赶出 a. 齐平的，同高的；(尤指钱)充裕的，富裕的

[记] 和 flash(v. 闪光)一起记

[考] flush with 齐平的，同高的

formula⁴ ['fɔːmjulə] n. 公式，式；原则；方案；配方

[记] 词根记忆：form(形式)+ula(表名词)→形式化的东西→原则

fragile⁴ ['frædʒail] a. 易碎的，脆的，易损坏的；虚弱的，脆弱的

[记] 词根记忆：frag(打破)+ile(易…的)→易碎的

generous[4] [ˈdʒenərəs] a. 慷慨的，宽厚的；大量的
[记] 词根记忆：gener(产生)+ous(…的)→产生很多的→慷慨的

gross[4] [grəus] a. 总的；严重的；粗俗的；臃肿的 n. 毛收入，总收入
[记] 联想记忆：草坪(grass)受到严重(gross)损害

handicap[4] [ˈhændikæp] n. (身体或智力方面的)缺陷；障碍，不利条件 vt. 妨碍，使不利
[记] 联想记忆：hand(手)+i+cap(帽子)→手里拿着帽子，不易行动→障碍；缺陷

hatch[4] [hætʃ] vt. 孵出，孵；筹划，图谋，策划 vi. (小鸡等)出壳，孵出 n. (飞机等的)舱门；(门等的)开口；孵化
[记] 联想记忆：赢得比赛(match)要有精心策划(hatch)
[考] hatch out (小鸡等)孵出

haul[4] [hɔːl] vt. (用力)拖，拉；(用车等)拖运，运送 n. 拖，拉；托运；一次获得(或偷得)的数量
[记] 联想记忆：hal(呼吸)中间加 u→因为用力拖而累得喘气→拖，拉

hoist[4] [hɔist] vt. 举起，升起，吊起 n. 起重器械；举起，升起，吊起
[记] 联想记忆：地上湿(moist)了，得把东西提升(hoist)到高处

hospitality[4] [ˌhɔspiˈtæliti] n. (对客人的)友好款待，好客
[记] 词根记忆：hospi(=host, 主人)+tal+ity→主人款待客人→友好款待
参考：hospital(n. 医院)

ignite[4] [igˈnait] vt. 点燃；引发 vi. 着火
[记] 词根记忆：ign(点燃)+ite→点燃；着火

illusion[4] [iˈluːʒən] n. 幻想；错误的观念；错觉，幻觉，假象
[记] 联想记忆：il(不，无)+lus(看作 lust, 光)+ion→看到根本没有的光→错觉，幻觉

中频词汇

immune[4] [i'mju:n] *a.* 免疫的，有免疫力的；不受影响的；免除的，豁免的

[记] 词根记忆：im(没有)+mune(公共)→不得公共病→免疫的

[考] immune to 不受影响的；immune from 免除的

incentive[4] [in'sentiv] *n.* 刺激，鼓励

[记] 联想记忆：in+cent(分，分币)+ive→用钱(分币)刺激→刺激，鼓励

incidence[4] ['insidəns] *n.* 发生率

[记] 词根记忆：in(不，无)+cid(落下)+ence→苹果落下砸中牛顿的发生率并不高→发生率

incline[4] [in'klain] *n.* 斜坡 *vt.* 使倾斜

[记] 词根记忆：in+cline(倾斜)→斜坡

incur[4] [in'kə:] *vt.* 招致，遭受，引起

[记] 词根记忆：in(进入)+cur(发生)→使发生→招致，遭受

infectious[4] [in'fekʃəs] *a.* 传染的，有传染性的；有感染力的

[记] 来自 infect(*v.* 传染，感染)

input[4] ['input] *n.* 输入；投入的资金；输入的数据 *vt.* 把…输入计算机

[记] 来自词组 put in (进入，插入)

insane[4] [in'sein] *a.* 极蠢的，荒唐的；(患)精神病的，精神失常的，疯狂的

[记] 联想记忆：in(不)+sane(神志清醒的)→精神失常的

installment[4] [in'stɔ:lmənt] *n.* 分期付款，分期交付；(分期连载的)部分

[记] 联想记忆：install(安装)+ment→将各部分安装起来→(分期连载的)部分

[考] installment plan 分期付款的方式

intensive[4] [in'tensiv] *a.* 加强的；精耕细作的

intrigue[4] [in'tri:g] *vt.* 激起…的好奇心(或兴趣)，迷住 *vi.* 耍阴谋，施诡计 *n.* 阴谋，诡计，密谋

[记]联想记忆：in(进入)+trig(=tric，复杂)+ue→进入复杂中→耍阴谋，施诡计

jeopardize[4] [ˈdʒepədaiz] *vt.* 危及，危害

junction[4] [ˈdʒʌŋkʃən] *n.* 联结点，(道路等的)会合点，枢纽

[记]词根记忆：junct(连接)+ion→联结点

中频词汇

List 15

keen[4] [kiːn] *a.* 热心的；激烈的；敏锐的，敏捷的

leather[4] [ˈleðə] *n.* 皮革；皮革制品
[记] 联想记忆：天气(weather)对皮革(leather)的保存有影响

magnificent[4] [mægˈnifisənt] *a.* 壮丽的，华丽的；极好的
[记] 词根记忆：magn(大)+ificent→壮丽的

manual[4] [ˈmænjuəl] *a.* 用手的，手工做的 *n.* 手册，指南
[记] 词根记忆：manu(手)+al(⋯的)→用手的

mask[4] [mɑːsk] *n.* 面具，面罩，口罩；伪装 *vt.* 遮盖，掩饰

massive[4] [ˈmæsiv] *a.* 大的，大而重的；大块的；大量的，大规模的

merge[4] [məːdʒ] *v.* (使)结合，(使)合并，(使)合为一体
[记] 联想记忆：merg(沉没)+e→结合，合并

notify[4] [ˈnəutifai] *vt.* 通知，告知；报告
[记] 词根记忆：not(标记)+ify(使)→作出标记，使知道→通知；报告

nourish[4] [ˈnʌriʃ] *vt.* 养育，喂养，滋养；怀有(希望等)，增强(希望等)
[记] 联想记忆：n+our(我们的)+ish(使)→我们养育、爱护自己的子女，从而推广到爱护别人的子女，即"幼吾幼，以及人之幼"→养育，喂养

odor[4] [ˈəudə] *n.* 气味

optical[4] [ˈɔptikəl] *a.* 眼的，视觉的；光学的
[记] 词根记忆：opt(视力)+ical(⋯的)→视觉的

orient[4] [ˈɔːriənt] *vt.* 使适应，使熟悉情况（或环境等）；使朝向，以…为方向（目标）*n.* [the O-] 东方，亚洲（尤指远东），东半球

[记] 词根记忆：ori(升起)+ent→太阳升起的地方→东方

[考] orient to/toward 以…为方向（目标）

outbreak[4] [ˈautbreik] *n.* (战争、情感、火山等的）爆发，(疾病、虫害等的)突然发生

[记] 来自词组 break out（突发，爆发）

overlook[4] [ˌəuvəˈluk] *vt.* 忽视；宽恕；俯瞰

oxygen[4] [ˈɔksidʒən] *n.* 氧，氧气

[记] 词根记忆：oxy(氧的)+gen(产生)→氧气

panic[4] [ˈpænik] *n.* 恐慌，惊慌，慌乱 *v.* (使)恐慌，(使)惊慌失措

partial[4] [ˈpɑːʃəl] *a.* 部分的；不公平的；偏爱的，偏袒的

patent[4] [ˈpeitənt] *n.* 专利，专利权 *a.* (有关)专利(权)的，受专利保护的 *vt.* 得到…的专利权

patrol[4] [pəˈtrəul] *v.* (在…)巡逻，巡查 *n.* 巡逻，巡查；巡逻兵，巡逻队

[记] 和 petrol(*n.* 汽油)一起记

peak[4] [piːk] *n.* 山顶，顶点，顶峰 *a.* 最大值的，高峰的 *vi.* 达到高峰，达到最大值

[记] 发音记忆："匹克"→奥林匹克的精神之一就是挑战极限，达到高峰→顶点，顶峰

pedestrian[4] [piˈdestriən] *n.* 步行者，行人

[记] 词根记忆：ped(脚)+estrian→用脚走的→行人

ponder[4] [ˈpɔndə] *v.* 思索，考虑，沉思

[记] 联想记忆：pond(池塘)+er→坐在池塘边思考→思索，考虑

panic

中频词汇

109

predecessor⁴ [ˈpriːdisesə] *n.* 前任，前辈；(被取代的)原有事物，前身

[记] 词根记忆：pre(前)+de(下去)+cess(走)+or(表人)→前面走下去的人→前辈

prescription⁴ [priˈskripʃən] *n.* 处方，药方，(医生开的)药

[记] 词根记忆：pre(预先)+script(写)+ion→写几个药方备用→药方，处方

prestige⁴ [preˈstiːʒ] *n.* 威信，威望

[记] 联想记忆：pres(看作 president，总统)+tige(看作 tiger，老虎)→总统和老虎两者都是有威信、威望的→威信，威望

presumably⁴ [priˈzjuːməbli] *ad.* 大概，可能，据推测

prohibit⁴ [prəˈhibit] *vt.* 禁止，不准

[记] 词根记忆：pro(提前)+hibit(拿住)→提前拿住→禁止

prone⁴ [prəun] *a.* 易于⋯的，很有可能⋯的；俯卧的

[记] 联想记忆：pr(看作 pro，向前)+on(在⋯上)+e→向前卧倒在地上→俯卧的

[考] prone to 易于⋯的

prospective⁴ [prəˈspektiv] *a.* 预期的，未来的；可能的

[记] 词根记忆：pro(向前)+spect(看)+ive→向前看的→未来的

quest⁴ [kwest] *n.* 寻找，搜索；追求

[记] 联想记忆：问题(question)丢了 ion 需要寻找(quest)

rash⁴ [ræʃ] *a.* 轻率的，鲁莽的 *n.* 疹，皮疹；(短时期内)爆发的一连串事件

[记] 和 rush(*v.* 冲，闯)一起记

realistic⁴ [riəˈlistik] *a.* 现实的；实际可行的；现实主义的；逼真的

[考] realistic goals 现实目标

reap⁴ [riːp] *vt.* 收割，收获；获得，得到

[记] 联想记忆：稻子成熟(ripe)了，可以收割(reap)了

reception[4] [ri'sepʃən] *n.* 招待会，欢迎会；接受，接纳；接待，迎接；(无线电、电视等的)接收效果

[记] 来自 receive(*v.* 接待，接见)

[考] a wedding reception 婚宴；the poor reception 信号不好

reckon[4] ['rekən] *vt.* 认为，估计；指望，盼望；测算，测量

[记] 联想记忆：re(又) + ck(一个著名时尚品牌) + on→看见 CK 没钱买，指望工资快点来→指望，盼望

reckon

reclaim[4] [ri'kleim] *vt.* 要回；开垦(荒地)；回收

[记] 词根记忆：re(向后)+claim(要求)→要求恢复→要回

recruit[4] [ri'kru:t] *vt.* 招募(新兵)，吸收(新成员) *n.* 新兵

[记] 词根记忆：re(重新)+cruit(=cres, 成长)→在部队中重新成长→新兵

recycle[4] [ri:'saikəl] *vt.* 回收利用(废物等)

[记] 词根记忆：re(重新)+cycle(循环)→回收利用(废物等)

reference[4] ['refərəns] *n.* 提到，论及；引文；证明书(或人)，推荐信(或人)；参考，查阅；参考书目

religion[4] [ri'lidʒən] *n.* 宗教，宗教信仰

[记] 词根记忆：re(一再)+lig(绑)+ion→绑缚思想的巨大力量→宗教

respond[4] [ri'spɔnd] *vi.* 回答，答复；作出反应，响应

[记] 词根记忆：re+spond(约定)→按约定响应→作出反应，响应

[考] respond to 对…作出反应

revolutionary[4] [,revə'lu:ʃənəri] *a.* 革命的，革新的 *n.* 革命者

ridiculous[4] [ri'dikjuləs] *a.* 荒谬的，可笑的

ritual[4] [ˈritʃuəl] n. (宗教等的)仪式；例行公事，老规矩 a. 作为仪式一部分的；例行的

[记] 联想记忆：rit(看作 rite, 仪式)+ual→仪式

scrap[4] [skræp] n. 碎片，碎屑；废金属；[pl.] 残羹剩饭；少量，点滴 vt. 废弃，抛弃

[记] 联想记忆：刮(scrape)下许多碎屑(scrap)

seemingly[4] [ˈsi:miŋli] ad. 表面上，看上去

sequence[4] [ˈsi:kwəns] n. 连续，接续，一连串；次序，顺序

[记] 词根记忆：sequ(跟随)+ence(表名词)→连续；次序

silicon[4] [ˈsilikən] n. 硅

simulate[4] [ˈsimjuleit] vt. 模仿，模拟；假装，冒充

[记] 词根记忆：simul(类似)+ate(使)→使某物类似于某物→模仿；假装

slice[4] [slais] n. 薄片，切片；部分 vt. 切(片)，削

slight[4] [slait] a 细长的；轻微的；纤细的，瘦弱的 n./vt. 轻视，藐视

[记] 联想记忆：s+light(轻的)→轻微的

spacious[4] [ˈspeiʃəs] a. 宽广的，宽敞的

[记] 联想记忆：spac(看作 space, 空间)+ious(多…的)→空间很多的→宽广的，宽敞的

specification[4] [ˌspesifiˈkeiʃən] n. [常 pl.] 规格，规范；明确说明；(产品等的)说明书

[记] 联想记忆：specific(详细的)+ation→详细的说明书→(产品等的)说明书

startle[4] [ˈstɑ:tl] vt. 使惊吓，使吃惊

[记] 联想记忆：start(惊起)+le(表动作)→使惊吓，使吃惊

stimulus[4] [ˈstimjuləs] n. 促进(因素)；刺激(物)

[记] 词根记忆：stimul(刺激)+us→刺激(物)

substitute[4] [ˈsʌbstitju:t] n. 代替人，代用品 vt. 用…代替

subtle[4] [ˈsʌtl] a. 微妙的，难以捉摸的；诡秘的，狡诈的；隐约的

[记] 词根记忆：sub(下面)+tle→暗藏于下面的→诡秘的

summit[4] ['sʌmit] *n.* (山等的)最高点，峰顶；最高级会议

surplus[4] ['sə:pləs] *n.* 过剩，剩余，盈余 *a.* 过剩的，多余的

[记] 联想记忆：sur(超过)+plus(加上)→过剩

[考] budget surplus 预算结余

threshold[4] ['θreʃhəuld] *n.* 门槛，门口；入门，开端，起始点

[记] 联想记忆：thres+hold(占据)→占据通往里面的地方→门口；入门

[考] on the threshold of 即将开始

tissue[4] ['tiʃu:] *n.* 组织；薄绢，薄纸，手巾纸

[考] tissue paper 卫生纸

transit[4] ['trænzit] *n.* 运输，载运

[记] 词根记忆：trans(转移)+it→转移它的地点→运输，载运

[考] in transit 在运输中，在途中

trigger[4] ['trigə] *n.* (枪等的)扳机；引起反应的行动 *vt.* 触发，引起

[记] 联想记忆：扣动扳机(trigger)射杀老虎(tiger)

tunnel[4] ['tʌnl] *n.* 隧道，坑道，地道 *v.* 挖(地道)，开(隧道)

[记] 联想记忆：海峡(channel)像条长长的坑道(tunnel)

tutor[4] ['tju:tə] *n.* 导师；家庭教师，私人教师 *v.* 当…导师，当…家庭教师

underestimate[4] [ˌʌndə'estimeit] *vt.* 对…估计不足，低估

[ˌʌndə'estimit] *n.* 估计不足，低估

[记] 联想记忆：under(不足)+estimate(估计)→估计不足→低估

universe[4] ['ju:nivə:s] *n.* 宇宙，世界；领域，范围

[记] 词根记忆：uni(一个)+vers(转)+e→一个旋转着的整体空间→宇宙

[考] everything in the universe 宇宙万物

utmost[4] [ˈʌtməust] a. 最远的 n. 极限

variation[4] [ˌveəriˈeiʃən] n. 变化，变动；变异；变奏(曲)
[记] 词根记忆：vari(改变)+ation(表状态)→变化，变动；变异

versatile[4] [ˈvəːsətail] a. 多才多艺的，有多种技能的；有多种用途的，多功能的，万用的
[记] 词根记忆：vers(旋转)+at+ile(易于…的)→容易转换角色的→多面手→多才多艺的

version[4] [ˈvəːʃən] n. 译文，译本；改写本
[记] 词根记忆：vers(转化)+ion→从原文转化而来→译本

vice[4] [vais] n. 罪恶，恶习；缺点；(老)虎钳
[记] 联想记忆：罪恶(vice)和美好(nice)只相差一个字母

vocal[4] [ˈvəukəl] a. 喜欢畅所欲言的，直言不讳的；嗓音的，发声的 n. [常 pl.] 声乐节目
[记] 词根记忆：voc(声音)+al(…的)→嗓音的

wallet[4] [ˈwɔlit] n. 皮夹子

warrant[4] [ˈwɔrənt] n. 授权令；(正当)理由，根据 vt. 证明…是正当(或有理)的
[记] 联想记忆：warr(看作 war, 战争)+ant(蚂蚁)→战争中一旦得到授权令开战后就是杀人如蚁→授权令

weird[4] [wiəd] a. 古怪的，离奇的；怪诞的，神秘而可怕的
[记] 联想记忆：we(我们)+ird(看作 bird, 鸟)→如果我们都变成鸟该多么古怪啊→古怪的

withdraw[4] [wiðˈdrɔː] v. 收回，撤回；撤退
[记] 词根记忆：with(向后)+draw(拉)→向后拉扯→撤退；收回

List 16

abrupt³ [əˈbrʌpt] *a.* 突然的，意外的；（举止、言谈等）唐突的，鲁莽的

[记] 词根记忆：ab(离去)+rupt(断)→突然断掉了→突然的，意外的

accordance³ [əˈkɔːdəns] *n.* 一致，和谐，符合

[考] in accordance with 按照，根据，与…一致

acquaintance³ [əˈkweintəns] *n.* 认识，了解；熟人

[记] 词根记忆：ac+quaint(知道)+ance→了解

[考] nodding acquaintance 泛泛之交

activate³ [ˈæktiveit] *vt.* 使活动起来，使开始起作用

affiliate² [əˈfilieit] *vt.* 使隶属(或附属)于

[əˈfiliit] *n.* 附属机构，分公司

[记] 联想记忆：af(表加强)+fili(看作 fill，充满)+ate(使)→大河有水小河满→使附属于

allege³ [əˈledʒ] *vt.* 断言，宣称

[记] 词根记忆：al(表加强)+leg(读)+e→大声读→宣称

alliance³ [əˈlaiəns] *n.* 结盟，联盟

[记] 联想记忆：alli(看作 ally，联盟)+ance(表状态)→结盟，联盟

allocate³ [ˈæləkeit] *vt.* 分配，分派，把…拨给

[记] 词根记忆：al(表加强)+loc(地方)+ate(做)→不断把东西发送到各地→分配，分派

amend³ [əˈmend] *vt.* 修改，修订，改进 *n.* [*pl.*] 赔罪，赔偿

[记]联想记忆：a(表加强)+mend(修理)→修改，修订

anonymous³ [əˈnɔniməs] a. 无名的，不具名的，匿名的；无特色的，无个性特征的

[记]词根记忆：an(无)+onym(名字)+ous(…的)→无名的，匿名的

[考]an anonymous letter 一封匿名信

applaud³ [əˈplɔːd] vi. 鼓掌，喝彩 vt. 向…鼓掌，向…喝彩；称赞，赞许

[记]词根记忆：ap(表加强)+plaud(鼓掌)→鼓掌，喝彩

注意：applaud指以鼓掌、欢呼等行为来表示对某人的赞许；acclaim只表示用欢呼声来赞扬某人；approve表赞成、通过。

arrangement³ [əˈreindʒmənt] n. 整理，排列；[常 pl.]安排，准备工作

articulate³ [ɑːˈtikjulit] a. 善于表达的，发音清晰的；表达得清楚有力的

[ɑːˈtikjuleit] vt. 明确有力地表达；清楚地吐(字)，清晰地发(音)

[记]联想记忆：arti(看作 art，技巧)+cul(培养)+ate(…的)→从小培养孩子清晰发音的技巧→清晰地发(音)

assistance³ [əˈsistəns] n. 协助，援助

assurance³ [əˈʃuərəns] n. 把握，信心；保证，表示保证(或鼓励、安慰)的话；(人寿)保险

[记]来自 assure(v. 保证)

awkward³ [ˈɔːkwəd] a. 笨拙的，不灵巧的；尴尬的；难操纵的，使用不便的

[记]联想记忆：aw(看作 awe，恐惧)+kward(看作 backward，向后的)→由于恐惧而向后退→尴尬的

band³ [bænd] *n.* 乐队；带；条纹；波段；群，伙 *vt.* 用带绑扎

barren³ [ˈbærən] *a.* (土地等)贫瘠的，荒芜的；不结果实的，不(生)育的；无益的，没有结果的

[记] 发音记忆："巴人"→巴山蜀水凄凉地，二十三年弃置身→贫瘠的，荒芜的

beam³ [biːm] *n.* 束，柱；梁，横梁；笑容，喜色 *v.* 面露喜色；定向发出(无线电信号等)，播送

[记] 联想记忆：be+am→做我自己，成为国家的栋梁→梁

betray³ [biˈtrei] *vt.* 背叛，出卖；失信于，辜负；泄露(秘密等)；(非故意地)暴露，显露

[记] 发音记忆："被踹"→被朋友暗地里踹了一脚→背叛，出卖

注意：betray 一般指向敌方出卖或泄露秘密和情报；deceive 指欺骗他人并使之付诸行动；mislead 指"误导"；trick 常作"恶作剧，诡计"讲，一般无太大恶意和险恶用心。

bleed³ [bliːd] *vi.* 出血，流血；泌脂 *vt.* 勒索…的钱

[记] 联想记忆：流着(bleed)鲜血(blood)

blunder³ [ˈblʌndə] *n.* (因无知、粗心等造成的)错误 *vi.* 跌跌撞撞地走，慌乱地走；犯错误

[记] 联想记忆：blu(看作 blue，忧郁)+(u)nder(在…下面)→在忧郁心情的笼罩下，喝醉了酒→跌跌撞撞地走

bounce³ [bauns] *v.* (使)弹起，(使)反弹，(使)颠跳 *n.* 弹，反弹

[记] 联想记忆：又跳(bound)又弹(bounce)

bracket³ [ˈbrækit] *n.* 括号；(年龄、收入等的)等级段，档次；壁架，托架 *vt.* 把…置于括号内；把…归入同一类

[记] 联想记忆：brack(看作 black，黑色的)+et→黑芝麻被归入健康食品→把…归入同一类

brisk³ [brisk] *a.* 轻快的；生气勃勃的；兴隆的，繁忙活跃的；寒冷而清新的

[记] 联想记忆：b+risk(冒险)→喜欢冒险→繁忙活跃的

注意：brisk 常指人或其行为的活泼、敏捷，也用来指事物的发展，例：Rachel finished a brisk mop of the floor. (雷切尔麻利地拖完了地板。) active 指人主观积极或头脑灵活；animated 表生气勃勃的，一般指人，也指话题、辩论等；energetic 一般用来形容人精力充沛。

bump³ [bʌmp] *vi.* 碰(伤)，撞(破)；颠簸着前进 *n.* 碰撞，猛撞；(碰撞造成的)肿块；隆起物

[记] 象声词：物体碰撞的声音

[考] bump into 碰，撞；颠簸着前进

bureaucracy³ [bjuəˈrɔkrəsi] *n.* 官僚主义，官僚作风；政府机构，官僚

[记] 词根记忆：bureau(政府的局)+cracy(统治)→政府机构

burial³ [ˈberiəl] *n.* 葬，掩埋；葬礼

[记] 来自 bury(*v.* 埋葬，掩埋)

calorie³ [ˈkæləri] *n.* 大卡(食物的热值)；卡(路里)

[记] 发音记忆："卡路里"

chip³ [tʃip] *n.* 屑片，碎片；炸土豆条；集成电路片，集成块；缺口，瑕疵

classification³ [ˌklæsifiˈkeiʃən] *n.* 分类，分级；分类法；类别，级别

[记] 来自 classify(*v.* 把…分类)

cling³ [kliŋ] *vi.* 紧紧抓住(或抱住)；黏着，挨近；依附，依恋；坚持，墨守，忠实于

[考] cling to 紧紧抓住(或抱住)

cluster³ [ˈklʌstə] *n.* (果实、花等的)串，簇；(人、物等的)群，组 *vi.* 群集，丛生 *vt.* 使群集，集中

[记] 词根记忆：c+lust（明亮的）+er→花团锦簇让人眼前一亮→簇

[考] a cluster of 成群的，成串的

collaboration³ [kəˌlæbə'reiʃən] *n.* 合作，协作；勾结

[记] 词根记忆：col（共同）+labor（工作）+ation（表状态）→合作

[考] in collaboration with 与…合作；与…勾结

commend³ [kə'mend] *vt.* 称赞，表扬；推荐

[记] 词根记忆：com（表加强）+mend（委托）→一再委托→推荐

> 注意：commend 常作"推荐"讲，例：My professor commended me for this interview.（我的教授推荐我来面试。）compliment 表示赞赏或真心钦佩；recommend 作"推荐"讲时意思与 commend 相同。

committee³ [kə'miti] *n.* 委员会；全体委员

commodity³ [kə'mɔditi] *n.* 商品，货物

[记] 词根记忆：com（共同）+mod（样式）+ity→市场上的商品种类繁多，样式齐全→商品

commonplace³ ['kɔmənpleis] *a.* 普通的，平庸的 *n.* 寻常的事物，平庸的东西

[记] 组合词：common（普通的）+place（地方）→普通的

compact³ [kəm'pækt] *a.* 紧凑的；小巧的；紧密的，坚实的 *vt.* 把…压实（或塞紧），使坚实

['kɔmpækt] *n.* 契约，合同

[记] 词根记忆：com（表加强）+pact（打包，压紧）→把…压实

component³ [kəm'pəunənt] *n.* 组成部分，部件，组件 *a.* 组成的，构成的

[记] 词根记忆：com（共同）+pon（放）+ent（表物）→放到一起的东西→组件

低频词汇

concentration[3] [ˌkɔnsən'treiʃən] *n.* 专注，专心；集中；浓缩，浓度

conception[3] [kən'sepʃən] *n.* 思想，观念；概念；构想，设想；怀孕

[记] 来自 concept(*n.* 观念)

concise[3] [kən'sais] *a.* 简明的，简要的

[记] 词根记忆：con+cise(切掉)→把多余的全部切掉→简要的

condemn[3] [kən'dem] *vt.* 谴责，指责；判…刑，宣告…有罪

[记] 词根记忆：con(表加强)+dem(民众)+n→遭受民众强烈谴责→谴责，指责

conscientious[3] [ˌkɔnʃi'enʃəs] *a.* 认真的，勤勤恳恳的

[记] 联想记忆：con+scienti(看作 scientist，科学家)+ous→科学精神→认真的

consensus[3] [kən'sensəs] *n.* (意见等)一致，一致同意

[记] 词根记忆：con(共同)+sens(感觉)+us→有同感→(意见等)一致

console[3] [kən'səul] *vt.* 安慰，慰问

['kɔnsəul] *n.* 控制台，操纵台

[记] 词根记忆：con(共同)+sole(孤单)→孤单的人们互相安慰→安慰，慰问

consolidate[3] [kən'sɔlideit] *v.* 巩固，加强；(把…)联为一体，合并

[记] 联想记忆：con+solid(固体)+ate(做)→巩固

contest[3] ['kɔntest] *n.* 竞赛，争夺

[kən'test] *vt.* 争夺，与…竞争；对…提出质疑，辩驳

[记] 联想记忆：con+test(测试)→测验→竞赛

converge[3] [kən'vəːdʒ] *vi.* (在一点上)会合，互相靠拢；聚集，集中；(思想、观点等)趋近

[记] 词根记忆：con+verge(转)→转到一起→聚集

correlate[3] ['kɔrileit] *vt.* 使相互关联 *vi.* 相关，关联

[记] 词根记忆：cor(共同)+relate(相关)→相关

[考] correlate to/with 相关，关联

counsel³ ['kaunsəl] *n.* 律师，法律顾问；忠告，劝告 *vt.* 劝告，提议

[记] 联想记忆：coun(看作 court，法庭)+sel(看作 sell，卖)→在法庭上卖弄技巧的人→律师

crew³ [kru:] *n.* 全体船员；一队工作人员

[记] 和 crow(n. 乌鸦)一起记

decay³ [di'kei] *vi.* 腐烂，衰败 *n.* 腐烂，衰败状态

[记] 和 delay(v. 耽误)一起记

deem³ [di:m] *vt.* 认为，视为

[记] 和 seem(v. 似乎)一起记

devise³ [di'vaiz] *vt.* 设计，发明

[记] 联想记忆：发明(devise)设备(device)

dimension³ [dai'menʃən; di'menʃən] *n.* 尺寸，尺度；方面，特点；[pl.]面积，规模

[记] 词根记忆：di+mens(测量)+ion→测量→尺寸

diplomat³ ['dipləmæt] *n.* 外交官，外交家；有交际手腕的人，圆滑的人

disguise³ [dis'gaiz] *vt.* 假扮，化装，伪装；掩盖，掩饰 *n.* 用来伪装的东西(或行动)；伪装，掩饰

[记] 词根记忆：dis(表加强)+guise(伪装)→伪装；掩饰

displace³ [dis'pleis] *vt.* 取代，替代；迫使…离开家园，使离开原位

[记] 联想记忆：dis(分离)+place(位置)→使从位置上离开→取代，替代

donate³ [dəu'neit] *v.* 捐赠，赠送

[记] 词根记忆：don(给予)+ate(做)→赠送

drain³ [drein] *vt.* 排去，放水；渐渐耗尽 *vi.* 慢慢减少 *n.* 耗竭；排水沟，排水管

[记] 联想记忆：d+rain(雨水)→排去雨水→排水沟

dubious³ ['dju:biəs] *a.* 怀疑的；犹豫不决的；无把握的；有问题的，靠不住的

[记] 词根记忆：dub(两，双)+ious→两种状态→不肯定的→犹豫不决的

ecology³ [iːˈkɔlədʒi] n. 生态；生态学

[记] 词根记忆：eco(生态)+logy(学科)→生态学

elastic³ [iˈlæstik] n. 松紧带 a. 有弹性的；灵活的

[记] 联想记忆：e(出)+last(延长)+ic(…的)→可延长的→有弹性的

elicit³ [iˈlisit] vt. 诱出，探出

[记] 联想记忆：e(出)+licit(看作 limit，限制)→摆脱限制→探出

elite³ [eiˈliːt; iˈliːt] n. [总称]上层人士，掌权人物，实力集团；[总称]出类拔萃的人(或集团)，精英

[记] 词根记忆：e+lite(=lig，选择)→选出来的都是精英→精英

empirical³ [emˈpirikəl] a. 以经验(或观察)为依据的；经验主义的，经验的

[记] 参考：empire(n. 帝国，帝权)

endeavor³ [inˈdevə] n. / vt. 努力，尽力；尝试

[记] 联想记忆：en+deavor(看作 devote，投身于)→努力

ethnic³ [ˈeθnik] a. 种族的

[记] 词根记忆：ethn(种族)+ic→种族的

expel³ [ikˈspel] vt. 把…除名，把…开除；排出，喷出；驱逐，赶走，放逐

[记] 词根记忆：ex(出)+pel(驱动，推)→驱逐

explicit³ [ikˈsplisit] a. 详述的；明确的，明晰的；直言的，毫不隐瞒的；露骨的

[记] 词根记忆：ex(出)+pli(重)+cit→重复说出→详述的；明确的

extinguish³ [ikˈstiŋgwiʃ] vt. 熄灭，扑灭；使消亡，使破灭

[记] 联想记忆：ex(出)+ting(看作 sting，刺，引申为火焰)+uish→把火焰拿出去→熄灭

extract³ [ikˈstrækt] vt. 取出，抽出，拔出；获得，索取；摘录，抄录；提取，提炼，榨取

[ˈekstrækt] *n.* 摘录，选段；提出物，精，汁

[记] 词根记忆：ex(出)+tract(拉)→拉出→拔出

extraordinary³ [ikˈstrɔːdinəri] *a.* 非同寻常的，特别的

[记] 组合词：extra(以外的)+ordinary(平常的)
→平常之外的→非同寻常的

fabricate³ [ˈfæbrikeit] *vt.* 捏造，伪造(文件等)，编造(谎言、借口等)；建造，制造

List 17

faculty³ ['fækəlti] *n.* 才能，能力；系，科；全体教员

famine³ ['fæmin] *n.* 饥荒；严重的缺乏

[记] 联想记忆：fa(看作 far, 远)+mine(我的)→粮食离我很远→饥荒

feasible³ ['fi:zəbəl] *a.* 可行的，可能的

[记] 联想记忆：f+easi(看作 easy, 容易的)+ble→容易做到的→可能的

fertilizer³ ['fə:tilaizə] *n.* 肥料

finite³ ['fainait] *a.* 有限的，有限制的；限定的

[记] 词根记忆：fin(范围)+ite→限于一定范围的→有限的

fitting³ ['fitiŋ] *n.* [常 *pl.*] (房屋内的)设备，家具，日用器具；[常 *pl.*] 配件，附件，零件；试穿，试衣 *a.* 适合的，恰当的

flaw³ [flɔ:] *n.* 缺点；瑕疵，缺陷

[记] 联想记忆：f+law(法律)→法律也有不完善的地方→瑕疵，缺陷

flutter³ ['flʌtə] *vi.* (鸟等)振翼，拍翅而飞；飘动，飘扬；(心脏等)快速跳动 *n.* 紧张，激动不安

[记] 联想记忆：fl(看作 fly)+utter(看作 butter)→butterfly(蝴蝶)→拍翅而飞

formidable³ ['fɔ:midəbəl] *a.* 可怕的，令人敬畏的；难以克服的，难对付的

[记] 联想记忆：for+mid(看作 mad, 疯的)+able→为此而疯的, 因为太害怕→可怕的

formulate[3] ['fɔːmjuleit] vt. 构想出(计划、方法等), 规划(制度等); 系统地(或确切地)阐述
[记] 词根记忆：form(形成)+ulate→构想出

foster[3] ['fɔstə] vt. 收养, 养育; 培养, 促进 a. 收养的, 收养孩子的

garbage[3] ['gɑːbidʒ] n. 垃圾, 废物; 废话; 无用(或不正确)的资料

generalize[3] ['dʒenərəlaiz] v. 概括, 归纳, 推断; 普及
[记] 联想记忆：general(概括的)+ize→概括, 归纳

genuine[3] ['dʒenjuin] a. 真的, 真正的; 真诚的
[记] 词根记忆：genu(出生, 产生)+ine(…的)→来源清楚→真正的

glow[3] [gləu] n. 白热光; 脸红; 激情 vi. 发光, 发热
[记] 联想记忆：激情(glow)涌动(flow)

gracious[3] ['greiʃəs] a. 亲切的, 和蔼的; 优美的, 雅致的, 雍容华贵的 int. [表示惊讶]天哪！
[记] 联想记忆：gr(音似：给)+acious(多的)→给得多→和蔼的

haunt[3] [hɔːnt] vt. (鬼魂等)常出没于; 使苦恼, 使担忧; (思想、回忆等)萦绕在心头, 缠绕 n. 常去的地方
[记] 联想记忆：姑妈(aunt)常来拜访, 啰嗦得使人苦恼(haunt)

humble[3] ['hʌmbəl] a. 谦逊的; 地位低下的; 简陋的 vt. 使谦恭, 使卑下
[记] 词根记忆：hum(地)+ble→接近地的→地位低下的

hurricane[3] ['hʌrikən] n. 飓风
[记] 联想记忆：hurri(看作 hurry, 匆忙)+cane→来得很匆忙的风→飓风

低频词汇

注意：hurricane 指飓风、强热带风暴；wind 为最普通用词，泛指空气的流动；breeze 是微风的总称；blast 指一阵强风；typhoon 指台风。

identification³ [ai‚dentifi'keiʃən] n. 身份证明；鉴定，验明，认出；认同

[记] 来自 identify(v. 识别，鉴别)

impatient³ [im'peiʃənt] a. 不耐烦的，急躁的；热切的，急切的

[记] 词根记忆：im(不，无)+patient(耐心的)→不耐烦的

impetus³ ['impitəs] n. 推动，促进，刺激；推动力

[记] 词根记忆：im(进入)+pet(追求)+us→不断追求美好的想法→推动，刺激

implement³ ['implimənt] vt. 使生效，履行，实施 n. 工具，器具，用具

[记] 词根记忆：im(使)+ple(满)+ment→使圆满→使生效，实施

implicit³ [im'plisit] a. 不言明的，含蓄的；无疑问的，无保留的；内含的，固有的

[记] 词根记忆：im(进入)+plic(重叠)+it(意义)→意义叠在里面→含蓄的

[考] implicit in 内含的

indefinite³ [in'definit] a. 无限期的；模糊的，不确定的

[记] 联想记忆：in(不)+definite(明确的)→不明确的→模糊的

inhibit³ [in'hibit] vt. 阻止，妨碍；抑制

[记] 词根记忆：in(不)+hibit(拿住)→不让拿住→阻止；抑制

integral³ ['intigrəl] a. 构成整体所必需的，基本的

[记] 词根记忆：integr(整体)+al(…的)→构成整体所必需的

intelligible³ [in'telidʒəbəl] a. 可理解的，明白易懂的，清楚的

[记] 来自 intellect(n. 理解力)

interrupt³ [ˌintəˈrʌpt] v. 打断，打扰，中止

[记] 词根记忆：inter+rupt(断)→打断

intimidate³ [inˈtimideit] vt. 恐吓，威胁

[记] 词根记忆：in(使)+timid(害怕)+ate→使人害怕→恐吓，威胁

kidney³ [ˈkidni] n. 肾，肾脏

[记] 参考：Kennedy(美国总统肯尼迪)

label³ [ˈleibəl] n. 标签，标记，符号 vt. 贴标签于；把…称为

[记] 联想记忆：lab(实验室)+el→实验室里的试剂瓶上贴有标签→标签，标记

lease³ [liːs] n. 租约，租契 vt. 出租；租得，租有

[记] 联想记忆：l+ease(安心)→有了租约才安心→租约，租契

legitimate³ [liˈdʒitimit] a. 合情合理的；合法的，法律认可的 [liˈdʒitimeit] vt. 使合法

[记] 词根记忆：leg(法律)+itim+ate→合法的

liable³ [ˈlaiəbəl] a. 易于…的；可能的

[记] 联想记忆：贴上标签(label)易于(liable)查看

[考] liable to 可能的；易于…的

liberal³ [ˈlibərəl] a. 心胸宽大的，慷慨的；自由的，自由主义的

[记] 词根记忆：lib(自由的)+eral→自由的，自由主义的

literal³ [ˈlitərəl] a. 照字面的，原义的；逐字的

[记] 词根记忆：liter(文字)+al(…的)→照字面的

literary³ [ˈlitərəri] a. 文学(上)的；文人的，书卷气的

[记] 词根记忆：liter(文字)+ary→文字上的→文学的

luggage³ [ˈlʌgidʒ] n. 行李

maneuver³ [məˈnuːvə] n. 谨慎而熟练的动作；策略，花招；[pl.] 演习 vt. 设法使变动位置；(敏捷或巧妙地)操纵，控制 vi. 设法变动位置；用策略，耍花招

低频词汇

[记] 词根记忆：maneu(看作 manu，手)+ver→演习

masculine³ ['mæskjulin] *a.* 男性的，男子的；男子气的
[记] 联想记忆：mascul(看作 muscle，肌肉)+(1)ine(线条)→发达的肌肉和分明的棱角是男性的象征→男性的

melt³ [melt] *v.* (使)融化；(使)溶解；(使)消散

merit³ ['merit] *n.* 长处，优点，价值；功劳，成绩 *vt.* 值得，应受
[记] 发音记忆：发音像"marry it"→嫁给它，值得→值得

miniature³ ['miniətʃə] *a.* 小型的，微小的 *n.* 微小的模型，缩影；微型画，微型人物像
[记] 词根记忆：mini(小)+ature→极小的画像→微型人物像；小型的

minimal³ ['miniməl] *a.* 最小的，最低限度的
[记] 词根记忆：mini(小)+mal→最小的

mobilize³ ['məubilaiz] *vt.* 动员；调动，鼓动起 *vi.* 动员起来
[记] 来自 mobile(*a.* 活动的)

motel³ [məu'tel] *n.* 汽车旅馆
[记] 缩合词：motor(汽车)+hotel(旅馆)→汽车旅馆

nasty³ ['nɑːsti; 'næsti] *a.* 令人讨厌的，令人厌恶的；难弄的，困难的；严重的，恶劣的；险恶的；下流的，道德败坏的
[记] 联想记忆：做事草率的(hasty)人很让人讨厌(nasty)

negligible³ ['neglidʒəbəl] *a.* 可忽略不计的，微不足道的
[记] 词根记忆：neg(不)+lig(选择)+ible→不用选择的→可忽略不计的

nominate³ ['nɔmineit] *vt.* 提名；任命
[记] 词根记忆：nomin(名字)+ate(做)→提名

notorious³ [nəuˈtɔːriəs] a. 臭名昭著的，声名狼藉的
[记] 词根记忆：not(标记)+orious(多…的)→臭名昭著的

offspring³ [ˈɔfspriŋ] n. 子女，子孙，后代；(动物的)崽
[记] 联想记忆：off(出来)+spring(春天)→春天出来的→(动物的)崽

outward³ [ˈautwəd] a. 外面的，外表的；ad. [-(s)] 向外地

overlap³ [ˌəuvəˈlæp] v. (与…)部分重叠；(与…)部分相同
[ˈəuvəlæp] n. 重叠，重叠的部分
[记] 联想记忆：over(在…上)+lap(大腿)→把一条腿放在另一条腿上→重叠

overturn³ [ˌəuvəˈtəːn] vt. 使翻转，使倾覆，使倒下；颠覆，推翻 vi. 倾覆，翻转，翻倒
[记] 来自词组 turn over (翻转)

overturn

pastime³ [ˈpɑːstaim] n. 消遣，娱乐
[记] 联想记忆：Pastime makes time past. (消遣是为了消磨时间。)

peculiar³ [piˈkjuːljə] a. 奇怪的，古怪的；特有的

persuasion³ [pəˈsweiʒən] n. 说服(力)，劝说；信念，信仰
[记] 来自 persuade(v. 劝说)

plausible³ [ˈplɔːzəbəl] a. 似有道理的，似乎正确的，貌似可信的
[记] 词根记忆：plaus(鼓掌)+ible→值得鼓掌的→似乎正确的

plunge³ [plʌndʒ] n. /v. 纵身投入，猛冲，猛跌

porch³ [pɔːtʃ] n. 门廊
[记] 联想记忆：手电筒(torch)照着看似无尽的门廊(porch)

precede³ [priˈsiːd] vt. 在…之前，先于
[记] 词根记忆：pre(前)+ced(走)+e→走在前面→在…之前，先于

precious³ [ˈpreʃəs] *a.* 珍贵的，宝贵的

[记] 词根记忆：preci(价值)+ous(…的)→有价值的→珍贵的，宝贵的

[考] precious resources 宝贵的资源

preclude³ [priˈkluːd] *vt.* 阻止；排除；妨碍

[记] 词根记忆：pre(预先)+clud(关闭)+e→提前关掉→排除

primarily³ [praiˈmerəli] *ad.* 首先，主要地

probe³ [prəub] *v.* 探索，查究，调查；用探针(或探测器等)探查，探测 *n.* 探针，探测器；探索，调查

[记] 词根记忆：prob(检查，试)+e→探索；探针

prosperous³ [ˈprɔspərəs] *a.* 繁荣的，兴旺的

protein³ [ˈprəutiːn] *n.* 蛋白质

[记] 词根记忆：pro(很多)+tein(看作 tain，保持)→维持生命之物→蛋白质

provision³ [prəˈviʒən] *n.* 供应；准备，预备；条款，规定；[*pl.*]给养，口粮

[记] 来自 provide(*v.* 供应，提供)

provocative³ [prəˈvɔkətiv] *a.* 挑衅的，煽动的，刺激的；挑逗的

[记] 词根记忆：pro(在前)+voc(声音)+ative→在前面大叫→挑衅的

questionnaire³ [ˌkwestʃəˈneə] *n.* (做统计或调查用的)问卷，征求意见表

radiate³ [ˈreidieit] *v.* 发出(光或热)；辐射；流露，显示

[记] 词根记忆：radi(光线)+ate(使)→发出(光或热)；辐射

readily³ [ˈredili] *ad.* 乐意地，欣然地；容易地；很快地，立即

reassure³ [ˌriːəˈʃuə] *vt.* 使放心

[记] 联想记忆：re(一再)+assure(保证)→使放心

注意: reassure 常指使人消除疑惑, 例: The citizens in the forum are reassured by his words. (他的话打消了论坛里市民们的疑虑。) assure 表示保证某事或使人确信某事; ensure 指让某事件得到保证; insure 常指对意外事故造成的损失进行赔偿。

rebel³ [ˈrebəl] *n.* 反叛分子; 反对者
[riˈbel] *vi.* 反叛, 造反; 反对, 不服从
[记] 词根记忆: re(反)+bel(看作 bell, 战争)→发动了反对的战争→反叛

refresh³ [riˈfreʃ] *v.* (使)振作精神, (使)恢复活力
[记] 联想记忆: re(重新)+fresh(新鲜的)→(使)振作精神

低频词汇

List 18

reproach³ [riˈprəutʃ] *n. / vt.* 责备，批评
[记] 词根记忆：re(反)+proach(靠近)→不靠近→责备

reside³ [riˈzaid] *vi.* 居住，定居；(性质等)存在，在于
[考] reside in 存在，在于

注意：reside 表示一个人拥有固定、合法的住处，例：Children who reside in these communities all know each other.（住在这些社区的孩子们彼此都认识。）live 为最普通用语，指正常生活、居住；dwell 是文学用语，多用于诗歌中；inhabit 通常指某种族、民族或部落在某特定的环境、区域生活；lodge 表暂住。

revelation³ [ˌrevəˈleiʃən] *n.* 被提示的真相，(惊人的)新发现；揭示，透露；显示
[记] 来自 reveal(*v.* 揭示，显示)

revolve³ [riˈvɔlv] *vi.* 旋转
[记] 词根记忆：re(一再)+ volve(滚，卷)→不断滚动→旋转
[考] revolve around 以…为主要内容

注意：revolve 指绕其他物旋转；rotate 是自转；spin 指连续地、半径小地自转或旋转；whirl 是指快速旋转或回旋；roll 则强调滚动。

rhythm³ [ˈriðəm] *n.* 韵律，节奏

scandal[3] ['skændl] *n.* 丑事，丑闻；流言蜚语；反感；愤慨

[记] 联想记忆：scan(扫描)+dal→扫描时事，揭露丑闻→丑闻，丑事

[考] the Watergate Scandal 水门事件

scar[3] [skɑː] *n.* 伤疤，伤痕；(精神上的)创伤 *v.* (给…)留下伤痕(或创伤)

[记] 电影《狮子王》中的一只狮子名叫刀疤(Scar)

scatter[3] ['skætə] *vt.* 撒，散播；散开，驱散

scrape[3] [skreip] *v.* 刮，擦 *n.* 刮，擦；刮擦声

[记] 联想记忆：scrap(碎屑)+e→碎屑是被刮下来的→刮，擦

[考] scrape by 勉强度日，刚能糊口

segment[3] ['segmənt] *n.* 部分，片段；(橘子等的)瓣

[记] 词根记忆：seg(=sect，部分)+ment→部分，片段

[考] segments of the population 部分人口

sentiment[3] ['sentimənt] *n.* 意见，观点；感情，情绪

[记] 词根记忆：sent(感觉)+iment→感觉的东西→感情，情绪

[考] the anti-immigrant sentiments 反对移民的观点

sheer[3] [ʃiə] *a.* 完全的，十足的；陡峭的，垂直的；极薄的，透明的 *ad.* 垂直地，陡峭地 *vi.* 急转向，偏离

[记] 联想记忆：she(她)+er(表人)→她是个十足的女人→十足的

shrewd[3] [ʃruːd] *a.* 机灵的，敏锐的，精明的

[记] 发音记忆："熟的"→对某事很熟，因此反应敏锐→敏锐的

shrug[3] [ʃrʌg] *n. / v.* 耸肩(表示冷漠、怀疑等)

signify³ [ˈsignifai] vt. 表示…的意思，意味，预示

slide³ [slaid] v. 滑；悄悄地移动 n. 滑动；滑道，滑面；幻灯片

[记] 联想记忆：s+lid(盖子)+e→盖子从桌子上滑了下去→滑动

slum³ [slʌm] n. 贫民窟

[记] 发音记忆："萨达姆"→萨达姆住在贫民窟→贫民窟

smash³ [smæʃ] vt. 粉碎，打烂；狠打，猛击；使破灭，使失败 vi. 猛撞，猛冲 n. 破碎(声)；猛击，猛撞；轰动的演出，巨大的成功

[考] a box-office smash 票房大获成功

solemn³ [ˈsɔləm] a. 庄严的，隆重的；严肃的

[记] 词根记忆：sol(太阳)+emn→古时人们把太阳看作神圣庄严之物→庄严的

standpoint³ [ˈstændpɔint] n. 立场，观点

[记] 组合词：stand(站立)+point(观点)→立场，观点

stereo³ [ˈsteriəu] a. 立体声的 n. 立体声(装置)

[记] 联想记忆：stere(立方米)+o→立体的→立体声的

strive³ [straiv] vi. 努力，奋斗，力求

[记] 联想记忆：s+trive(看作 drive，动力)→奋斗需要动力→努力，奋斗

stroke³ [strəuk] n. 中风；一举，一次努力；划桨，划水；击，敲；报时的钟声；笔画，一笔；抚摸 vt. 抚摸

subsequent³ [ˈsʌbsikwənt] a. 随后的，后来的

[记] 词根记忆：sub(接近)+sequ(跟随)+ent(…的)→随后的

successor³ [səkˈsesə] n. 接替的人或事物，继任者

[记] 联想记忆：success(接替)+or(表人)→接替的人或事物

suppress[3] [sə'pres] *vt.* 压制，镇压；禁止发表，查禁；抑制（感情等），忍住；阻止…的生长（或发展）

[记] 词根记忆：sup(在下面)+press(压)→压下去→镇压；查禁

supreme[3] [sjuː'priːm] *a.* 最高的，最大的；极度的，最重要的

[记] 联想记忆：supre(看作 super，超过)+me→超越自我→最高的

[考] Supreme Court 最高法院

suspicion[3] [sə'spiʃən] *n.* 怀疑，疑心，猜疑；一点儿，少量

tangle[3] ['tæŋgəl] *v.* (使)缠结，(使)乱作一团；争吵，争论 *n.* 乱糟糟的一堆，混乱；复杂的问题(或形势)，困惑

[记] 联想记忆：两人纠缠(tangle)在一起跳探戈(tango)

[考] tangle with 与…争吵(或打架)，与…有纠葛

tentative[3] ['tentətiv] *a.* 试探(性)的，试验(性)的

[记] 词根记忆：tent(尝试)+ative(具…性的)→试验(性)的

tragic[3] ['trædʒik] *ad.* 悲惨的，可悲的；悲剧(性)的

[记] 联想记忆：t+rag(破旧衣服)+ic→穿着破旧衣服的乞丐过着悲惨的生活→悲惨的

unify[3] ['juːnifai] *vt.* 使联合，统一；使相同，使一致

[记] 词根记忆：uni(单一)+fy(使)→统一

upgrade[3] [ʌp'greid] *vt.* 提升；使升级 *n.* 向上的斜坡

[记] 组合词：up(向上)+grade(等级)→使升级

utilize[3] ['juːtilaiz] *vt.* 利用

[记] 词根记忆：util(使用)+ize→利用

vacant[3] ['veikənt] *a.* 空的，未被占用的；(职位、工作等)空缺的；(神情等)茫然的，(心灵)空虚的

[记] 词根记忆：vac(空)+ant(…的)→空的

低频词汇

venture³ [ˈventʃə] *n.* 冒险，冒险旅行；风险投资，(商业等的)风险项目 *vt.* 拿…冒险，敢于 *vi.* 冒险，大胆行事

[记] 发音记忆："玩车"→玩车一族追求的就是冒险→冒险

virgin³ [ˈvəːdʒin] *n.* 处女，未婚女子 *a.* 未开发的，未经使用的，未经触动的；处女的

[记] 发音记忆："我征"→面对处女地大喊："我来到，我征服"→未经开发的

void³ [vɔid] *a.* 无效的；没有的，缺乏的 *n.* 空虚感，寂寞感；真空，空白 *vt.* 使无效

[记] 联想记忆：逃离(avoid)寂寞(void)

voluntary³ [ˈvɔləntəri] *a.* 自愿的，志愿的

[记] 词根记忆：volunt(自动)+ary(…的)→自己选择的→自愿的

[考] voluntary cooperation 自愿合作

wretched³ [ˈretʃid] *a.* 极不愉快的，难受的，可怜的；令人苦恼的，讨厌的；拙劣的

[记] 联想记忆：w+retch(作呕，恶心)+ed→难受的

acid² [ˈæsid] *n.* 酸 *a.* 酸的，酸性的；尖刻的，刻薄的

[记] 本身为词根：酸的

发音记忆："爱吸的"→爱吸的酸奶→酸的

affirm² [əˈfəːm] *vt.* 断言，坚持声称；证实，确认

[记] 联想记忆：af(表加强)+firm(坚定的)→十分坚定→断言，坚持声称

alienate² [ˈeiliəneit] *vt.* 使疏远，使不友好，离间；转让，让渡(财产等)

[记] 联想记忆：alien(外国的，陌生的)+ate(使)→使变得陌生→使疏远

a+lien(看作 lie，说谎)+ate(使)→谎言会离间朋友→离间

allowance² [ə'lauəns] *n.* 津贴, 补贴; 零用钱

[记] 联想记忆: allow(允许)+ance→允许自由支配的钱→零用钱

注意: allowance 意思是"津贴, 补助"; budget 表示"预算"; finance 是"资金"; income 表示"收入, 收益"; 而 pay 意思是"薪水, 工资", 尤指军人、政府工作人员的工资; wage 意为"工资", 常指从事手工或操作机器者的工资, 一般按天或周计算。

apology² [ə'pɔlədʒi] *n.* 道歉, 认错, 谢罪

appease² [ə'piːz] *vt.* 平息, 抚慰, 姑息

[记] 联想记忆: ap(表加强)+pease(看作 peace, 和平)→使和平→平息

apt² [æpt] *a.* 易于…的, 有…倾向的; 恰当的, 适宜的; 聪明的, 反应敏捷的

[记] 本身为词根, 意为: 适应, 能力

array² [ə'rei] *n.* 展示, 陈列; 一系列; 排列, 队形; 衣服, 盛装; 数组 *vt.* 排列, 配置(兵力); 打扮, 装饰

[记] 联想记忆: ar(表加强)+ray(放射)→不断放射→一系列

aspiration² [ˌæspə'reiʃən] *n.* 强烈的愿望; 志向, 抱负

[记] 词根记忆: a(无)+spir(呼吸)+ation→渴望得快要窒息了→强烈的愿望

注意: aspiration 表热望、渴望, 指某人要求达到某种崇高目标的决心和气魄, 例: Emma was filled with the aspiration to succeed in career. (埃玛渴望事业成功。) ambition 指雄心、野心; pretension 常用作复数, 指主张、自负。

assault² [ə'sɔːlt] *n.* (武力或口头上的)攻击, 袭击

[记] 联想记忆: as(表加强)+sault(看作 salt, 盐)→往伤口上撒盐→攻击

axis² ['æksis] n. 轴, 轴线, 中心线; 坐标轴, 基准线
[记] 联想记忆: ax(斧头)+is→劈柴不照纹, 累死劈柴人→中心线

blunt² [blʌnt] a. 钝的; 率直的, 直言不讳的 vt. 使迟钝; 使减弱; 使钝
[记] 发音记忆: "不拦的"→口无遮拦的→率直的

bonus² ['bəunəs] n. 奖金, 红利; 额外给予的东西
[记] 联想记忆: bon(好的)+us(我们)→发奖金啦, 我们都说好!→奖金, 红利
[考] stock bonus 股份红利

bulk² [bʌlk] n. 物体; 体积; 大批 v. 变得越来越大(或重要); 使更大(或厚)
[考] in bulk 大量, 大批

bulletin² ['bulətin] n. (报纸、电台等)简明新闻, 最新消息; 学报, 期刊(尤指某机构的机关刊物); 公告, 布告, 公报
[记] 词根记忆: bullet(子弹)+in→新闻传播学中的子弹论认为受众只能被动接受信息→最新消息
[考] bulletin board 公告牌

bypass² ['baipɑːs] n. (绕过市镇的)旁道, 迂回道 vt. 绕过, 绕…走; 越过; 置…于不顾
[记] 来自词组 pass by (经过)

cabinet² ['kæbinit] n. 橱, 柜; 内阁

cafeteria² [ˌkæfi'tiəriə] n. 自助餐馆, 自助食堂
[记] 联想记忆: cafe(咖啡馆)+teria→自助食堂

cavity² ['kæviti] n. 洞, 穴; 龋洞; 凹处
[记] 和 cave(n. 洞穴)一起记

cavity

certainty² ['səːtənti] n. 必然的事, 确定的事实; 确信, 确实
[记] 来自 certain(a. 确定的)

clash² [klæʃ] *vi.* 发生冲突；不协调；砰地相撞，发出刺耳的撞击声 *n.* 冲突；不协调；(金属等的)刺耳的撞击声

[记] 象声词：物体撞碎的声音

cognitive² ['kɔgnitiv] *a.* 认知的，认识能力的

[记] 词根记忆：cogn(知道)+itive→认知的

[考] a cognitive activity 认知行为；cognitive psychology 认知心理学

coherent² [kəu'hiərənt] *a.* 条理清楚的；连贯的；一致的，协调的

[记] 词根记忆：co(共同)+her(黏着)+ent(…的)→粘在一起→连贯的

complement² ['kɔmplimənt] *n.* 补充，互为补充的东西；编制名额；装备定额；补(足)语

['kɔmpliment] *vt.* 补充；与…相配

[记] 词根记忆：com(共同)+ple(满，填满)+ment→互为补充的东西

complement

condense² [kən'dens] *v.* (使)冷凝，使凝结；浓缩；(使)压缩，简缩

[记] 联想记忆：con+dense(密集的)→变得密集的→(使)压缩；(使)凝结

configuration² [kənˌfigju'reiʃən] *n.* 配置，布局，构造

[记] 词根记忆：con+figur(形状)+ation(表状态)→布局，构造

consecutive² [kən'sekjutiv] *a.* 连续的，连贯的

[记] 词根记忆：con+secut(跟随)+ive→一个跟着一个的→连续的，连贯的

constituent² [kən'stitjuənt] *n.* 选民，选区居民；成分，组成，配料 *a.* 组成的，构成的

[记] 词根记忆：con+stitu(看作 stitut，站)+ent(…的)→选择站在谁一边→选民

低频词汇

constitution² [ˌkɒnstiˈtjuːʃən] *n.* 宪法，章程；组成，设立

convene² [kənˈviːn] *vi.* 开会，集合 *vt.* 召集

[记] 词根记忆：con(共同)+ven(来)+e→大家一起来开会→开会，集合

conversion² [kənˈvɜːʃən] *n.* 转变，变换；改变信仰，皈依

[记] 词根记忆：con+vers(转)+ion→转变，变换

cooperative² [kəuˈɒpərətiv] *a.* 有合作意向的，乐意合作的；合作的，协作的 *n.* 合作社，合作商店(或企业等)

[记] 词根记忆：co(共同)+oper(工作)+ative(…的)→合作的

cord² [kɔːd] *n.* 细绳，粗线，索；[*pl.*] 灯芯绒裤

costume² [ˈkɒstjuːm] *n.* (一个时期或一个国家中流行的)服装，服饰；戏装，(特定场合穿的)成套服装

[记] 联想记忆：cost(花费)+u(你)+me(我)→你我都免不了花钱买服装→服装，服饰

counter² [ˈkauntə] *n.* 柜台；计数器；筹码

crisp² [krisp] *a.* 脆的，(果蔬等)鲜脆的；简明扼要的，(干净)利落的；(纸张等)挺括的；(天气)清新的，干冷的 *n.* [*pl.*] 油炸土豆片

[记] 发音记忆：发音像咬薯片的声音→脆的；油炸土豆片

List 19

crush² [krʌʃ] *vt.* 压碎，碾碎；镇压

[记] 联想记忆：碰撞(crash)后被碾碎(crush)

database² ['deitəbeis] *n.* 数据库

[记] 组合词：data(数据)+base(基础)→数据库

dean² [diːn] *n.* 教长，主任牧师；(大学的)学院院长，系主任，训导主任

[记] 发音记忆："盯"→训导主任狠狠地盯着每个学生→训导主任

defendant² [di'fendənt] *n.* 被告

[记] 联想记忆：defend(辩护)+ant(表人)→需要辩护的一方→被告

defy² [di'fai] *v.* (公然)违抗，蔑视；使成为不可能；挑，激

[记] 词根记忆：de(离开)+fy→公然离去→(公然)违抗

degenerate² [di'dʒenəreit] *vi.* 衰退；堕落；蜕化

[di'dʒenərit] *a.* 衰退的；堕落的 *n.* 堕落者

[记] 词根记忆：de(变坏)+gener(产生)+ate→产生了坏东西→衰退；堕落

depict² [di'pikt] *vt.* 描绘，描述

[记] 词根记忆：de(表加强)+pict(描写，画)→描绘，描述

deport² [di'pɔːt] *vt.* 把…驱逐出境

[记] 词根记忆：de(离开)+port(拿，运)→运走→把…驱逐出境

detach² [di'tætʃ] *vt.* 拆卸；使分开，使分离
[记] 词根记忆：de(去掉)+tach(接触)→去掉接触→拆卸；使分开
[考] detach from 使分开，拆卸

detective² [di'tektiv] *n.* 侦探，私人侦探

detective

diffuse² [di'fjuːz] *v.* 扩散，(使)弥漫；传播，散布
[di'fjuːs] *a.* (文章等)冗长的，漫无边际的；四散的，弥漫的
[记] 词根记忆：dif(分开)+fuse(流)→流开→扩散，(使)弥漫

dignity² ['digniti] *n.* 庄严，端庄；尊严，高贵
[记] 词根记忆：dign(有价值的)+ity→高贵

dine² [dain] *vi.* 进餐 *vt.* 宴请
[记] 和 dinner(*n.* 正餐)一起记
[考] dine out 外出就餐(尤指在餐馆)

diploma² [di'pləumə] *n.* 毕业文凭，毕业证书，资格证书
[记] 联想记忆：做外交官(diplomat)需要资格证书(diploma)

disclose² [dis'kləuz] *vt.* 揭露，泄露，透露
[记] 联想记忆：dis(不)+close(关闭)→不关闭→透露

dismay² [dis'mei] *n.* 失望，气馁；惊恐，惊愕 *vt.* 使失望，使气馁；使惊恐，使惊愕
[记] 联想记忆：dis(不)+may(可能)→因为不可能做到，所以失望→失望，气馁

dispatch² [di'spætʃ] *vt.* 派遣，调遣；发送 *n.* (公文)急件，快信；(记者发回的)新闻报道；派遣，调遣
[记] 联想记忆：dis(分开)+patch(片)→把人群分成几片→派遣

disposal² [di'spəuzəl] *n.* 丢掉，销毁；处理；排列，布置
[记] 词根记忆：dis(分开)+pos(放)+al→分开放→处理；布置

disposition² [ˌdispəˈziʃən] *n.* 性情，性格；意向，倾向；排列，部署

[记] 联想记忆：dis（分离，分开）+position（位置，职位）→偏离位置；分开部署→倾向；部署

domain² [dəuˈmein] *n.* (活动、思想等)领域，范围；领地，势力范围

[记] 词根记忆：do+main（大陆）→领域，范围

doom² [du:m] *vt.* 注定，命定 *n.* 厄运，劫数

[记] 联想记忆：情绪（mood）决定命运（doom）

drag² [dræg] *v.* 拖，拉；迫使，硬拉；拖着脚步走 *n.* 累赘；一吸，一抽

[考] drag on/out (使)拖延；drag sb. to 拉某人去

drawback² [ˈdrɔːbæk] *n.* 缺点，欠缺；不利条件

[记] 联想记忆：draw（拉）+back（向后）→拖后腿→缺点；不利条件

drought² [draut] *n.* 干旱，旱灾

[记] 联想记忆：dr（看作 dry，干燥的）+ought（应该）→干旱时应该很干燥→干旱，旱灾

eagle² [ˈiːgl] *n.* 鹰

[记] 联想记忆：他渴望（eager）能像雄鹰（eagle）一般翱翔天际

elapse² [iˈlæps] *vi.* (时间)消逝，过去

[记] 词根记忆：e（出）+lapse（滑）→滑出→(时间)消逝，过去

elegant² [ˈeligənt] *a.* 优美的，文雅的，讲究的；简练的，简洁的

embed² [imˈbed] *vt.* 把…嵌入(或埋入、插入)，扎牢；使深留脑中

[记] 联想记忆：em(进入…中)+bed(床)→把…嵌入床中→把…嵌入

embody² [imˈbɔdi] *vt.* 使具体化，具体表现，体现；包括，包含，收入

低频词汇

[记] 联想记忆：em(使)+body(形体)→有形→使具体化

engagement² [in'geidʒmənt] *n.* 订婚，婚约；约会

[记] 来自 engage(*v.* 使订婚)

entity² ['entiti] *n.* 实体，独立存在体，实际存在物

[记] 联想记忆：ent(作后缀时表物)+ity→物体→实体

entrepreneur² [ˌɔntrəprə'nə:] *n.* 企业家

[记] 来自 enterprise(*n.* 企业)

epoch² ['i:pɔk] *n.* 时期，时代

[记] 联想记忆：时代(epoch)的回响(echo)

erect² [i'rekt] *vt.* 建造；使竖立 *a.* 竖直的，挺直的

[记] 词根记忆：e+rect(竖，直)→竖直的，挺直的

execute² ['eksikju:t] *vt.* 将…处死；执行，实施

[记] 联想记忆：exe(电脑中可执行程序的扩展名)+cute→执行，实施

exile² ['eksail] *n.* 流放，放逐，流亡；被流放者，流亡国外者，背井离乡者 *vt.* 流放，放逐，使流亡

[记] 联想记忆：ex(出)+i+le(拼音：了)→出国了→流放，放逐

exquisite² ['ekskwizit] *a.* 精美的，精致的；敏锐的，有高度鉴赏力的；剧烈的，感觉强烈的

[记] 词根记忆：ex+quisit(要求)+e→要求很严格的→精致的

external² [ek'stə:nl] *a.* 外部的，外面的

[记] 联想记忆：ex(出)+tern(看作 term，期限)+al→超出了期限→外部的

facet² ['fæsit] *n.* (问题等的)一个方面；(多面体的)面

[记] 词根记忆：fac(面)+et(小)→表面的小部分→面

THE FAT GETS FATIGUE EASILY!

fatigue² [fə'ti:g] *n.* 疲劳，劳累 *v.* (使)疲劳

fatigue

[记] 联想记忆：fat(胖)+igue→胖人容易累→疲劳

feast² [fiːst] *n.* 盛宴，筵席；节日 *vi.* 尽情地吃，宴饮；参加宴会

[记] 联想记忆：f(看作 fly)+east(东方)→东方腾飞的那一天→盛宴，筵席；节日

[考] feast on 尽情地吃

flip² [flip] *vt.* 快速翻动，转动 *n.* 掷(硬币)，轻抛；轻拍，轻击 *a.* 无理的；轻率的，轻浮的

fold² [fəuld] *vt.* 折叠，合拢 *n.* 褶，折叠的部分

[记] 联想记忆：f+old(旧)→旧东西有许多褶→褶

foremost² [ˈfɔːməust] *a.* 最好的，最重要的

[记] 联想记忆：fore(前面)+most(最)→放在最前面的→最好的

fraud² [frɔːd] *n.* 欺诈，诈骗；骗子

[记] 发音记忆："富饶的"→骗子喜欢去富饶的地区骗人→欺诈；骗子

furious² [ˈfjuəriəs] *a.* 狂怒的，暴怒的；强烈的，激烈的

gaze² [geiz] *n. / vi.* 凝视，盯，注视

[记] 发音记忆："盖茨"→比尔·盖茨令世人瞩目→盯，注视

geology² [dʒiˈɔlədʒi] *n.* 地质学；地质情况

[记] 词根记忆：geo(地)+logy(学科)→地质学

glare² [gleə] *vi.* 怒目而视；发射强光，发出刺眼的光线 *n.* 强光；怒视，瞪眼；炫耀，张扬

[考] glare at 怒目而视

gleam² [gliːm] *vi.* 闪亮，闪烁；闪现，流露 *n.* 闪光，闪亮；闪现，流露

[考] gleam with 流露

glitter² [ˈglitə] *vi.* 闪闪发光，闪耀 *n.* 闪光，灿烂的光辉；耀眼，辉煌

[记] 联想记忆：g+litter(看作 little，小)→一闪一闪的小星星→闪耀

gorgeous² ['gɔːdʒəs] *a.* 华丽的，灿烂的，绚丽的；令人十分愉快的，极好的

[记] 联想记忆：gorge(峡谷)+ous→峡谷很美丽→华丽的；极好的

gossip² ['gɔsip] *n.* 流言蜚语；爱说长道短的人 *vi.* 传播流言蜚语，说长道短

[记] 联想记忆：go(进行)+s+sip(吸吮)→流言蜚语能吸干人的精力→流言蜚语

grief² [griːf] *n.* 悲伤，悲痛；悲伤的事，悲痛的缘由

[记] 和 brief(*n.* 摘要)一起记

> **注意**：grief 指直接原因导致的巨大的悲伤，例：She did not show her grief when her son died. (儿子去世时她没有显露出悲伤。) regret 表后悔、遗憾、惋惜、哀悼等义，含失望、懊悔的意味；sorrow 为最普通用词，表一种悲伤、失落或内疚的心情。

grieve² [griːv] *vi.* 感到悲痛，伤心 *vt.* 使伤心，为…而伤心

[考] grieve for/over 为…感到悲痛

grip² [grip] *vt.* 握紧，抓牢；吸引住…的注意力 *n.* 紧握

groan² [grəun] *vi.* 呻吟，抱怨；发出呻吟般的声音 *n.* 呻吟，抱怨；呻吟般的声音

[记] 联想记忆：成年(grown)人爱抱怨(groan) 参考：moan(*v.* 抱怨，呻吟)

grope² [grəup] *vi.* 暗中摸索，搜索；探索，搜寻 *vt.* 摸索(路等)

[记] 联想记忆：g+rope(绳子)→抓住绳子，暗中摸索→暗中摸索

[考] grope for/around 搜索，暗中摸索

hasty² ['heisti] *a.* 草率的，轻率的；急速的，匆忙的，仓促完成的

[记] 联想记忆：hast(看作 fast，快的)+y(…的)→快速完成的→匆忙的

hatred² ['heitrid] *n.* 憎恶，憎恨，仇恨

[记] 联想记忆：hat(看作 hate，讨厌)+red(红色)→因为讨厌，脸都红了→憎恨

[考] 表示感情的词：hatred 恨；love 爱；joy 喜悦；delight 高兴；pleasure 愉快；fear 恐惧；anger 怒；jealousy 嫉妒；sorrow 伤心；grief 悲痛；despair 绝望

heave² [hi:v] *v.* (用力)举起，提起，拉起；拖；扔；(沉重地)发出(叹息、呻吟等)；(有节奏地)起伏，隆起；呕吐，恶心 *n.* 举起，升降

[记] 联想记忆：董存瑞举起(heave)炸药包，直到爆炸也没离开(leave)

heighten² ['haitn] *v.* (使)提高，加强

[记] 来自 height(*n.* 高度)

hemisphere² ['hemisfiə] *n.* 地球的半球；大脑半球

[记] 词根记忆：hemi(半)+sphere(球)→地球的半球

heritage² ['heritidʒ] *n.* 遗产，继承物；传统

[记] 词根记忆：herit(遗传)+age(表物)→遗传下来的东西→遗产，继承物

hierarchy² ['haiərɑːki] *n.* 等级制度；统治集团，领导层

[记] 词根记忆：hier(神圣)+archy(统治)→神圣统治→等级制度

historian² [his'tɔːriən] *n.* 历史学家，史学工作者

[记] 来自 history(*n.* 历史)

homogeneous² [ˌhɔməu'dʒiːniəs] *a.* 同种类的，同性质的，有相同特征的

[记] 词根记忆：homo(同类的)+gene(基因)+ous→同种类的

hover² ['hɔvə] *vi.* (鸟等)翱翔；逗留在近旁，徘徊；彷徨，犹豫

[记] 联想记忆：徘徊(hover)在情人(lover)之间

humidity² [hju:ˈmidəti] *n.* 湿度；潮湿，湿气
[记] 来自 humid(*a.* 潮湿的)

hypothesis² [haiˈpɔθəsis] *n.* 假设，假说；前提
[记] 联想记忆：hypo(在…下面)+thesis(论点)
→非真正论点→假说

imaginary² [iˈmædʒinəri] *a.* 想象中的，假想的

imperative² [imˈperətiv] *a.* 必要的；紧急的，极重要的；命令的 *n.* 必要的事，必须完成的事；祈使语气(的动词)

imperial² [imˈpiəriəl] *a.* 帝国的，帝王的；(度量衡)英制的
[记] 来自 empire(*n.* 帝国)

inclusive² [inˈklu:siv] *a.* 包括一切的，包括一切费用在内的；所有数目(或首末日期)包括在内的
[记] 词根记忆：in(向内)+clus(关闭)+ive(…的)→包括一切的

incorporate² [inˈkɔ:pəreit] *vt.* 包含，加上，吸收；把…合并，使并入
[记] 词根记忆：in(进入)+corpor(团体)+ate→进入团体→把…合并，使并入

indicative² [inˈdikətiv] *a.* 标示的，指示的；象征的；陈述的，直陈的 *n.* 陈述语气
[记] 词根记忆：in(进入)+dic(宣称)+ative→陈述的
[考] be indicative of 标示的，指示的，象征的

List 20

indignant² [in'dignənt] *a.* 愤怒的，愤慨的，义愤的
[记] 联想记忆：in(不，无)+dign(有价值的)+ant→说的都是毫无价值的→愤怒的

infinite² ['infinit] *a.* 无限的，无数的
[记] 词根记忆：in(无)+fin(结束)+ite(…的)→没有结尾的→无限的

inflict² [in'flikt] *vt.* 把…强加给；使…遭受；使…承担
[记] 词根记忆：in(使)+flict(打击)→使…遭受打击→使…遭受
[考] inflict on/upon 把…强加给，使…承担

ingredient² [in'gri:diənt] *n.* (混合物的)组成部分，成分，(烹调的)原料；(构成)要素，因素

inherit² [in'herit] *vt.* 继承(传统等)
[记] 词根记忆：in+her(=heir，继承)+it→继承

intact² [in'tækt] *a.* 完整无缺的，未经触动的，未受损伤的
[记] 词根记忆：in(不)+tact(接触)→未经触动的

intermittent² [,intə'mitənt] *a.* 间歇的，断断续续的
[记] 词根记忆：inter(在…中间)+mit(送)+tent→传送过程断断续续的→间歇的，断断续续的

intimate² ['intimit] *a.* 亲密的，个人的 *n.* 至交，密友
['intimeit] *vt.* 暗示，提示
[记] 联想记忆：in(不)+tim(害怕)+ate→因为亲密而不害怕→亲密的

低频词汇

149

invalid² [inˈvælid] *a.* (指法律上)无效的，作废的；无可靠根据的，站不住脚的

[ˈinvəlid] *n.* (需要有人照顾的)病弱者，残疾者

[记] 词根记忆：in(无)+val(价值)+id→无价值的→作废的

invaluable² [inˈvæljuəbəl] *a.* 非常宝贵的，极为贵重的，无价的

[记] 词根记忆：in(无)+valuable(有价值的)→无价的

invisible² [inˈvizəbəl] *a.* 看不见的，无形的

[记] 词根记忆：in(不)+vis(看见)+ible(…的)→看不见的

justification² [ˌdʒʌstifiˈkeiʃən] *n.* 正当的理由，借口

[记] 来自 justify(*v.* 证明…是正当的)

kidnap² [ˈkidnæp] *n.* 绑架，诱拐

[记] 联想记忆：kid(小孩)+nap(小睡)→将熟睡的小孩抱走→绑架，诱拐

knit² [nit] *vt.* 编结，编织；使紧密地结合，使紧凑；皱紧，皱(眉) *vi.* 编结，编织；(折骨)愈合 *n.* 编织物，编织法

[记] 联想记忆：骨头愈合(knit)之后，居然长出了一个节(knot)

lane² [lein] *n.* (乡间)小路，跑道；航道，航线

[记] 和 line(*n.* 线路，航线)一起记

latitude² [ˈlætitjuːd] *n.* 纬度；[*pl.*] 纬度地区；(言行、行动等的)回旋余地，自由

[记] 联想记忆：态度(attitude)有所不同了，看来有回旋余地(latitude)

layer² [ˈleiə] *n.* 层，层次

leaflet² [ˈliːflit] *n.* 传单，散页印刷品，小册子 *v.* (向…)散发传单(或小册子)

[记] 联想记忆: leaf(页; 树叶)+let(排放)→大街上散发的传单如落叶般铺天盖地→传单

lens² [lenz] *n.* 透镜, 镜片, 镜头

literacy² [ˈlitərəsi] *n.* 识字, 有文化, 读写能力

[记] 词根记忆: liter(文字)+acy→识字, 有文化

luminous² [ˈluːminəs] *a.* 发光的, 发亮的; 光明的

[记] 词根记忆: lumin(光)+ous→发光的

magnetic² [mæɡˈnetik] *a.* 磁的; 有吸引力的

marginal² [ˈmɑːdʒinəl] *a.* 微小的, 少量的, 不重要的; 仅以微弱多数票获胜的; 记(或印)在页边的, 有旁注的

[记] 来自 margin(*n.* 边缘)

mediate² [ˈmiːdieit] *vi.* 调解, 斡旋 *vt.* 经调解解决; 经斡旋促成

[记] 词根记忆: medi(中间)+ate(做)→在中间做工作→调解, 斡旋

[考] mediate in/between 调解, 斡旋

memorize² [ˈmeməraiz] *v.* 记住, 熟记

[记] 来自 memory(*n.* 记忆)

midst² [midst] *n.* 中部, 中间, 当中

[记] 词根记忆: mid(中部的)+st→中间

[考] in the midst of 在…之中; 正当…的时候

molecule² [ˈmɔlikjuːl] *n.* 分子

[记] 词根记忆: mol(摩尔, 克分子)+ecule→分子

momentum² [məuˈmentəm] *n.* 动力, 冲力, 势头; 动量

[记] 联想记忆: moment(瞬间)+um→冲力在瞬间迸发→冲力

[考] gain/gather momentum 发展加快, 势头增大

muscular² [ˈmʌskjulə] *a.* 肌肉发达的, 强壮的; (有关)肌(肉)的

[记] 来自 muscle(*n.* 肌肉)

mutual² [ˈmjuːtʃuəl] *a.* 相互的; 共同的

[记] 词根记忆: mut(变)+ual(…的)→改变是相互作用的结果→相互的; 共同的

低频词汇

napkin² ['næpkin] *n.* 餐巾

nonetheless² [ˌnʌnðə'les] *ad.* 尽管如此，依然，然而

notable² ['nəutəbəl] *a.* 值得注意的，显著的；著名的
n. 名人，要人
[记] 词根记忆：not(标识)+able(可…的)→有标识可查的→值得注意的

nurture² ['nɜːtʃə] *n. / vt.* 养育，培育，滋养
[记] 联想记忆：大自然(nature)滋养(nurture)着人类

opaque² [əu'peik] *a.* 不透明的，不透光的；难理解的，晦涩的
[记] 发音记忆：发音像
"OPEC"(石油输出国组
织：欧佩克)→欧佩克的
文件真难懂，都是阿拉
伯文→难理解的

orbit² ['ɔːbit] *n.* 轨道 *vt.* (绕…)做轨道运行

ornament² ['ɔːnəmənt] *n.* 装饰品，点缀品；装饰，点缀
['ɔːnəment] *vt.* 装饰，点缀，美化
[记] 词根记忆：orn(装饰)+ament→装饰(物)

注意：ornament 指通过衬托使某人或某物更光彩，例：You are an ornament to our stage.(你是我们舞台上的点缀。) adorn 通过装饰使之锦上添花；beautify 常译作"美化"，指外观上的巨大变化；decorate 用图案、颜色、植物等来使面貌焕然一新，有时专指房屋的装修，只用于物。

overflow² [ˌəuvə'fləu] *vi.* 满得外溢，外流，泛滥；充满，洋溢 *vt.* 淹没，从…中溢出，多得使无法容纳
['əuvəfləu] *n.* 容纳不下的物(人)；溢出，满出；溢流口，溢流管
[记] 来自词组 flow over (溢出，泛滥)
[考] overflow with 充满，洋溢

parallel² ['pærəlel] *a.* 平行的；并列的，并联的；类似的，对应的 *n.* 可相比拟的事物，相似处；平行线，平行面；纬线 *vt.* 与…相似；与…相当，比得上

[记] 词根记忆：para(类似)+llel→类似的；平行的

partition² [pɑː'tiʃən] *n.* 分隔物，隔墙；分割；划分 *vt.* 隔开，分割，瓜分

[记] 词根记忆：part(部分)+ition→分成部分→分割

passion² ['pæʃən] *n.* 激情，热情；酷爱

[记] 词根记忆：pass(感觉)+ion→有感觉才有激情→激情，热情

pathetic² [pə'θetik] *a.* 差劲的，令人生厌的；引起怜悯的，可怜的，可悲的

[记] 词根记忆：path(痛苦)+etic→难以忍受的→可怜的；令人生厌的

patriot² ['pætriət; 'peitriət] *n.* 爱国者，爱国主义者

[记] 词根记忆：patr(父亲)+iot→把祖国当作父亲的人→爱国者

patriotic² [ˌpætri'ɔtik] *a.* 爱国的，有爱国心的，显示爱国精神的

[考] patriotic songs 爱国歌曲

pave² [peiv] *vt.* 铺(路)，铺筑

[记] 参考：save(*v.* 节省)；pace(*n.* 一步，步调)

[考] pave the way (for) (为…)铺平道路，(为…)做准备

perplex² [pə'pleks] *vt.* 使困惑，使费解；使复杂化

[记] 词根记忆：per(假，坏)+plex(重叠)→虚假的东西重叠在一起→使困惑，使费解

pest² [pest] *n.* 有害生物，害虫；讨厌的人

petition² [pi'tiʃən] *n.* 请愿书，申请书；诉状 *v.* (向…)请愿，正式请求

[记]词根记忆：pet(寻求)+ition→寻求(帮助)→请愿；申请书

phase² [feiz] *n.* 阶段，方面；(月)相，相位
[记]发音记忆：发音像"face"→月亮的脸→(月)相

pitch² [pitʃ] *n.* (板球、足球等的)球场；程度，强度；高度，高音；沥青 *v.* 投掷，使猛然倒下；表达；把…定于特定程度(或标准等)；定调；架设，搭(帐篷)，(扎)营；(船、飞机)颠簸

plea² [pli:] *n.* 恳求，请求；抗辩，答辩，辩护；借口，托词
[记]联想记忆：请求(plea)帮忙时说"请"(please)

plead² [pli:d] *vi.* 恳求，请求；申诉，答辩，辩护 *vt.* 为…辩护，提出…为理由(或借口)
[记]联想记忆：p+lead(引导)→为被告指引方向→辩护

pledge² [pledʒ] *n.* 保证，誓言 *vt.* 保证，许诺

polish² ['pɔliʃ] *vt.* 磨光；修改，润色，使优美 *n.* 擦光剂
[记]联想记忆：波兰的(Polish)擦光剂(polish)
[考] nail polish 指甲油

preliminary² [pri'liminəri] *a.* 预备的，初步的 *n.* [常 *pl.*]初步做法，起始行为
[记]词根记忆：pre(预先)+limin(看作 lumin，光)+ary→预先透光的→预备的

preside² [pri'zaid] *vi.* 主持，主管
[记]词根记忆：pre(前面)+sid(坐)+e→坐在前面→主持
[考] preside at/over 主持，主管

pretext² ['pri:tekst] *n.* 借口，托词
[记]联想记忆：pre(预先)+text(课文)→没有预习课文，只好找借口→借口，托词

prevail² [pri'veil] *vi.* 流行，盛行

preview² ['pri:vju:] *n.* (电影、戏剧等的)预映，预演；(电影等的)预告(片)

[记] 词根记忆：pre(预先)+view(观看)→提前观看→预演

prey² [prei] *n.* 被捕食的动物，捕获物；受害者 *v.* 捕食；折磨，使烦恼

[记] 联想记忆：心中暗自祈祷(pray)不要成为受害者(prey)

[考] fall prey to 成为…的牺牲品，深受…之害；prey on 捕食

priest² [priːst] *n.* 神父，牧师

proclaim² [prəˈkleim] *vt.* 宣告，宣布，声明；显示

[记] 词根记忆：pro(在前)+claim(大叫)→在人前面大叫→宣告，声明

profitable² [ˈprɔfitəbəl] *a.* 有利可图的，有益的

propel² [prəˈpel] *vt.* 推进，推动；激励，驱使

[记] 词根记忆：pro(向前)+pel(推)→推进，推动

proximity² [prɔkˈsimiti] *n.* 接近，邻近

[记] 词根记忆：proxim(接近)+ity(表性质)→接近

quota² [ˈkwəutə] *n.* 定额，限额，配额

[记] 发音记忆："阔的"→出手阔绰，没有限额→限额，配额

rating² [ˈreitiŋ] *n.* 等级，品级，评定结果；[pl.] (电视节目)收视率，(广播节目)收听率

[记] 来自 rate(*v.* 给…定级)

reckless² [ˈreklis] *a.* 鲁莽的，不考虑后果的

[记] 联想记忆：reck(顾忌，介意)+less(不，无)→无所顾忌的→鲁莽的

recur² [riˈkəː] *vi.* 再发生，重现

[记] 词根记忆：re(重新)+cur(发生)→再发生

relay² [ˈriːlei] *n.* 接力赛；中继转播(设备)

[riːˈlei] *vt.* 传送；传达，转述；中继转播

[记] 词根记忆：re(重新)+lay(放置)→重新放置→中继转播

reliance² [rɪ'laɪəns] n. 依靠,依赖
[记] 联想记忆: reli(看作 rely, 信赖)+ance→依靠,依赖

render² ['rendə] vt. 使得,致使;给予,提供;翻译
[记] 联想记忆: 给予(render)后自然成为出借人(lender)

residential² [ˌrezɪ'denʃəl] a. 居住的,住宅的;(学生)寄宿的

resistant² [rɪ'zɪstənt] a. 抵抗的,抗…的,耐…的
[考] resistant to 对…有抵抗力

retort² [rɪ'tɔːt] n. / v. 反驳,回嘴
[记] 词根记忆: re(反)+tort(扭)→反扭→反驳

reunion² [riː'juːnjən] n. 重聚,团聚;(久别后的)聚会,联谊活动
[记] 词根记忆: re(重新)+union(联合)→重聚

rupture² ['rʌptʃə] n. 破裂,断裂;(关系的)决裂,断绝 v. (使)破裂
[记] 词根记忆: rupt(断)+ure→破裂,断裂

saturate² ['sætʃəreɪt] vt. 使湿透,浸透;使充满,使饱和
[记] 词根记忆: satur(饱)+ate(使)→使饱和→使充满

scent² [sent] n. 香味,气味;臭迹;踪迹,线索;香水 vt. 嗅到,察觉
[记] 联想记忆: 开放的花朵发出(sent)沁人的香气(scent)

segregate² ['segrigeit] vt. 使隔离,使分开
[记] 词根记忆: se(分开)+greg(团体)+ate→和团体分开→使隔离,使分开

隔离区 segregate

List 21

senator[2] [ˈsenətə] *n.* 参议员

shark[2] [ʃɑːk] *n.* 鲨鱼；勒索者，诈骗者，放高利贷的人

shatter[2] [ˈʃætə] *vt.* 使粉碎，砸碎；使破灭，使震惊 *vi.* 碎裂

[记] 发音记忆："筛它"→使粉碎，砸碎

> **注意:** shatter 指突然而剧烈地使某物粉碎，也指希望的破灭或感情的破裂；break 是最普通用词，指打击或压力致碎、折断、分离，也指伤某人的心；crack 则表示某物出现了裂纹，还未破碎成片、块状；crush 是指因挤、压、碾等造成的碎片(块、粉)。

slap[2] [slæp] *vt.* 掴，掌击，拍；啪的一声(用力)放 *n.* 掴，掌击，拍

slope[2] [sləup] *n.* 倾斜，斜面 *v.* (使)倾斜

snatch[2] [snætʃ] *vt.* 夺，夺走；一下子拉，一把抓住；抓住机会做，抽空做 *vi.* 一把抓住 *n.* 片断

[记] 和 catch(*v.*抓) 一起记

[考] snatch at 一把抓住；snatch at 理解，明白

sober[2] [ˈsəubə] *a.* 未醉的；有节制的；严肃的，持重的；(颜色等)素淡的，暗淡的 *v.* (使)醒酒，(使)清醒

[记] 联想记忆：s+ober(看作 obey，服从)→还是服从的→有节制的

[考] sober up (使)清醒

spectacle² ['spektəkəl] n. (大规模)演出，场面；景象，壮观；[pl.] 眼镜

[记] 词根记忆：spect(看见)+acle→景象

splash² [splæʃ] v. 溅，泼 n. 溅泼声；溅出的水(或泥浆等)；(光、色等的)斑点

spy² [spai] n. 间谍 vi. 当间谍；暗中监视(或侦察) vt. 看见，发现

[考] spy on 暗中监视

stagger² ['stægə] vi. 摇晃，蹒跚 vt. 使吃惊；使错开，使交错 n. 蹒跚，踉跄

[记] 联想记忆：stag(看作 stay，停下)+ger→停得不稳→摇晃，蹒跚

stationary² ['steiʃənəri] a. 固定的，静止不动的

[记] 联想记忆：station(位置)+ary(…的)→总在一个地方的→静止不动的

string² [striŋ] n. 线，细绳；一串，一行

[记] 联想记忆：st+ring(铃)→路上留下一串串清亮的铃声→一串，一行

[考] a string of complaints 一连串的抱怨

stumble² ['stʌmbəl] vi. 绊脚，绊倒；跌跌撞撞地走；(说话等时)结结巴巴

[记] 联想记忆：stum(看作 stump，树桩)+ble→绊脚

[考] stumble across on 偶然遇到，碰巧找到

stun² [stʌn] vt. 使震惊，使目瞪口呆；把…打昏，使昏迷

[记] 联想记忆：太阳(sun)里面多了一个 t，使人震惊(stun)

注意：stun 含有突然、让人不知所措的意味，例：I was stunned by the bad news. (那条坏消息把我惊得目瞪口呆。) surprise 为最普通通用词；astonish 语气比 surprise 强，表示令人难以置信；amaze 语气最强。

subsidy² ['sʌbsidi] *n.* 津贴, 补助金

[记] 词根记忆: sub(下面)+sid(坐)+y→坐在下面领补助金→补助金

subtract² [səb'trækt] *vt.* 减, 减去; 去掉

[记] 词根记忆: sub(在下面)+tract(拉)→拉下来→减, 减去

tame² [teim] *a.* 驯服的, 顺从的; 沉闷的, 乏味的 *vt.* 制服, 控制并利用; 驯化, 驯服

telecommunication² [ˌtelikəˌmjuːni'keiʃən] *n.* [常 *pl.*]通信; 电信(学)

[记] 词根记忆: tele(远)+communication(通信)→远程通信→通信

[考] telecommunications service 电信业务

terrific² [tə'rifik] *a.* 极妙的; 极大的

[记] 词根记忆: terr(使惊吓)+ific→大得吓人→极大的

testimony² ['testiməni] *n.* 证词; 见证, 证明

[记] 词根记忆: test(证明)+imony→证明; 证词

theft² [θeft] *n.* 偷窃, 失窃

[记] 来自 thieve(*v.* 偷)

thesis² ['θiːsis] *n.* 论文, 毕业(或学位)论文; 论题, 论点

thrill² [θril] *n.* 兴奋, 激动; 引起激动的事物 *v.* (使)非常兴奋, (使)非常激动

tilt² [tilt] *v.* (使)倾斜, (使)倾侧 *n.* 倾斜, 倾侧

[记] 联想记忆: t+il(看作 ill, 生病的)+t→生病了, 容易倾斜, 所以用两个 t 固定→倾斜

[考] at full tilt 全速地, 全力地

timely² ['taimli] *a.* 及时的, 适时的

timid² ['timid] *a.* 羞怯的, 胆小的

[记] 词根记忆: tim(胆怯)+id→胆小的, 羞怯的

timid

toll² [təul] *n.* 过路费, 过桥费; (事故等的)伤亡人数, 损失 *v.* (缓慢而有

规律地)敲(钟)

[记]联想记忆：机动交通工具(tool)得交过路费(toll)

trademark² ['treidmɑːk] *n.* 商标，牌号；特征，标记

[记]联想记忆：trade(买卖)+mark(标志)→买卖物品的标志→商标

transcend² [træn'send] *vt.* 超出，超越(经验、理性、信念等)的范围

[记]词根记忆：trans(超过)+(s)cend(爬)→超出，超越

transient² ['trænziənt] *a.* 短暂的，转瞬即逝的；临时的，暂住的

[记]词根记忆：trans(穿过)+ient→时光穿梭，转瞬即逝→短暂的

transplant² [træn'splɑːnt] *vt.* 移植(器官)；移栽，移种(植物等)；使迁移，使移居 *n.* (器官)移植

[记]词根记忆：trans(转移)+plant(种植)→移植

traverse² ['trævəːs] *vt.* 横渡，横越

[记]词根记忆：tra(横)+vers(转)+e→横越

tribute² ['tribjuːt] *n.* 颂词，称赞；(表示敬意的)礼物；贡品

[记]词根记忆：tribut(给予)+e→贡品

triumph² ['traiəmf] *n.* 凯旋，胜利 *vi.* 成功

[记]联想记忆：胜利(triumph)之后吹喇叭(trump)

tuck² [tʌk] *vt.* 把(衬衫、餐巾等)的边塞到下面(或里面)；把…夹入，把…藏入 *n.* (衣服等的)褶，裥

[记]联想记忆：他藏在(tuck)柜子里没被发现纯属运气(luck)

[考]tuck away 把…隐没在，把…藏起来；大吃；tuck in 痛快地吃；给…盖好被子；把…塞好；tuck up 给…盖好被子

turbulent² ['tə:bjulənt] *a.* 动荡的，混乱的；汹涌的，狂暴的

[记] 词根记忆：turb(扰乱)+ulent→动荡的

turnover² ['tə:n,əuvə] *n.* 争吵，争论；成交量；人员调整，人员更替率

[记] 来自词组 turn over (营业额达到)

unfold² [ʌn'fəuld] *vi.* 展开，打开；显露，展现 *vt.* 展开，打开

[记] 词根记忆：un(不)+fold(折叠)→展开，打开

vegetation² [,vedʒi'teiʃən] *n.* 植物，草木

[记] 和 vegetable(*n.* 蔬菜)一起记

vent² [vent] *n.* 通风口，排放口；(衣服底部的)开衩 *vt.* 表达，发泄(情感等)

[记] 本身为词根，意为：风

[考] give vent to 表达，发泄(感情等)

verge² [və:dʒ] *n.* 边，边缘 *vi.* 接近，濒临

[记] 词根记忆：verg(倾向)+e→倾向于

[考] on the verge of 接近于，濒临于；verge on 接近，濒临

verify² ['verifai] *vt.* 证实，查证，证明

[记] 词根记忆：ver(真实的)+ify(使)→使…真实→证实，证明

vertical² ['və:tikəl] *a.* 垂直的，竖式的

[记] 电影《垂直极限》的英文名是 *Vertical Limit*

vicinity² [vi'siniti] *n.* 周围地区，邻近地区

[记] 词根记忆：vicin(邻近)+ity→邻近地区

[考] in the vicinity (of) (在…)附近，(与…)接近

visa² ['vi:zə] *n.* 签证

vulgar² ['vʌlgə] *a.* 粗野的，下流的；庸俗的，粗俗的

[记] 词根记忆：vulg(庸俗)+ar→庸俗的

ward² [wɔ:d] *n.* 病房；(城市的)区；受监护人 *v.* 抵挡，防御

[记] 联想记忆：war(战争)+d→战争中受伤的人

低频词汇

被送到了病房→病房

[考] ward off 防止，避开

warfare² [ˈwɔːfeə] n. 战争(状态)；斗争，冲突

[记] 联想记忆：war(战争)+fare→战争(状态)

[考] psychological warfare 心理战

wreck² [rek] n. 失事；残骸；精神或身体已垮的人 vt. 破坏

yell² [jel] n. / vi. 号叫，叫喊

[记] 联想记忆：ye(看作 yes)+ll(想象成高高举起的双臂)→高举双臂，高呼"Yes"→号叫，叫喊

afflict¹ [əˈflikt] vt. 使苦恼，折磨

[记] 词根记忆：af+flict(打击)→一再地打击→使苦恼，折磨

agreeable¹ [əˈɡriːəbəl] a. 令人愉快的，惬意的；(欣然)同意的，乐意的

[记] 来自 agree(v. 同意)

air-conditioning¹ [ˈeəkənˌdiʃəniŋ] n. 空调设备，空调系统

[记] 组合词：air(空气)+conditioning(调节)→空调设备

apparatus¹ [ˌæpəˈreitəs] n. 器械，器具，仪器；机构，组织

[记] 词根记忆：ap(表强)+para(辅助)+tus→起辅助作用的东西→器具

appraisal¹ [əˈpreizəl] n. 估计，估量；评价

[记] 联想记忆：ap(表强)+prais(看作 praise，称赞)+al→称赞是一种好的评价→评价

arbitrary¹ [ˈɑːbitrəri] a. 随心所欲的，专断的

[记] 词根记忆：arbitr(判断)+ary(…的)→自己做判断的→随心所欲的，专断的

attendant¹ [əˈtendənt] n. 服务人员；侍者，随从 a. 伴随的，随之产生的

[记] 联想记忆：attend(照顾)+ant(表人)→为人服务的人→服务人员；侍者

auction¹ [ˈɔːkʃən] *n. / vt.* 拍卖
[记] 词根记忆：auc（提高）+tion→为了提高价钱去拍卖→拍卖
参考：action（*n.* 行动）
[考] a public auction 一次公开拍卖

autonomous¹ [ɔːˈtɒnəməs] *a.* 自治的；独立自主的
[记] 来自 autonomy（*n.* 自治）
[考] an autonomous region 一个自治区

avert¹ [əˈvɜːt] *vt.* 防止，避免；转移（目光、注意力等）
[记] 词根记忆：a+vert（转）→转开→避免；转移

bandage¹ [ˈbændɪdʒ] *n.* 绷带 *vt.* 用绷带绑扎
[记] 联想记忆：band（带子）+age→绷带

beforehand¹ [biˈfɔːhænd] *a.* 预先，事先
[记] 组合词：before（在…以前）+hand（手）→抢在…之前下手→预先，事先

biography¹ [baiˈɒɡrəfi] *n.* 传记
[记] 词根记忆：bio（生命）+graphy（写）→记录生命→传记

bizarre¹ [biˈzɑː] *a.* 奇形怪状的；怪诞的
[记] 联想记忆：集市（bazaar）上都是奇形怪状的（bizarre）货物

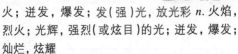

blaze¹ [bleiz] *vi.* 熊熊燃烧，着火；迸发，爆发；发（强）光，放光彩 *n.* 火焰，烈火；光辉，强烈（或炫目）的光；迸发，爆发；灿烂，炫耀
[记] 联想记忆：b（音似：不）+laze（偷懒）→一直燃烧不偷懒，所谓"蜡炬成灰泪始干"→熊熊燃烧
[考] blaze a trail 开拓道路，做先导

> **注意**: blaze 意为"发光,照耀",指发出明亮、强烈的光热;dazzle 意为"因强光、闪烁而目眩";glare 意为"闪耀,发光",表示发出眩目而令人不快的强光;而 glitter 意为"闪光,闪烁",常指宝石、金属、液体等因反射而发光。

blur¹ [blə:] *n.* 模糊;模糊的东西 *v.* (使)变模糊
[记] 联想记忆:海天碧蓝(blue)一色,界线模糊(blur)不清

booth¹ [bu:θ] *n.* (隔开的)小房间;公用电话亭,岗亭;售货棚,货摊
[记] 和 tooth(*n.* 牙齿)一起记

boycott¹ ['bɔikɔt] *n./vt.* (联合)抵制,拒绝参与
[记] 联想记忆:boy+cott(音似 cut,剃)→男孩子们剃头以示抗议→(联合)抵制

brew¹ [bru:] *vt.* 酿造(啤酒);冲泡(茶、咖啡等) *vi.* (茶、咖啡等)冲泡;酝酿,行将发生 *n.* 冲泡(或酿造)的饮料
[记] 联想记忆:喝下自酿(brew)的苦酒,他紧皱起眉头(brow)

bruise¹ [bru:z] *n.* 青肿,挫伤;(水果等的)伤痕,擦痕 *vt.* 打青,使受淤伤;挫伤,伤害(感情等)
[记] 发音记忆:"不如死"→对她来说,脸上有伤痕还不如死→伤痕

buck¹ [bʌk] *n.* (一)美元,(一)澳元;雄(鹿、兔等) *vi.* (马等)猛然弓背跃起;抵制,反抗
[记] 和 bucket(*n.* 水桶)一起记
[考] buck up (使)振奋,(使)打起精神

List 22

bull¹ [bul] *n.* 公牛；雄兽；买进证券(或商品等)的投机图利者，(对股市行情)看涨的人

[记] 芝加哥公牛队的英文就是 Chicago Bulls

buzz¹ [bʌz] *vi.* 发出嗡嗡声；发出嘈杂的谈话声；忙乱，急行 *n.* 嗡嗡声；嘈杂的谈话声

[记] 发音记忆："巴士"→巴士里到处是嘈杂的谈话声→嘈杂的谈话声

[考] buzz around/about 忙乱；急行

capsule¹ [ˈkæpsjuːl] *n.* 胶囊(剂)；航天舱，密封舱

[记] 联想记忆：cap(帽子)+sule(音似 seal，密封)→帽状物→胶囊；航天舱

[考] space capsule 太空舱

cardinal¹ [ˈkɑːdinəl] *n.* 红衣主教；【数】基数 *a.* 最重要的；基本的

[记] 词根记忆：card(心)+i+nal(…的)→心脏是维持人生存最重要的器官→最重要的

carve¹ [kɑːv] *vt.* 切，把…切碎(或切成片)；雕刻，刻

[考] carve out 创(业)，发(财)；carve up 分割，瓜分

cereal¹ [ˈsiəriəl] *n.* 加工而成的谷类食物；谷类植物，谷物

[记] 联想记忆：ce+real(真正的)→真正的健康食品→谷物

champagne¹ [ʃæmˈpein] *n.* 香槟酒

[记] 发音记忆："香槟"

champion¹ [ˈtʃæmpiən] *n.* 冠军,得胜者;捍卫者,拥护者
[记] 发音记忆:"产品"→冠军是付出无数汗水后的"产品"→冠军

chorus¹ [ˈkɔːrəs] *n.* 合唱;合唱曲;合唱队;副歌,叠句;齐声,齐声说的话(或发出的喊声) *vt.* 齐声说,随声附和

chunk¹ [tʃʌŋk] *n.* 厚片,大块;相当大的部分(或数量)
[记] 发音记忆:"常客"→饭馆的常客占客人的一大部分→相当大的部分
[考] a chunk of bread 一大块面包

circus¹ [ˈsəːkəs] *n.* 马戏,马戏团;喧闹的场面;环形广场
[记] 词根记忆:circ(环绕)+us→环形广场

cliff¹ [klif] *n.* 悬崖,峭壁
[记] 联想记忆:cli(看作climb,爬)+ff(像两个钩子)→用钩子攀岩→悬崖,峭壁

cliff

climax¹ [ˈklaimæks] *n.* 高潮,最令人兴奋(或感兴趣)的部分
[记] 联想记忆:cli(看作climb,攀登)+max(至多)→攀登高峰,挑战自身极限是件令人兴奋的事→最令人兴奋的部分

clip¹ [klip] *n.* (弹簧)夹子,回形针,别针;弹夹,弹仓;剪,修剪;剪报,电影(或电视)片断 *vt.* (用夹子、回形针等)夹住,扣住;剪,修剪

clone¹ [kləun] *n.* 无性繁殖系(的个体),克隆;复制品,翻版 *v.* (使)无性繁殖,克隆
[记] 发音记忆:"克隆"

closet¹ [ˈklɔzit] *n.* 橱,壁橱 *a.* 私下的;隐蔽的 *vt.* 把…引进密室会谈
[记] 联想记忆:close(关闭)+t→关起门来说话→私下的;隐蔽的

clutch[1] [klʌtʃ] *vi.* 企图抓住 *vt.* 抓紧, 紧握 *n.* (汽车、机器等的)离合器; [常 *pl.*]掌握, 控制; 把握, 抓紧

[记] 和 catch(*v.* 抓住)一起记忆

[考] clutch at 企图抓住

coarse[1] [kɔːs] *a.* 粗的, 粗糙的; 粗俗的

commemorate[1] [kə'meməreit] *vt.* 纪念

[记] 词根记忆: com(共同)+memor(记住)+ate(做)→大家共同记住→纪念

commentary[1] ['kɔməntəri] *n.* (广播员对球赛等的)实况报道, (电影的)解说词; 评论; 评论文章

[记] 来自 comment(*v.* 评论)

你不是一个人在战斗!

commentary

comparable[1] ['kɔmpərəbəl] *a.* 可比较的, 类似的; 比得上的

[考] be comparable with/to 与…相似

compile[1] [kəm'pail] *vt.* 汇编; 编制, 编纂

[记] 词根记忆: com(共同)+pile(堆)→堆在一起→编纂

concede[1] [kən'siːd] *vt.* (不情愿地)承认, 承认…为真(或正确); (在结果确定前)承认失败; 允许, 让与 *vi.* 让步, 认输

confer[1] [kən'fəː] *vi.* 商谈, 商议 *vt.* 授予, 赋予

[记] 词根记忆: con(共同)+fer(带来, 拿来)→带来观点一起商议→商谈, 商议

[考] confer on 授予, 赋予

continuity[1] [ˌkɔnti'njuːiti] *n.* 连续(性), 持续(性)

[记] 来自 continue(*v.* 连续)

correspondence[1] [ˌkɔri'spɔndəns] *n.* 信件, 函件; 通信, 通信联系; 符合, 一致; 相似

coverage[1] ['kʌvəridʒ] *n.* 新闻报道; 覆盖范围

[记] 联想记忆: cover(覆盖)+age(场所)→覆盖范围

coward[1] [ˈkauəd] n. 胆小鬼，懦夫

[记] 联想记忆：cow(母牛)+ard→看到母牛就害怕→胆小鬼

coward

criterion[1] [kraiˈtiəriən] n. [pl. criteria] (批评、判断等的)标准，准则

[记] 来自 critic(n. 批评家)

crumble[1] [ˈkrʌmbəl] vt. 弄碎 vi. 崩溃，瓦解

culminate[1] [ˈkʌlmineit] vi. (以…)告终

[记] 词根记忆：culmin(顶点)+ate→达到顶点→(以…)告终

[考] culminate in (以…)告终

curse[1] [kə:s] v. 诅咒，咒骂 n. 祸害，祸根；咒骂，诅咒，咒语

[记] 发音记忆："克死"→用诅咒克死某人→咒语

dart[1] [dɑ:t] vi. 猛冲，飞奔 vt. 投射 n. 飞镖，飞镖游戏；急驰，飞奔

decree[1] [diˈkri:] n. 法令，政令；判决，裁决 vt. 判决，命令

[记] 和 degree[n. 度；(罪行的)轻重]一起记

default[1] [diˈfɔ:lt] n. 违约，拖欠；弃权；(计算机)预设(值)，缺省 vi. 不履行义务，拖欠

[记] 词根记忆：de(向下)+fault(错误)→错下去→拖欠

[考] in default of 因缺少，在缺乏…时

defeat[1] [diˈfi:t] n. / vt. 战胜；挫败

deficiency[1] [diˈfiʃənsi] n. 缺乏，不足；缺点，缺陷

[记] 词根记忆：de(向下)+fic(做)+iency→做事走下坡路→缺点

definitive[1] [diˈfinitiv] a. 最可靠的，权威性的；决定性的

[记] 词根记忆：de(表加强)+fin(结束)+itive(…的)→最终的→决定性的

denounce[1] [di'nauns] *vt.* 谴责，指责；告发

[记] 词根记忆：de(变坏)+nounce(报告)→打坏报告→告发

注意：denounce 指公开、当众地谴责与揭发，是一种比较正式的说法，例：She denounced the war as wholesale murder. (她谴责这场战争是大规模谋杀。) accuse 表示公开指责某人有错、指控某人有罪等，是最普通的用词，应用范围较广；charge 主要指法律上的"指控"，为正式用语；也指因犯错而受责，为一般用语；blame 指最一般的责怪，语气最弱。

descent[1] [di'sent] *n.* 下降，下倾；斜坡，坡道；血统，世系

[记] 词根记忆：de(向下)+scent(爬)→向下爬→下降

descent

despise[1] [di'spaiz] *vt.* 鄙视，看不起

[记] 联想记忆：不管(despite)你多有钱，我都一样鄙视(despise)你

destined[1] ['destind] *a.* 命中注定的，预定的；以…为目的地的

[记] 来自 destiny(*n.* 命运)

[考] destined for 以…为目的地

destiny[1] ['destini] *n.* 命运，定数，天命

[记] 著名的 R&B 组合 Destiny's Child "天命真女"

detain[1] [di'tein] *vt.* 拘留，扣留；留住，耽搁

[记] 和 retain(*v.* 保持，保留)一起记

diligent[1] ['dilidʒənt] *a.* 勤勉的，勤奋的

[记] 发音记忆："地理整的"→地理考试前，他不得不勤奋学习→勤奋的

低频词汇

[考] a diligent student 勤奋的学生

dilute¹ [dai'lju:t; dai'lu:t] vt. 稀释, 冲淡 a. 稀释的, 冲淡的

[记] 词根记忆: di+lute(冲洗)→冲洗掉→冲淡

dim¹ [dim] a. 昏暗的, 朦胧的, (视力等)模糊不清的 v. (使)变暗淡

[记] 联想记忆: 没有目标(aim)的生活很昏暗(dim)

directory¹ [di'rektəri; dai'rektəri] n. 人名地址录, (电话)号码簿; 工商行名录

[记] 联想记忆: direct(指引)+ory(表物)→指引人们查询的东西→人名地址录

discern¹ [di'sə:n] vt. 看出, 察觉出, 识别, 认出

[记] 词根记忆: dis(分开)+cern(区别)→区别开来→识别, 认出

discrepancy¹ [di'skrepənsi] n. 不符合(之处), 不一致(之处)

[记] 词根记忆: dis(分开)+crep(破裂)+ancy→裂开→矛盾→不符合(之处)

discrete¹ [dis'kri:t] a. 分离的, 不相关联的

[记] 词根记忆: dis(分离)+cre(生产)+te→分离的

diversion¹ [dai'və:ʃən] n. 转移, 转向; 消遣, 娱乐; (修路时的)临时绕行路

[记] 词根记忆: di(离开)+vers(转)+ion→转移, 转向

dizzy¹ ['dizi] a. 头晕目眩的, 眩晕的; (指人)头晕的

[记] 联想记忆: di(二)+zz(打鼾声)+y→室友打鼾, 让人失眠→头晕的

doctrine¹ ['dɔktrin] n. 教义, 教条; 主义

[记] 联想记忆: 博士(doctor)整天念叨这个主义(doctrine)、那个教义的

dolphin

dolphin¹ ['dɔlfin] n. 海豚

dome¹ [dəum] *n.* 圆屋顶，穹顶 *vt.* 使成圆顶，使成穹状凸起

[记] 和 home(*n.* 家)一起记

donation¹ [dəu'neiʃən] *n.* 捐款，捐赠物；捐赠，赠送

[记] 词根记忆：don(给予)+ation→给出去→捐款，捐赠物

dual¹ ['dju:əl] *a.* 双(重)的，两重的

[记] 词根记忆：du(两，双)+al→双重的，两重的

dub¹ [dʌb] *vt.* 给…起绰号，把…称为；为(电影等)配音，译制(影片)

[记] 本身为词根，意为：双，二→绰号就是第二个名字

ego¹ ['i:gəu] *n.* 自我，自己；自尊

[记] 和 ago(*ad.* 在…以前)一起记

electrician¹ [,ilek'triʃən] *n.* 电工，电气技师

[记] 词根记忆：electr(电的)+ician→电工

eloquent¹ ['eləkwənt] *a.* 雄辩的，口才流利的，有说服力的；明白显示出的

[记] 词根记忆：e+loqu(说)+ent(…的)→能说会道的→雄辩的

embark¹ [im'bɑ:k] *vi.* 上船(或飞机、汽车等)；着手，开始工作

[考] embark on/upon 着手，开始做

enclosure¹ [in'kləuʒə] *n.* 四周有篱笆(或围墙等)的场地，围场；(信中的)附件

[记] 联想记忆：en(进入…之中)+clos(看作 close，关闭)+ure→进入包围状态→围场

endure¹ [in'djuə] *v.* 忍受，容忍；持久，持续

[记] 联想记忆：end(结束)+ure→坚持到结束→忍受；持续

[考] endure to do/doing sth. 忍受做某事

entail¹ [in'teil] *vt.* 使承担，使成为必要，需要

[记] 联想记忆：en+tail(尾巴)→被人抓住把柄就要满足其需要→需要

envisage¹ [in'vizidʒ] vt. 想象，设想

[记] 词根记忆：en+vis(看)+age(表行为)→想象，设想

erroneous¹ [i'rəuniəs] a. 错误的，不正确的

[记] 联想记忆：erro(看作 error，错误)+neous→错误的，不正确的

exclaim¹ [ik'skleim] vi. 呼喊，惊叫

[记] 词根记忆：ex(出)+claim(喊)→呼喊，惊叫

excursion¹ [ik'skə:ʃən] n. 远足，短途旅行

[记] 词根记忆：ex(出)+curs(跑)+ion→跑出去→远足

execution¹ [ˌeksi'kju:ʃən] n. 死刑；实行，执行，履行；演奏，表演

[记] 联想记忆：exe(电脑中可执行程序的扩展名)+cut(切)+ion→执行

exemplify¹ [ig'zemplifai] vt. 是(或作为)…的典型(或榜样)；例示，举例证明

[记] 来自 example(n. 实例)

exempt¹ [ig'zempt] vt. 免除，豁免 a. 被免除(义务、责任等)的，被豁免的

[记] 词根记忆：ex(出去)+empt(拿)→拿出去→免除，豁免

[考] exempt from 免除，豁免

fantasy¹ ['fæntəsi] n. 想象，幻想；想象的产物

[记] 发音记忆："范特西"→听着周杰伦的《范特西》，陷入无限的想象→想象，幻想

federation¹ [ˌfedə'reiʃən] n. 联合会；联邦

[记] 来自 federal(a. 联邦的)

ferry¹ ['feri] n. 渡船 vt. 渡运

[记] 词根记忆：fer(带来，拿来)+ry→渡运

List 23

flap¹ [flæp] *n.* 飘动，摆动；片状垂悬物(信封的口盖、衣服的袋盖等)；(翅的)振动；激动，慌忙状态 *vt.* 使拍动；使飘动 *vi.* 飘动；拍动；(鸟)振翅(飞行)

[记] 联想记忆：f(看作 fly，飞)+lap(拍打)→(鸟)振翅(飞行)

flare¹ [fleə] *vi.* (火焰)闪耀，(短暂地)烧旺；突发，突然发怒(或激动)；闪光信号，照明弹

[记] 联想记忆：古代用火(fire)来传递信息，今天发展成照明弹(flare)

foam¹ [fəum] *n.* 泡沫；泡沫材料，泡沫状物 *vi.* 起泡沫，吐白沫

[记] 联想记忆：肥皂(soap)变成了很多泡沫(foam)

forge¹ [fɔ:dʒ] *vt.* 打制，锻造；伪造

[记] 发音记忆："仿制"→伪造；锻造

forthcoming¹ [fɔ:θ'kʌmiŋ] *a.* 即将到来的，即将出现的；可得到的；乐于提供消息的

[记] 联想记忆：forth(往前)+coming(就要来的)→即将到来的

forum¹ ['fɔ:rəm] *n.* 论坛，讨论会；(电视等的)专题讨论节目

[记]联想记忆：for+u(看作 you)+m(看作 me)→让你我说话的地方→论坛

fossil¹ [ˈfɔsəl] n. 化石；食古不化的人，老顽固

[记]发音记忆："佛说"→一开口就是"佛说…"，真是个老顽固→老顽固

fraction¹ [ˈfrækʃən] n. 小部分，片断；分数

[记]词根记忆：frac(打碎)+tion→碎的部分→小部分

fracture¹ [ˈfræktʃə] v. (使)断裂，(使)折断 n. 裂缝，裂痕，折断

[记]词根记忆：fract(打破)+ure→(使)断裂

friction¹ [ˈfrikʃən] n. 不和，抵触；摩擦(力)

[记]联想记忆：润滑油的功能(function)是减小摩擦(friction)

fringe¹ [frindʒ] n. (头发的)刘海；流苏；边缘，外围 a. 附加的，额外的 vt. 成为…的边缘

[记]联想记忆：f + ring(环) + e→环绕的部分→边缘

fusion¹ [ˈfjuːʒən] n. 联合，合并；核聚变

[记]词根记忆：fus(流)+ion→流到一起→合并

gamble¹ [ˈɡæmbəl] vi. 赌博，打赌；投机，冒险 vt. 赌，以…为赌注 n. 赌博；投机，冒险

[记]联想记忆：gamb(看作 game，游戏)+le(小)→赌博可不只是小小的游戏→赌博

[考]gamble away 赌掉，输光；take a gamble 冒风险；gamble on 赌博，打赌；gamble on/in 投机，冒险

gasp¹ [ɡɑːsp] vi. 喘气，喘息，倒抽气 vt. 喘着气说出(或发出) n. 喘气，喘息，倒抽气

[记]联想记忆：gas(气体，煤气)+p→煤气中毒后喘不过气→喘气

gear¹ [ɡiə] n. 齿轮，传动装置，(排)挡；(从事某项活动所需的)用具，设备；衣服 vt. 使适应，使适合

[记] 联想记忆：g+ear(耳朵)→用耳朵听声音判断齿轮故障→齿轮

gown[1] [gaun] *n.* 女礼服，女裙服；(外科医生手术时穿的)罩衣；(法官等穿的)长袍

[记] 联想记忆：灰姑娘脱下(down)礼服(gown)和玻璃鞋逃离了王子的视线

grin[1] [grin] *n.* 咧嘴笑

[记] 联想记忆：gr(看作 girl)+in→一看到有女孩走进来了，就咧嘴笑→咧嘴笑

handbook[1] ['hændbuk] *n.* 手册，指南

heap[1] [hi:p] *n.* (一)堆，大量

[记] 联想记忆：通过大量(heap)量变一跃(leap)发生质变

heel[1] [hi:l] *n.* 脚后跟，踵，后跟

hinge[1] [hindʒ] *n.* 铰链 *v.* 依…而定，以…为转移

[记] 发音记忆："很紧"→铰链很紧，转不动→铰链

[考] hinge on/upon 依…而定，以…为转移

huddle[1] ['hʌdl] *vi.* 聚集在一起，挤作一团；把身子蜷成一团，蜷缩 *vt.* 使聚集在一起 *n.* 挤在一起的人，一堆杂乱的东西

[记] 联想记忆：聚集在一起 (huddle)处理(handle)问题

hurl[1] [hə:l] *vt.* 猛投，狠掷；大声叫骂

imaginative[1] [i'mædʒinətiv] *a.* 富有想象力的，爱想象的

[记] 来自 imagine(*v.* 想象)

inaugurate[1] [i'nɔ:gjureit] *vt.* 开始，开展；为…举行开幕式，为…举行落成仪式；为…举行就职典礼，使正式就任

[记] 词根记忆：in(进入)+aug(使产生)+urate→开始，开展

低频词汇

indignation[1] [ˌindigˈneiʃən] n. 愤怒, 愤慨, 义愤

inland[1] [ˈinlənd] a. 内陆的, 内地的

[inˈlænd] ad. 在内地(内陆), 向内地(内陆)

inlet[1] [ˈinlet] n. 小湾, 水湾; 进口, 入口

[记] 联想记忆: in(进入)+let(让)→让…进入的地方→入口

insulate[1] [ˈinsjuleit] vt. 使绝缘, 使隔热, 使隔音; 隔离, 使隔绝(以免受到影响)

[记] 词根记忆: insul(岛)+ate(使)→成为孤岛→使隔绝; 使绝缘

intersection[1] [ˌintəˈsekʃən] n. 道路交叉口, 交点

[记] 词根记忆: inter(在…中间)+sect(切割)+ion→在路面中间切割→道路交叉口

ivory[1] [ˈaivəri] n. 象牙; 象牙色, 乳白色

[记] 词根记忆: i+vor(吃)+y→用牙吃东西→象牙

jerk[1] [dʒəːk] vt. 使猝然一动, 猛拉 vi. 猝然一动 n. 急推, 急拉, 急扭

junk[1] [dʒʌŋk] n. 废旧物品, 破烂 vt. 丢弃, 废弃

[考] junk mail 垃圾邮件

jury[1] [ˈdʒuəri] n. 陪审团, 评奖团

[记] 词根记忆: jur(法律)+y→陪审团

kit[1] [kit] n. 成套工具, (适应特定需要的)成套用品; 配套元件 vt. 装备

[考] kit out 装备

knob[1] [nɔb] n. (门、抽屉的)球形把手, 球形柄; (收音机等的)旋钮; 小块

[记] 联想记忆: 没有门把手(knob), 于是只能敲门(knock)

likelihood[1] [ˈlaiklihud] n. 可能, 可能性

[记] 联想记忆: likeli(看作 likely, 很可能)+hood(表性质)→可能性

limb¹ [lim] *n.* 肢，臂，腿；树枝

[记] 和 climb(*v.* 爬)一起记，如果没有 c 就像断了腿，不能爬了

linear¹ [ˈliniə] *a.* 线的，直线的，线状的；长度的；线性的

[记] 联想记忆：line(线)+ar→线的

longevity¹ [lɔnˈdʒeviti] *n.* 长寿；寿命

[记] 词根记忆：long(长)+ev(年龄)+ity(表名词)→长寿

loom¹ [luːm] *n.* 织布机 *vi.* 阴森地逼近，隐现；即将来临

[记] 联想记忆：屋(room)里只有一架布满蜘蛛网的织布机(loom)

lounge¹ [laundʒ] *vi.* (懒洋洋地)倚，(懒散地)躺；闲逛，闲荡 *n.* 休息厅，休息室

[记] 联想记忆：loung(看作 long，长的)+e→放长条(东北方言)→(懒洋洋地)倚或躺

lubricate¹ [ˈluːbrikeit] *vt.* 使润滑

lure¹ [ljuə] *vt.* 吸引，引诱，诱惑 *n.* 吸引力，诱惑物；诱饵，鱼饵

[记] 联想记忆：纯(pure)属诱惑(lure)

magnitude¹ [ˈmæɡnitjuːd] *n.* 重要性，重大；巨大，广大

[记] 词根记忆：magn(大)+itude(表状态)→大的状态→广大

mall¹ [mɔːl] *n.* 购物中心

marshal¹ [ˈmɑːʃəl] *n.* 元帅，最高指挥官；(某些群众活动的)总指挥，司仪；(美国的)执法官，警察局长，消防队长 *vt.* 整理，排列；集结

[记] 发音记忆："马首"→最高指挥官好比群马之首→最高指挥官

medieval¹ [ˌmediˈiːvəl] *a.* 中世纪的；中古(时代)的

[记] 词根记忆：medi(中间)+ev(时代)+al→中世纪的

militant[1] [ˈmilitənt] *a.* 激进的，好斗的 *n.* 激进分子，斗士

[记] 词根记忆：milit(战斗)+ant→好斗的

millionaire[1] [ˌmiljəˈneə] *n.* 百万富翁，大富翁

[记] 来自 million(*num.* 百万)

minibus[1] [ˈminibʌs] *n.* 小型公共汽车

[记] 词根记忆：mini(小)+bus(公共汽车)→小型公共汽车

monetary[1] [ˈmʌnitəri] *a.* 钱的，货币的；金融的

[记] 来自 money(*n.* 钱)

monopoly[1] [məˈnɔpəli] *n.* 垄断，专卖；垄断物，垄断商品，专卖商品

[记] 词根记忆：mono(单个)+poly(多)→独占某商品绝大多数的市场份额→垄断，专卖

mortal[1] [ˈmɔːtəl] *a.* 致命的；终有一死的；你死我活的，不共戴天的 *n.* 凡人，人类

[记] 词根记忆：mort(死)+al→致死的

联想记忆：人终有一死(mortal)，贵在得到精神的(moral)永存

mourn[1] [mɔːn] *v.* 哀悼；(对…)感到痛心(或遗憾)

[记] 发音记忆："默"→默哀→哀悼

muddy[1] [ˈmʌdi] *a.* 泥泞的，沾满烂泥的；(光、色泽)灰暗的，暗淡的；模糊的，糊涂的 *vt.* 使沾上烂泥；使(形势、争端等)显得扑朔迷离

[记] 来自 mud(*n.* 泥，泥浆)

multitude[1] [ˈmʌltitjuːd] *n.* 大量，许多；[the～]大众，民众

[记] 词根记忆：multi(多)+tude(表状态)→多的状态→许多；大众

[考] a multitude/multitudes of 许多，大量

naive[1] [nɑːˈiːv; naiˈiːv] *a.* 幼稚的，轻信的，天真的

navigation[1] [ˌnæviˈgeiʃən] *n.* 航行(学)，航海(术)，航空(术)；导航，领航

[记] 词根记忆：nav(船)+ig+ation(表状态)→乘船去航行→航行(学)

necessitate[1] [ni'sesiteit] *vt.* 使成为必要，需要
[记] 来自 necessary(*a.* 必要的)

nickel[1] ['nikəl] *n.* 镍；(美国和加拿大的)五分镍币，五分钱
[记] 发音记忆："你抠"→连五分钱都舍不得给→五分钱

nickel
你抠

nickname[1] ['nikneim] *n.* 绰号，诨名 *vt.* 给…起绰号
[记] nickname 就是网络聊天中的昵称

notation[1] [nəu'teiʃən] *n.* 记号，标记法
[记] 词根记忆：not(标记)+ation→标记法

offense[1] [ə'fens] *n.* 犯规；违法行为；冒犯，得罪
[记] 来自 offend(*v.* 冒犯)

orchestra[1] ['ɔ:kistrə] *n.* 管弦乐队
[记] 联想记忆：or+chest(胸腔)+ra→管弦乐队的成员大都需借助胸腔的力气演奏乐器→管弦乐队

orthodox[1] ['ɔ:θədɔks] *a.* 传统的；正统的，正宗的
[记] 词根记忆：ortho(正)+dox(观点)→正统观点→正统的

outfit[1] ['autfit] *n.* (用于某种场合的)全套服装；(协同工作的)一组人；全套装备，全套工具
[记] 来自词组 fit out(装备，配备)

outset[1] ['autset] *n.* 开始，开端
[考] at/from the outset 开端，开始

overhead[1] ['əuvəhed] *a.* 在头顶上的，架空的 *n.* 经常费用，管理费用
[ˌəuvə'hed] *ad.* 在头顶上
[记] 组合词：over(在…之上)+head(头)→在头顶上

overthrow[1] [ˌəuvə'θrəu] *vt.* 推翻，打倒；使终止，摒弃
['əuvəθrəu] *n.* 推翻；终止，结束
[记] 来自词组 throw over(摒弃)

owl[1] [aul] *n.* 猫头鹰

低频词汇

ozone¹ ['əuzəun] *n.* 臭氧

[记] 联想记忆: o(看作 oxygen, 氧气)+zone(地带)→臭氧

paradise¹ ['pærədais] *n.* 天堂, 乐园

[记] *Paradise Lost* (弥尔顿写的《失乐园》)

paradise

paralyze¹ ['pærəlaiz] *vt.* 使瘫痪, 使麻痹; 使丧失作用; 使惊愕, 使呆若木鸡

[记] 词根记忆: para(在旁边)+lyze(分开)→身体的一边分开了→使瘫痪, 使麻痹

parameter¹ [pə'ræmitə] *n.* [常 *pl.*]界限, 范围; 参数

[记] 词根记忆: para(辅助)+meter(测量)→辅助测量→参数

perfection¹ [pə'fekʃən] *n.* 完美, 完善

[记] 来自 perfect(*a.* 完美的)

[考] to perfection 完美地, 尽善尽美地, 完全地

List 24

periodic[1] [ˌpiəriˈɔdik] a. 周期的，定期的；时而发生的
[考] the periodic table 元素周期表

periodical[1] [ˌpiəriˈɔdikəl] n. 期刊 a. 周期的，定期的，时而发生的
[记] 来自 period(n. 时期，周期)

petty[1] [ˈpeti] a. 小的，琐碎的，不重要的；气量小的，心胸狭窄的
[记] 联想记忆：pet(宠物)+ty→小动物→小的
[考] petty squabbles 微不足道的争论；petty minds 小心眼儿

physiological[1] [ˌfiziəˈlɔdʒikəl] a. 生理的，生理学的
[记] 来自 physical(a. 身体的，生理的)

pole[1] [pəul] n. 杆；极(点)，磁极，电极
[记] 联想记忆：单独的(sole)电极(pole)

preach[1] [priːtʃ] vt. 宣讲(教义)，布(道)；竭力鼓吹，宣传 vi. 布道，说教
[记] 联想记忆：p+reach(传开)→将教义传开→布道，说教

preferable[1] [ˈprefərəbəl] a. 更可取的，更好的，更合意的
[记] 联想记忆：prefer(更喜欢)+able(…的)→更喜欢的→更可取的，更好的

proceeding[1] [prəˈsiːdiŋ] n. 进程，过程；议程；[pl.]诉讼，诉讼程序；[pl.]会议记录；公报
[记] 词根记忆：pro(向前)+ceed(行走)+ing→进程

低频词汇

proficiency[1] [prə'fiʃənsi] *n.* 熟练，精通

[记] 词根记忆：pro(大量)+fic(做)+iency→做得多了也就熟练了→熟练，精通

progressive[1] [prə'gresiv] *a.* 前进的；渐进的；(动词)进行时的

[记] 词根记忆：pro(向前，在前)+gress(行走)+ive(…性质的)→向前走的→前进的

propagate[1] ['prɔpəgeit] *vt.* 繁殖，增殖；传播，宣传，使普及 *vi.* 繁殖，增殖

[记] 词根记忆：pro+pag(砍，切)+ate→原义是把树的旁枝剪掉使主干成长，引申为繁殖

prose[1] [prəuz] *n.* 散文

[记] 联想记忆：p+rose(玫瑰)→散文如玫瑰花瓣，形散而神聚→散文

prototype[1] ['prəutətaip] *n.* 原型

[记] 词根记忆：proto(原始)+type(类型)→原型

purity[1] ['pjuəriti] *n.* 纯净，纯洁，纯正

[考] spiritual purity 纯洁的心灵

quantify[1] ['kwɔntifai] *vt.* 确定…的数量，量化

quantitative[1] ['kwɔntitətiv] *a.* (数)量的，定量的

[记] 来自 quantity(*n.* 量，数量)

quench[1] [kwentʃ] *vt.* 止(渴)；扑灭(火焰)

[记] 联想记忆：quen(看作 queen，女王)+ch→扑灭女王的嚣张气焰→扑灭(火焰)

racket[1] ['rækit] *n.* 喧嚷，吵闹；敲诈，勒索，诈骗；(网球等的)球拍

[记] 联想记忆：rack(行李架)+et→有行李架的地方→火车，汽车车厢→喧嚷，吵闹

radiant[1] ['reidiənt] *a.* 容光焕发的，喜形于色的；光芒四射的，光辉灿烂的；辐射的

[记] 词根记忆：radi(光线)+ant→光芒四射的

radioactive[1] [ˌreidiəu'æktiv] *a.* 放射性的，有辐射能的

[记] 组合词：radio(无线电)+active(活动的)→放射性的

rebellion[1] [ri'beljən] *n.* 反叛，反抗

[记] 词根记忆：re(相反)+bell(战争)+ion→反叛

[考] an armed rebellion 武装叛乱

receipt[1] [ri'si:t] *n.* 发票，收据；[*pl.*] 收入，进款；收到，接到

recipe[1] ['resipi] *n.* 烹饪法，食谱；方法，秘诀，诀窍

[记] 词根记忆：re+cipe(抓)→为做饭提供抓的要点→食谱

recite[1] [ri'sait] *vt.* 背诵，朗诵；列举，一一说出 *vi.* 背诵，朗诵

[记] 词根记忆：re(一再)+cite(引用)→背诵

redundant[1] [ri'dʌndənt] *a.* (因人员过剩而)被解雇的；多余的，过剩的

referee[1] [ˌrefə'ri:] *n.* 裁判员；证明人，推荐人；仲裁者，调解者 *v.* 当裁判

[记] 联想记忆：refer(参考；提交…仲裁)+ee(表人)→仲裁者

refreshment[1] [ri'freʃmənt] *n.* [*pl.*] 茶点，点心；(精力的)恢复，精神爽快

[记] 来自 refresh(*v.* 使精神振作)

refund[1] ['ri:fʌnd] *n.* 退款

[ri'fʌnd] *vt.* 退还(钱款)

[记] 联想记忆：re(向后)+fund(资金)→退回资金→退款

regime[1] [rei'ʒi:m] *n.* 政权，政治制度

[记] 词根记忆：reg(统治)+ime→政权，政治制度

reign[1] [rein] *n.* 君主的统治；君主的统治时期 *vi.* 当政，统治；占主导地位

[记] 与同义词 rein 只差一个 g

resemblance[1] [ri'zembləns] *n.* 相似，形似

[记] 词根记忆：re(再次)+sembl(相似)+ance→一个和另一个相像→相似

resent[1] [ri'zent] vt. 对…表示愤恨，怨恨

[记] 词根记忆：re(反)+sent(感觉)→反感→怨恨

restraint[1] [ri'streint] n. 抑制，限制，克制；约束措施，约束条件

retention[1] [ri'tenʃən] n. 保留，保持

[记] 词根记忆：re(重新)+ten(拿住)+tion→重新拿住→保留，保持

retrospect[1] ['retrəspekt] n. 回顾

[记] 词根记忆：retro(向后)+spect(看)→向后看→回顾

rival[1] ['raivəl] n. 竞争对手，敌手；可与匹敌的人(或物) a. 竞争的，对抗的 vt. 与…竞争；与…匹敌，比得上

[记] 联想记忆：对手(rival)隔河(river)相望，分外眼红

rot[1] [rɔt] v. (使)腐烂，(使)腐朽 n. 腐烂，腐朽

safeguard[1] ['seifgɑːd] vt. 保护，维护 n. 预防措施，保证条款

[记] 组合词：safe(安全)+guard(保卫)→保护 宝洁公司出品的舒肤佳系列就是 Safeguard

salvation[1] [sæl'veiʃən] n. 拯救，解救；解救措施

[记] 联想记忆：salv(看作 save，拯救)+ation(表名词)→拯救

sanction[1] ['sæŋkʃən] vt. 批准，认可 n. 批准，认可；约束因素，约束力；[常 pl.] 国际制裁

[记] 联想记忆：sanc(音似 thank，谢谢)+tion→谢谢批准→批准，认可

词根记忆：sanct(神圣的)+ion→神圣之物，原指教会的法令，引申为"批准，认可"

[考] trade sanctions 贸易制裁

savage[1] ['sævidʒ] *a.* 残暴的，凶猛的，粗鲁的；未开化的，野蛮的 *n.* 野蛮人，粗鲁的人 *vt.* (狗等)乱咬；激烈抨击

savage

[记] Savage Garden (野人花园)，由两位来自澳大利亚的男孩组成的乐队

scorn[1] [skɔːn] *n.* 轻蔑，鄙视 *vt.* 轻蔑，鄙视；拒绝，不屑(做)

[记] 联想记忆：s+corn(玉米)→把别人当成玉米棒子→轻蔑，鄙视

scramble[1] ['skræmbəl] *vi.* 攀登，爬；争夺，抢夺 *vt.* 扰乱，搞乱 *n.* 攀登，爬行；争夺，抢夺

[记] 联想记忆：scr(看作 scream，尖叫)+amble(看作 able，能…的)→攀岩时听到尖叫也不能乱作一团→攀登；搞乱

screw[1] [skruː] *n.* 螺丝(钉) *vt.* 用螺钉固定，拧，拧紧；强迫

[考] put the screws on sb. 对某人施压，强迫

sculpture[1] ['skʌlptʃə] *n.* 雕刻(术)，雕塑(术)；雕刻作品，雕塑品

[记] 词根记忆：sculpt(雕塑)+ure→雕塑；雕刻作品

setback[1] ['setbæk] *n.* 挫折，倒退，失败

[记] 组合词：set(移动到)+back(向后)→向后移动→倒退，失败

shaft[1] [ʃɑːft] *n.* 柄，杆；(光的)束，光线；轴；竖井，(电梯的)升降井

[记] 联想记忆：变速杆(shaft)是用来改变(shift)速度的

shipment[1] ['ʃipmənt] *n.* 装运，装船；装载(或运输)的货物

[记] 联想记忆：ship(船运)+ment→装运，装船

shutter[1] ['ʃʌtə] *n.* 百叶窗；(照相机的)快门

[记] 联想记忆：shut(关闭)+ter→关闭窗户后拉上百叶窗→百叶窗

situated[1] ['sitjueitid] *a.* 位于…的，坐落在…的；处于…境地的

slack[1] [slæk] *a.* 懈怠的，马虎的；萧条的，不活跃的；松(弛)的 *n.* (绳索等)松弛部分；[*pl.*] 宽松裤 *vi.* 懈怠，懒散

[记] 联想记忆：s+lack(缺乏)→由于缺乏精力而懈怠→懈怠的

slippery[1] ['slipəri] *a.* 滑的；狡猾的

slot[1] [slɔt] *n.* 狭缝，狭槽；位置，空位 *vt.* 把…放入狭长的开口中；把…纳入其中，使有位置

[记] 联想记忆：s(音似：丝)+lot(许多)→许多小丝→狭缝

[考] a parking slot 停车位

slump[1] [slʌmp] *vi.* 大幅度下降，暴跌；突然倒下 *n.* 萧条期，低潮

smuggle[1] ['smʌgl] *vt.* 走私，非法私运；偷运，偷带

[记] 联想记忆：不断进行反对走私(smuggle)的斗争(struggle)

sneak[1] [sni:k] *vi.* 偷偷地走，溜 *vt.* 偷偷地做(或拿、吃)

[记] 联想记忆：有些地方发生蛇(snake)从饭馆里偷偷溜走(sneak)的事情

solicitor[1] [sə'lisitə] *n.* 初级律师，事务律师

solidarity[1] [ˌsɔli'dæriti] *n.* 团结一致

[记] 联想记忆：solid(固定的)+arity→成为固体→团结一致

solo[1] ['səuləu] *a.* 单独的，单独进行的 *ad.* 以独力，单独地 *n.* 独奏(曲)，独唱(曲)，独舞

[记] 词根记忆：sol(独自)+o→单独的(地)

sparkle[1] ['spɑ:kl] *vi.* 发光，闪耀，闪烁；活跃，(才智等)焕发 *n.* 闪光，闪耀，闪烁；活力，生气

[记] 联想记忆：火花(spark)闪闪发光(sparkle)

sparkle

specialty¹ ['speʃəlti] *n.* 特产，名产，特色菜；专业，专长
[记] 来自 special(*a.* 专门的)

spectrum¹ ['spektrəm] *n.* 谱，光谱；频谱；范围，幅度；系列
[记] 词根记忆：spect(看)+rum→能看到的颜色→光谱

spice¹ [spais] *n.* 香料，调味品；趣味，情趣；风味 *vt.* 使增添趣味；加香料于
[记] 曾经风靡一时的英国乐队 Spice Girl(辣妹)

stabilize¹ ['steibilaiz] *v.* (使)稳定，(使)稳固
[记] 来自 stable(*a.* 稳定的)

stall¹ [stɔ:l] *n.* 货摊；[*pl.*] (剧场的)正厅前座区；(发动机的)熄火；小房间，小隔间 *v.* (使)(发动机)熄火；拖延，推迟
[记] 联想记忆：sta(看作 stand，站立)+ll(像两根柱子)→货摊；小房间

staple¹ ['steipl] *n.* 订书钉，U 形钉；主食；主要产品 *vt.* 用订书钉订 *a.* 主要的；经常需要(或使用)的
[记] 联想记忆：订书钉(staple)能使纸张固定(stable)

statesman¹ ['steitsmən] *n.* 国务活动家，政治家
[记] 组合词：states(国家，政府)+man(人)→管理国家事务的人→国务活动家

straightforward¹ [streit'fɔ:wəd] *a.* 正直的，坦率的；易懂的，简单的
[记] 联想记忆：straight(直的)+forward(向前的)→为人耿直的→坦率的

strand¹ [strænd] *n.* (线等的)股，缕；一个组成部分 *vt.* 使搁浅

stride¹ [straid] *vi.* 大踏步走 *n.* 大步；步法，步态；[常 *pl.*]进展，进步
[记] 联想记忆：st+ride (骑)→骑车快，就好像大

stride

低频词汇

步走→大步

[考] take in (one's) stride 轻而易举地应付，轻松地胜任

stubborn¹ ['stʌbən] *a.* 顽固的，执拗的，倔强的；难对付的，难于克服的

[记] 联想记忆：stub(存根)+born(生)→像生了根一样→顽固的

submarine¹ ['sʌbməriːn] *n.* 潜水艇 *a.* 水底的，海底的

[记] 词根记忆：sub(在…下面)+marine(海洋的)→在海下面的→潜水艇

supersonic¹ [ˌsuːpə'sɔnik] *a.* 超声的，超音速的

[记] 组合词：super(超级的)+sonic(音速的)→超音速的

[考] supersonic aircrafts 超音速飞机

surgeon¹ ['səːdʒən] *n.* 外科医生

[记] 联想记忆：surge(波动)+on→做外科医师，情绪不能波动太大→外科医生

surpass¹ [sə'pɑːs] *vt.* 超过，优于，多于；超过…的界限，非…所能办到(或理解)

[记] 词根记忆：sur(超过)+pass(通过)→超过

susceptible¹ [sə'septəbəl] *a.* 易受影响的；过敏的；能经受的，容许的

[记] 词根记忆：sus(在…下面)+cept(接受)+ible→在影响下容易接受的→易受影响的

[考] susceptible to 易受影响的；过敏的；susceptible of 容许的

List 25

suspension¹ [səˈspenʃən] *n.* 暂停，中止；暂令停止参加，暂时剥夺；(汽车等防止振动、颠簸的)悬架，悬置机构；悬浮液；悬，挂，吊

[记] 词根记忆：sus(在…下面)+pens(悬挂)+ion→悬挂在下面的状态→悬；暂停

symposium¹ [simˈpəuziəm] *n.* 讨论会，专题报告会；专题论文集

tan¹ [tæn] *vt.* 使晒成棕褐色；硝制(皮革) *vi.* 晒成棕褐色 *n.* 棕褐色，棕黄色；晒成棕褐色，晒黑

tariff¹ [ˈtærif] *n.* 关税，税率；(旅馆、饭店等)价目表，收费表

tempo¹ [ˈtempəu] *n.* (音乐的)速度；节奏；行进速度

[记] 来自词根 tempor(时间)

tenant¹ [ˈtenənt] *n.* 房客，佃户

[记] 联想记忆：ten(十)+ant(蚂蚁)→十只蚂蚁来住房，虽小也是房客→房客，佃户

terrain¹ [təˈrein] *n.* 地形，地势

[记] 词根记忆：terr(地)+ain→地形，地势

tile¹ [tail] *n.* 瓦，瓷砖 *vt.* 铺瓦于，贴瓷砖于

[记] 联想记忆：秘密文件(file)藏在瓦(tile)下

token¹ [ˈtəukən] *n.* (用作某种特殊用途的替代货币的)筹码；信物，标志；纪念品；代金券，礼券 *a.* 象征性的，装样子的

[记] 联想记忆：拿走了(taken)代金券(token)

[考] by the same token 由于同样的原因，同样地；a subway token 地铁标志

transistor¹ [træn'zistə] n. 晶体管，晶体管收音机
[记] 词根记忆：trans(变换，转移)+ist+or(表物)→晶体管将信号变换为图像或声音→晶体管

treaty¹ ['tri:ti] n. 条约，协议，协定
[记] 联想记忆：treat(处理)+y→处理问题的文件→条约，协议

trench¹ [trentʃ] n. 沟，沟渠
[记] 联想记忆：t+rench(看作 bench, 长凳)→像长凳一样狭长的地区→沟，沟渠

tribe¹ [traib] n. 部落；族(生物分类)
[记] 联想记忆：tri(三)+be(存在)→古文中"三"表示虚数，为众多之意→很多人生存在一起→部落

triple¹ ['tripl] a. 三部分的，三方的；三倍的，三重的 v. (使)增至三倍
[记] 词根记忆：tri(三)+ple→三部分的；三倍的

tug¹ [tʌg] v. 用力拖(或拉) n. 拖船；猛拉，牵引
[记] 发音记忆："探戈"→跳探戈时脚步拖拉要有力→用力拖

unanimous¹ [ju:'næniməs] a. 全体一致的，一致同意的
[记] 词根记忆：un(看作 uni, 一个)+anim(生命，精神)+ous→大家都是一种精神→全体一致的

underlying¹ [ˌʌndə'laiiŋ] a. 含蓄的，潜在的
[记] 组合词：under(下面)+lying(躺着的)→在下面躺着的→含蓄的，潜在的

unity¹ ['ju:niti] n. 单一；统一，团结；和睦，协调
[记] 词根记忆：uni(单一)+ty→统一

update¹ [ʌp'deit] vt. 更新，使现代化 n. 最新信息
[记] 组合词：up(向上)+date(日期)→日期不断向前推→更新

uphold[1] [ʌp'həuld] *vt.* 支持，维护

[记] 组合词：up(向上)+hold(举起)→举起来→支持，维护

upright[1] ['ʌprait] *a.* 垂直的；正直的，诚实的 *ad.* 挺直着，竖立着

van[1] [væn] *n.* 大篷车，运货车；先锋，先驱

veil[1] [veil] *n.* 面纱，面罩；遮盖物，掩饰物 *vt.* 掩盖，掩饰

[记] 联想记忆：邪恶的(evil)人总是试图掩饰自己，一直蒙着面纱(veil)

verbal[1] ['və:bəl] *a.* 口头的；用言辞的，用文字的；动词的

[记] 词根记忆：verb(词语)+al→口头的

注意：verbal 指口头上的、用文字的，不排除用笔头参与的可能；oral 指用嘴表达和交流；spoken 为普通用词，常与 oral 互换；vocal 表示拥有或给予发声的能力。

verdict[1] ['və:dikt] *n.* 裁定；定论，判断性意见

[记] 词根记忆：ver(真实)+dict(说)→认真地说→裁定

veto[1] ['vi:təu] *n. / vt.* 否决

visualize[1] ['viʒuəlaiz] *vt.* 想象，设想

[记] 联想记忆：visual(视觉的)+ize→通过视觉来激发想象→想象，设想

warehouse[1] ['weəhaus] *n.* 仓库，货栈

[记] 组合词：ware(器皿)+house(房子)→放器皿的房子→仓库

watt[1] [wɔt] *n.* 瓦(特)

[记] 发音记忆："瓦特"

whereby[1] [weə'bai] *ad.* 靠那个，借以

whirl[1] [wə:l] *vi.* 旋转，急转；发晕，(感觉等)变混乱 *n.* 旋转，急转；混乱；接连不断的活动

[记] 联想记忆：轮子(wheel)在不停地旋转(whirl)

低频词汇

wrench¹ [rentʃ] *vt.* 猛拧，猛扭；挣脱；使扭伤 *n.* (离别等的)痛苦，难受；猛扭，猛拉；扳手

[记]发音记忆："润湿"→地上湿滑，结果扭伤了脚→使扭伤

abortion⁰ [ə'bɔːʃən] *n.* 流产，堕胎

[记]联想记忆：a(不，无)+bor(看作born，出生)+tion→不让小孩出生→堕胎

adjacent⁰ [ə'dʒeisənt] *a.* 邻近的，毗连的

[记]联想记忆：adj(形容词)+acent(看作accent，口音)→口音相同的→住得近的→邻近的

[考]adjacent to 邻近的，毗连的

adjoin⁰ [ə'dʒɔin] *vt.* 贴近，与…毗连

[记]联想记忆：ad(附近，向)+join(连接)→贴近

adore⁰ [ə'dɔː] *vt.* 崇拜，敬慕，爱慕；非常喜欢，爱

[记]发音记忆："俄(我)倒"→佩服得五体投地→崇拜，爱慕

aerial⁰ ['eəriəl] *a.* 飞机的，航空的；空中的，架空的 *n.* 天线

[记]词根记忆：aer(空气)+ial(…的)→空中的；航空的

[考]an aerial attack 一次空袭

aesthetic⁰ [iːs'θetik] *a.* 美学的，审美的；悦目的，雅致的

[记]词根记忆：a+esthe(感觉)+tic(…的)→美学的

aggregate⁰ ['æɡriɡit] *n.* 总数，合计 *a.* 总计的，合计的
['æɡriɡeit] *vt.* 总计达，合计；使聚集，使积聚

[记]词根记忆：ag(表加强)+greg(群体)+ate(使)→使…成群→使聚集，使积聚

[考]in the aggregate 总共，作为总体

agony⁰ ['æɡəni] *n.* (极度的)痛苦，苦恼

[记]词根记忆：a+gon(角)+y→性格太过有棱

角，易遭受痛苦→痛苦，苦恼

注意： agony 指全身的、连续的、剧烈的痛苦；distress 指因不幸发生而带来的精神上的痛苦；misery 指巨大的痛苦和不幸；suffering 强调对痛苦的感受和忍耐。

aisle⁰ [ail] n. 过道，通道
[记] 联想记忆：ai(看作 air, 空气)+sle→让空气流通的道→通道

album⁰ ['ælbəm] n. 粘贴簿，集邮簿，相册
[记] *Family Album USA*(《走遍美国》)

alloy⁰ ['ælɔi] n. 合金
[ə'lɔi] vt. 将…铸成合金
[记] 联想记忆：all(所有的)+oy→把所有金属混在一起→合金

ammunition⁰ [,æmju'niʃən] n. 弹药，军火
[记] 词根记忆：am(表加强)+mun(公共的)+ition→保卫公众的安全需要军火→军火

appendix⁰ [ə'pendiks] n. 阑尾；附录
[记] 词根记忆：ap(表加强)+pend(悬挂)+ix→挂在书后面的东西→附录

arc⁰ [ɑːk] n. 弧形(物)；弧；电弧，弧光
[记] 联想记忆：生活是一门艺术(art)，就像弧线(arc)有高有低，与其终日躲藏于方舟(ark)，不如勇敢地伸出双臂(arm)拥抱朝阳

arena⁰ [ə'riːnə] n. 表演场地，竞技场；活动场所
[记] 联想记忆：建造竞技场(arena)要考虑占地面积(area)问题

armor⁰ ['ɑːmə] n. 盔甲，装甲；保护物
[记] 联想记忆：arm(武器)+or(表物)→盔甲；保护物

artery⁰ ['ɑːtəri] n. 动脉；干线，要道
[记] 联想记忆：art(艺术)+ery(表场所、地点)→"文艺新干线"→干线

artillery[0] [ɑːˈtiləri] *n.* 火炮，大炮；[the ~]炮兵(部队)
[记]联想记忆：art(技术)+ill(坏的)+ery→给人类带来坏事的技术→大炮

assassination[0] [əˌsæsiˈneiʃən] *n.* 刺杀，暗杀
[记]联想记忆：as(表加强)+sas(看作 SARS，非典)+sin(看作 son，儿子，孩子)+ation→"非典"无形中杀死了孩子→刺杀，暗杀

assimilate[0] [əˈsimileit] *vt.* 吸收，消化；使同化 *vi.* 被吸收，被消化；被同化
[记]词根记忆：as+simil(相同)+ate(使)→使相同→使同化

atlas[0] [ˈætləs] *n.* 地图集
[记]联想记忆：at(在)+las(联想 Las Vegas，拉斯维加斯)→在拉斯维加斯，许多人拿着地图集踏上了淘金路→地图集

authoritative[0] [ɔːˈθɔritətiv] *a.* 有权威性的，可信的；专断的，命令式的

autonomy[0] [ɔːˈtɔnəmi] *n.* 自治，自治权，自主权；人身自由
[记]词根记忆：auto(自己)+nomy(治理)→自治

aviation[0] [ˌeiviˈeiʃən] *n.* 航空，航空学；飞机制造业
[记]词根记忆：avi(鸟)+ation(表名词)→像鸟一样飞→航空

ballet[0] [ˈbælei] *n.* 芭蕾舞，芭蕾舞剧；芭蕾舞团
[记]发音记忆："芭蕾"

bamboo[0] [bæmˈbuː] *n.* 竹，竹子
[记]发音记忆："颁布"→古时颁布的法令是刻在竹简上的→竹子

bang[0] [bæŋ] *n.* 巨响；枪声；猛击 *v.* 猛击，猛撞；发出砰的一声，砰砰地响；砰地敲(或推、扔)

banquet[0] [ˈbæŋkwit] *n.* 宴会，盛宴
[记]发音记忆："崩溃的"→每天应付各种宴会

会使人崩溃→宴会

[考] a state banquet 国宴

barricade⁰ [ˈbærɪkeɪd] n. 路障，栅栏；障碍 vt. 设路障于，挡住

batch⁰ [bætʃ] n. 一批，一组，一群；一批生产量

[记] 联想记忆：bat(蝙蝠)+ch→蝙蝠都是成群生活的→一群

batter⁰ [ˈbætə] v. 连续猛击 n. (用鸡蛋、牛奶等调制的)面糊

[记] 词根记忆：bat(打)+ter→连续猛击

belly⁰ [ˈbeli] n. 肚子，腹部

[记] 联想记忆：bell(铃)+y→下课铃一响，猛觉肚子饿→肚子

bibliography⁰ [ˌbɪbliˈɒɡrəfi] n. 参考书目；(有关某一专题的)书目

[记] 词根记忆：biblio(书)+graphy(写)→写书所用的书→参考书目

blink⁰ [blɪŋk] vi. 眨眼睛；闪亮，闪烁 n. 眨眼睛；一瞬间

[记] 联想记忆：b+link(连接)→用眨眼睛来联络感情→眨眼睛

[考] on the blink (机器等)坏了，出故障

blossom⁰ [ˈblɒsəm] n. (尤指果树的)花 vi. (植物)开花；发展，长成

[记] 联想记忆：花(bloom)中间又开(blossom)出了两朵 s 形的花

[考] in (full) blossom 正开着花；blossom out/into 发展，长成

blush⁰ [blʌʃ] n. / vi. 脸红

低频词汇

booklet⁰ ['buklit] *n.* 小册子

[记] 联想记忆：book(书)+let(小)→小册子

bowel⁰ ['bauəl] *n.* 肠；[*pl.*]内部，深处

[记] 联想记忆：bow(弓)+el→像弓一样弯着的→肠

brace⁰ [breis] *vt.* 使防备；使受锻炼；支住，撑牢；使绷紧 *n.* 支架，托架

[记] 联想记忆：b+race(竞赛)→竞争使人受锻炼→使受锻炼

breach⁰ [briːtʃ] *n.* 破坏，违反；(关系的)破裂，不和；缺口，裂口 *vt.* 攻破，在…造成缺口；破坏，违反

[记] 和break(*v.* 破坏，违反)一起记

bribe⁰ [braib] *vt.* 向…贿赂，买通 *n.* 贿赂；行贿物

[记] 联想记忆：要想抱得新娘(bride)归，就要贿赂(bribe)丈母娘

briefcase⁰ ['briːfkeis] *n.* 公文包，公事包

[记] 组合词：brief(摘要)+case(容器)→存放摘要的容器→公文包

brink⁰ [briŋk] *n.* (悬崖、河流等的)边缘，边沿

[记] 联想记忆：想要喝水(drink)，于是来到河边(brink)

[考] on the brink of 濒临，处于…边缘

bronze⁰ [brɔnz] *n.* 青铜；青铜色，古铜色；青铜(艺术)制品；铜牌

[记] 联想记忆：bron(看作 born，天生的)+ze→天生古铜色肌肤→古铜色

List 26

brood⁰ [bruːd] *vi.* 沉思，考虑；孵蛋 *n.* (雏鸡等)一窝；(一个家庭的)全体孩子

[记] 联想记忆：一家人流着(brood)相同的血液(blood)

[考] brood on/over/about 考虑，沉思

brutal⁰ ['bruːtl] *a.* 野兽般的，残忍的；无情的，冷酷的；难以忍受的

[记] 发音记忆："不入套"→罪犯残忍而狡猾，就是不入套→残忍的

bud⁰ [bʌd] *n.* 花蕾，叶芽 *vi.* 发芽，萌芽

[记] 联想记忆：泥土(mud)中发出的芽(bud)

bug⁰ [bʌg] *n.* 虫子；小病；(机器等)故障，缺陷；窃听器 *vt.* 烦扰，纠缠；在…装窃听器

bully⁰ ['buli] *n.* 恃强欺弱者 *vt.* 威吓，欺负

[记] 联想记忆：bull(公牛)+y→公牛真吓人→威吓

bust⁰ [bʌst] *vt.* 打破，打碎 *vi.* 爆裂；坏掉 *n.* 胸像，半身像；胸部，胸围

[记] 联想记忆：古宅里主人的半身像(bust)落满了灰尘(dust)

cabin⁰ ['kæbin] *n.* 小屋；船舱，机舱

calcium⁰ ['kælsiəm] *n.* 钙

[记] 词根记忆：calc(石灰)+ium→石灰中含钙→钙

cane⁰ [kein] *n.* 手杖；(藤、竹等的)茎

cannon⁰ [ˈkænən] *n.* 加农炮，大炮，火炮

[记] 发音记忆："加农"→加农炮，大炮

canvas⁰ [ˈkænvəs] *n.* 帆布；帆布画布，(帆布)油画

[记] 联想记忆：can(罐头)+vas(看作 vase，花瓶)→罐头和花瓶构成一幅油画→帆布；油画

cape⁰ [keip] *n.* 斗篷，披肩；海角，岬

[记] 联想记忆：黑斗篷(cape)、黑帽子(cap)加上酷酷的面具成了佐罗的标志性装束

caption⁰ [ˈkæpʃən] *n.* (图片)说明文字；(电影)字幕

[记] 词根记忆：cap(抓，拿)+tion→抓住说明文字→说明文字；(电影)字幕

captive⁰ [ˈkæptiv] *a.* 被俘虏的，被捕获的 *n.* 俘虏

[记] 词根记忆：capt(抓)+ive(…的)→被捕获的

cathedral⁰ [kəˈθiːdrəl] *n.* 大教堂

[记] 联想记忆：cat(猫)+hed(看作 head，头)+ral→装饰着猫头的房子给人一种神秘、肃穆的感觉→大教堂

Catholic⁰ [ˈkæθəlik] *a.* 天主教的；[c-] 普遍的，广泛的；*n.* 天主教徒

[记] 联想记忆：cat(猫)+holi(看作 holy，神圣的)+c→歌迷对猫王的崇拜如同天主教徒的朝拜一样神圣→天主教徒

cellar⁰ [ˈselə] *n.* 地窖，地下室；酒窖

[记] 联想记忆：cell(密室，狭窄空间)+ar→地窖，地下室

cemetery⁰ [ˈsemitri] *n.* 墓地，公墓

[记] 联想记忆：ce+meter(米)+y→人死后占一米的地方→墓地，公墓

census⁰ [ˈsensəs] *n.* 人口普查，统计

[记] 词根记忆：cens(评估)+us(我们)→对人类自身的评估→人口普查

ceramic⁰ [siˈræmik] *a.* 陶器的 *n.* [pl.] 陶瓷器

[记] 联想记忆：c+era(时代，时期)+mic→古时候中国以陶器而闻名→陶瓷器

chant[0] [tʃɑːnt] *vt.* 反复有节奏地喊叫(或唱等);吟诵, 咏唱 *n.* 反复有节奏的喊叫;赞美诗, 圣歌

[记] 联想记忆:形似拼音"chang"(唱)→咏唱

chapel[0] [ˈtʃæpəl] *n.* (学校、医院等处的)小教堂, 祈祷室

[记] 联想记忆:chap(看作 chamber, 房间)+el (小)→小教堂

cholesterol[0] [kəˈlestərol] *n.* 胆固醇

[记] 词根记忆:chole(胆, 胆汁)+sterol(固醇) →胆固醇

chord[0] [kɔːd] *n.* 和弦, 和音;弦, 心弦

[记] 联想记忆:词根"心"(cord)上加个 h 是"心弦"(chord)

clamp[0] [klæmp] *vt.* (用夹具等)夹紧, 夹住, 固定 *n.* 夹头, 夹具, 夹钳

clan[0] [klæn] *n.* 宗族, 家族

[记] 联想记忆:家族(clan)计划(plan)

clarity[0] [ˈklæriti] *n.* 清楚, 明晰

[记] 词根记忆:clar(清楚)+ity→清楚

clasp[0] [klɑːsp] *n.* 扣子, 钩子;紧抱, 紧握 *vt.* 抱紧, 握紧;扣住, 扣紧

[记] 联想记忆:毕业时, 同班(class)同学紧紧抱(clasp)在一起

clearance[0] [ˈkliərəns] *n.* 净空;余隙;许可(证), 批准;(银行)票据交换, 清算;清除, 清理

[记] 来自 clear(*v.* 清理)

clockwise[0] [ˈklɔkwaiz] *a./ad.* 顺时针方向的(地)

[记] 组合词:clock(时钟)+wise(方向)→时钟指针转动的方向→顺时针方向的(地)

参考:anti-clockwise [*a./ad.* 逆时针方向的(地)]

coalition[0] [ˌkəuəˈliʃən] *n.* 结合体, 同盟;结合, 联合

[记] 联想记忆:co(共同)+ali(看作 ally, 结盟)+tion→联合, 结合

[考] coalition government 联合政府

低频词汇

cocaine⁰ [kəuˈkein] *n.* 可卡因，古柯碱
[记] 发音记忆："可卡因"

cocktail⁰ [ˈkɔkteil] *n.* 鸡尾酒；餐前开胃小吃；混合物
[记] 组合词：cock(公鸡)+tail(尾巴)→鸡尾酒

colonial⁰ [kəˈləuniəl] *a.* 殖民地的
[记] 来自 colony(*n.* 殖民地)

comet⁰ [ˈkɔmit] *n.* 彗星
[记] 联想记忆：come(来)+t→很多年才来一次→彗星

comic⁰ [ˈkɔmik] *a.* 喜剧的；滑稽的 *n.* 连环漫画(册)；喜剧演员
[记] 来自 comedy(*n.* 喜剧)

commonwealth⁰ [ˈkɔmənwelθ] *n.* [the C-]英联邦；联邦，联合体
[记] 组合词：common(共同的)+wealth(财富)→财富共有→联合体

compartment⁰ [kəmˈpɑːtmənt] *n.* 卧车包房，(客车车厢内的)隔间；分隔的空间
[记] 词根记忆：com+part(分开)+ment→分隔的空间

competence⁰ [ˈkɔmpitəns] *n.* 能力；胜任，称职
[记] 来自 compete(*v.* 竞争)

complexion⁰ [kəmˈplekʃən] *n.* 肤色，面色；局面；性质
[记] 词根记忆：com+plex(重叠，交叉)+ion→错综复杂的局面→局面；性质

complication⁰ [ˌkɔmpliˈkeiʃən] *n.* (新出现的)困难，难题；并发症
[记] 词根记忆：com+pli(重)+cation→重叠出现的病症→并发症

composite⁰ [ˈkɔmpəzit] *a.* 混合成的，综合成的 *n.* 合成物，复合材料
[记] 词根记忆：com+pos(放)+ite→放在一起的东西→合成物
[考] composite metals 复合金属

consequent[0] ['kɔnsikwənt] *a.* 作为结果(或后果)的，随之发生的

[记] 词根记忆：con+sequ(跟随)+ent(…的)→随之发生的

contempt[0] [kən'tempt] *n.* 轻视，蔑视

[记] 词根记忆：con(共同)+tempt(尝试)→小意思，大家都能试→轻视

[考] hold in contempt 轻视，对…不屑一顾

contention[0] [kən'tenʃən] *n.* 论点；争论，争辩

[记] 来自 contend(*v.* 竞争，争斗)

cordial[0] ['kɔːdiəl] *a.* 热情友好的，热诚的

[记] 词根记忆：cord(心)+ial(…的)→真心待人的→热诚的

cork[0] [kɔːk] *n.* 软木；软木塞 *vt.* 用瓶塞塞住

[记] 发音记忆："犒客"→打开酒瓶塞用美酒犒劳客人→软木塞

corps[0] [kɔː] *n.* (医务、通讯等兵种的)队，部队；(从事同类专业工作的)一组

[记] 词根记忆：corp(团体)+s→队，部队

corpse[0] [kɔːps] *n.* 死尸，尸体

[记] 词根记忆：corp(身体)+se→尸体

corrode[0] [kə'rəud] *v.* 腐蚀，侵蚀

[记] 词根记忆：cor(共同)+rod(咬)+e→一起咬掉→腐蚀

corrode

coupon[0] ['kuːpɔn] *n.* 礼券，优惠券；配给券，票证

courtesy[0] ['kɔːtisi] *n.* 谦恭有礼；有礼貌的举止(或言辞)

[记] 联想记忆：court(法庭)+esy(看作 easy，从容的)→在法庭上既要从容不迫又要谦恭有礼→谦恭有礼

[考] (by) courtesy of 蒙…的好意(或准许)，蒙…提供(或赠送)

cozy[0] [ˈkəuzi] *a.* (暖和)舒适的；亲切友好的

[记] 联想记忆：coz(cousin 的缩写)+y(…的)→像表亲般亲切友好的→亲切友好的

cradle[0] [ˈkreidl] *n.* 摇篮；策源地，发源地 *vt.* 轻轻地抱，捧

[记] 联想记忆：烛(candle)光摇曳，母亲看着摇篮(cradle)里熟睡的婴儿

cripple[0] [ˈkripəl] *n.* 跛子，伤残人(或动物) *vt.* 使跛，使受伤致残；严重削弱；使陷入瘫痪

[记] 联想记忆：crip(瘸子)+ple→跛子

cucumber[0] [ˈkjuːkʌmbə] *n.* 黄瓜

customary[0] [ˈkʌstəməri] *a.* 习惯上的，惯常的；合乎习俗的

[记] 来自 custom(*n.* 习惯，风俗)

cute[0] [kjuːt] *a.* 漂亮的，娇小可爱的；聪明伶俐的，精明的

cylinder[0] [ˈsilində] *n.* 圆柱体，圆筒；气缸，泵(或筒)体

decimal[0] [ˈdesiməl] *a.* 十进位的 *n.* 小数

[记] 词根记忆：deci(十分之一)+mal→十进位的

deduct[0] [diˈdʌkt] *vt.* 扣除，减去

[记] 词根记忆：de(去掉)+duct(引导)→引导去掉→扣除，减去

defiance[0] [diˈfaiəns] *n.* 违抗；藐视

[记] 来自 defy(*v.* 违抗；藐视)

[考] in defiance of 违抗，无视

denote[0] [diˈnəut] *vt.* 意思是；表示，是…的标志

[记] 联想记忆：de+note(笔记；注解)→给出注解→意思是

differentiate[0] [ˌdifəˈrenʃieit] *vi.* 区分，区别 *vt.* 区分，区别；使不同，使有差异

[记] 来自 different(*a.* 不同的)

[考] differentiate between 区分，区别

discreet[0] [disˈkriːt] *a.* 谨慎的，慎重的，审慎的

[记] 词根记忆：dis(分开)+creet(分辨出来)→分辨出不同来→谨慎的

distill⁰ [di'stil] *vt.* 蒸馏，用蒸馏法提取；吸取，提炼

divine⁰ [di'vain] *a.* 神的，神授的，天赐的；极好的，极美的

[考] divine songs 圣歌

dock⁰ ['dɔk] *n.* 码头，船埠；（法庭的）被告席 *vt.* 使（船）靠码头，使（船）进港；扣（工资等），从（工资）中扣除 *vi.* （船）靠码头，（船）进港

dodge⁰ ['dɔdʒ] *vi.* 闪身躲开 *vt.* 回避，逃避 *n.* 托词，伎俩；躲闪，躲避

[记] 联想记忆：此地不宜久留（lodge），回避（dodge）为妙

dole⁰ [dəul] *n.* 救济，（失业）救济金 *vt.* 发放，发给

[考] dole out 发放，发给

doubtless⁰ ['dautlis] *ad.* 无疑地，肯定地

[记] 联想记忆：doubt（怀疑）+less（无）→无疑地

drainage⁰ ['dreinidʒ] *n.* 排水系统，下水道；排水，放水

[记] 联想记忆：drain（排水）+age（表集合名词）→排水；排水系统

dread⁰ [dred] *vt.* 担忧，忧虑；惧怕，不敢 *n.* 担忧；畏惧

[记] 联想记忆：d+read（读书）→很多学生害怕读书→担忧；畏惧

dreadful⁰ ['dredful] *a.* 糟透了的，极不合意的；极端的，极其大的；可怕的，令人畏惧的

drill⁰ [dril] *n.* 钻头；操练，训练 *vi.* 钻（孔），打（眼）；训练

dwarf⁰ ['dwɔːf] *n.* 矮子，侏儒 *a.* 矮小的，发育不全的 *vt.* （由于对比）使显得矮小，使相形见绌

List 27

Easter⁰ [ˈiːstə] *n.* (基督教)复活节

eclipse⁰ [iˈklips] *n.* (日、月)食;(地位、声誉等的)消失,黯然失色 *vt.* (日、月)食,遮掩(天体的)光;使暗淡,使失色,使相形见绌

[记] 联想记忆: ec+lipse(看作 leave, 离去)→日月的光华离去→(日、月)食

edible⁰ [ˈedibl] *a.* 可以吃的,可食用的

[记] 词根记忆: ed(吃)+ible(可…的)→可以吃的,可食用的

endurance⁰ [inˈdjuərəns] *n.* 忍耐力,持久(力),耐久(性)

[记] 词根记忆: en(使)+dur(持续)+ance→持久(力)

equator⁰ [iˈkweitə] *n.* (地球)赤道

[记] 联想记忆: equa(看作 equal, 相等的)+tor →使地球上下相等的分界线→赤道

erosion⁰ [iˈrəuʒən] *n.* 腐蚀,侵蚀;磨损;削弱,减少

escort⁰ [ˈeskɔːt] *n.* 护卫者,护送者 *vt.* 护送,护卫

esthetic⁰ [iːsˈθetik] *a.* 美学的,审美的;悦目的,雅致的

expend⁰ [ikˈspend] *vt.* 花费,消费;消耗

[记] 词根记忆: ex(出)+pend(花费)→花费,消费

exposition⁰ [ˌekspəˈziʃən] *n.* 阐述,讲解;展览会,博览会

[记] 词根记忆: ex(出)+pos(放)+ition→放出来让人看→展览会,博览会

注意: exposition 尤指有众多国家参加的国际性展览;exhibit 表示展出的艺术品或收藏品;

exhibition 指艺术方面的展览会或展出；show 则较为口语化，可指任何商品的展出、艺术品的展览或技能的展示，应用范围也较广。

fabric[0] [ˈfæbrik] n. 织物，纺织品；结构
[记] 联想记忆：fab(音似：帆布)+ric→织物，纺织品

fellowship[0] [ˈfeləuʃip] n. 伙伴关系；交情，友谊；团体，协会，联谊会；(研究生的)奖学金；(大学)研究员职位
[记] 联想记忆：fellow(伙伴)+ship(关系)→伙伴关系；友谊

fixture[0] [ˈfikstʃə] n. [常 pl.] (房屋等的)固定装置；固定在某位置的人(或物)

flank[0] [flæŋk] n. 肋，肋腹，(四足动物身体的)侧边；侧翼，翼侧 vt. 位于…的侧面
[记] 和 blank(a. 空白的)一起记

flask[0] [flɑːsk] n. 长颈瓶，(扁形)酒瓶，烧瓶
[记] 和 flash(v. 闪光)一起记

flatter[0] [ˈflætə] vt. 向…谄媚，奉承；使满意，使高兴，使感到荣幸；使显得(比实际)好看，使(某优点)显得突出
[记] 联想记忆：f+latter(后面的)→跟在屁股后面拍马屁→向…谄媚，奉承
[考] flatter oneself 自以为是，自鸣得意

fling[0] [fliŋ] vt. (用力地)扔，掷，丢；使扑，使投身 n. 尽情欢乐的一阵，一时的放纵
[记] 联想记忆：fl(看作 fly, 飞)+ing→扔，掷

foil[0] [fɔil] n. 箔，金属薄片；陪衬，衬托 vt. 挫败，使受挫折
[记] 联想记忆：土地(soil)是美丽植物的陪衬(foil)

fort[0] [fɔːt] n. 堡垒，城堡
[记] 联想记忆：在重要港口(port)建筑堡垒(fort)

foul⁰ [faul] *a.* 难闻的，发臭的；令人不愉快的，糟透了的；污浊的，肮脏的；下流的，辱骂性的；(天气)恶劣的，有暴风雨的；邪恶的，罪恶的 *vt.* (比赛中)对…犯规；弄脏，弄污 *n.* (比赛中的)犯规

[记] 联想记忆：邪恶的(foul)心灵(soul)

[考] foul up 把…搞乱，把…搞糟

fragrance⁰ [ˈfreigrəns] *n.* 芳香，香味；香水

[记] 词根记忆：frag(打碎) + r +ance(表名词)→香水瓶被打碎，芳香四溢→芳香，香味

frantic⁰ [ˈfræntik] *a.* 慌乱不安的，紧张纷乱的；(因恐惧、焦急等)发疯似的，发狂的

frantic

[记] 联想记忆：frant(看作 front，前面，前线)+ic(…的)→听说被派往前线，他很慌乱→慌乱不安的

fury⁰ [ˈfjuəri] *n.* 狂怒，暴怒；狂暴，狂烈

[记] 联想记忆：暴怒(fury)给身体带来伤害(injury)

fuse⁰ [fju:z] *n.* 保险丝，熔丝；导火线，导火索 *v.* 熔合，合并；(使)因保险丝熔断而中断工作

[记] 联想记忆：因拒绝(refuse)而中断工作(fuse)

galaxy⁰ [ˈgæləksi] *n.* 星系；[the G-] 银河系，银河；一群(杰出或著名的人物)

garment⁰ [ˈgɑ:mənt] *n.* (一件)衣服

[记] 联想记忆：gar(看作 garb，服装)+ment→衣服

gauge⁰ [geidʒ] *n.* 测量仪表；(金属板的)厚度，(金属线的)直径；(标准)规格，尺度 *vt.* 估计，判断；计量，度量

[记] 发音记忆："规矩"→规格，尺度

gigantic⁰ [dʒaiˈgæntik] *a.* 巨大的，庞大的

[记] 联想记忆：gigant(看作 giant，巨人)+ic(…的)→巨大的

giggle⁰ ['gigəl] *n.* 咯咯笑，傻笑
　　[记] 发音记忆："咯咯"→咯咯笑

glamo(u)r⁰ ['glæmə] *n.* 魅力，诱惑力
　　[记] 联想记忆：g+lamor(看作 labor，劳动)→劳动人民最有魅力→魅力

gland⁰ [glænd] *n.* 腺
　　[记] 联想记忆：g+land(地带)→腺体分布区→腺

glide⁰ [glaid] *n.* 滑行，滑动；滑翔
　　[记] 和 slide(*n.* 滑动)一起记

gloom⁰ [gluːm] *n.* 昏暗，阴暗；
忧郁，沮丧
　　[记] 联想记忆：我等到
花儿(bloom)也谢了，沮
丧(gloom)至极

注意：gloom 指忧伤、忧郁、阴暗，表不开心的
状态，例：The future of his marriage is filled with
gloom.（他的婚姻前景暗淡。）sadness 为普通用
词，指悲哀、悲伤；blues 为非正式用词，常用于
口语，表忧郁、沮丧；depression 则比较正式，指
精神沮丧，意志消沉。

graphic⁰ ['græfik] *a.* 生动的，形象的；绘画的，图表的；
文字的
　　[记] 词根记忆：graph(书写)+ic(…的)→文字的

graze⁰ [greiz] *vi.* (牛、羊等)吃青草 *vt.* 放牧(牛、羊
等)；擦伤(皮肤等)；擦过，掠过 *n.* 擦破(处)
　　[记] 和 grass(*n.* 草)一起记

grease⁰ [griːs] *n.* (动物)油脂；润滑脂，润滑油 *vt.* 用油
脂涂，给…加润滑油
　　[记] 联想记忆：gr+ease(放松；灵活移动)→机
器加了润滑油后就可以灵活移动了→润滑油

grim⁰ [grim] *a.* 讨厌的；糟糕的；严厉的；冷酷的，无
情的

[记]联想记忆：g+rim(边框)→给出条条框框来约束→严厉的

groove[0] [gru:v] *n.* 沟，槽

guardian[0] ['gɑ:diən] *n.* 监护人；守卫者，保护者

[记]来自 guard(*v.* 保卫)

hardy[0] ['hɑ:di] *a.* 能吃苦耐劳的，坚强的；(植物等)耐寒的

[记]联想记忆：hard(努力地，刻苦地)+y(…的)→能吃苦耐劳的

hawk[0] [hɔ:k] *n.* 鹰，隼；(主战或主张强硬路线的)"鹰派"人物 *vt.* 叫卖，兜售

[记]发音记忆："好客"→好客的主人硬是要送给客人一只鹰→鹰

heir[0] [eə] *n.* 继承人

[记]发音记忆："儿啊"→儿子当然是继承人了→继承人

henceforth[0] ['hensfɔ:θ] *ad.* 从今以后，从此以后

herb[0] [hə:b] *n.* 药草；(调味用的)香草，草本植物

[记]词根记忆：her(黏附)+b→外敷药草→药草

hike[0] [haik] *n.* 徒步旅行；(数量、价格等)增加，上升 *vi.* 徒步旅行 *vt.* 提高(价格等)

[记]联想记忆：穿着 Nike 鞋徒步旅行(hike)

hitherto[0] [,hiðə'tu:] *ad.* 到目前为止，迄今

[记]联想记忆：hit(打)+her+to→迄今，他的爱仍未打动她→到目前为止，迄今

hop[0] [hɔp] *vi.* (人)单足跳跃，单足跳行；(鸟、昆虫等)齐足跳跃，齐足跳行 *vt.* 跳上(汽车、火车、飞机等) *n.* 蹦跳；(飞机的)短程航行

[记]联想记忆：憋足气一下跳(hop)到顶部(top)

hose[0] [həuz] *n.* (橡皮或帆布等制的)软管，水龙带 *vt.* 用软管淋浇(或冲洗)

[记]联想记忆：用像大象鼻子(nose)一样的软管子(hose)浇玫瑰花(rose)

hostage⁰ ['hɔstidʒ] *n.* 人质

[记] 联想记忆：host(主人)+age→主人请来了不情愿的客人→人质

hound⁰ [haund] *n.* 猎犬 *vt.* 追逼；烦恼；纠缠

[记] 联想记忆：训练猎犬(hound)跳火圈(round)

howl⁰ [haul] *n./vi.*(狼、狗等)嗥叫；(风等)呼啸；(因愤怒、痛苦等)吼叫，哀号

[记] 发音记忆："嚎"→嗥叫

hug⁰ [hʌg] *vt.*(热烈地)拥抱；紧抱，怀抱 *vi.* 紧抱在一起，互相拥抱 *n.* 紧抱，热烈拥抱

hum⁰ [hʌm] *vi.* 哼曲子；发嗡嗡声 *vt.* 哼曲子 *n.* 嗡嗡声，营营声；嘈杂声

[记] 发音记忆："哼"→哼曲子

hysterical⁰ [hi'sterikəl] *a.* 情绪异常激动的，歇斯底里般的

[记] 发音记忆："歇斯底里"→歇斯底里般的

ideology⁰ [ˌaidi'ɔlədʒi] *n.* 思想(体系)，思想意识

[记] 联想记忆：ideo(看作 idea，思想)+logy(…学)→思想(体系)

idiom⁰ ['idiəm] *n.* 习语，成语；(在艺术等方面所表现的)风格，特色

[记] 和 idiot(*n.* 傻瓜)一起记

idiot⁰ ['idiət] *n.* 白痴，傻子，笨蛋

[记] 词根记忆：idio(独特的)+t→智力、行为独特于一般人→傻子

inertia⁰ [i'nə:ʃə] *n.* 不活动，惰性；惯性

[记] 词根记忆：in(不)+ert(能量；活力)+ia→不活动

innumerable⁰ [i'nju:mərəbəl] *a.* 无数的，数不清的

[记] 联想记忆：in(不)+numer(看作 number，数字)+able→不能用数字表示的→无数的

instrumental⁰ [ˌinstru'mentəl] *a.* 起作用的，有帮助的；用乐器演奏的

[记] 来自 instrument(*n.* 手段；器具)

[考] instrumental in 对…有帮助的，起作用的

intercourse⁰ [ˈintəkɔːs] n. 性交；交流，交往，交际

[记] 联想记忆：inter(相互)+course(过程)→信息互动的过程→交流，交际

interim⁰ [ˈintərim] a. 暂时的，临时的 n. 间歇；过渡时期

[记] 词根记忆：inter(在…之间)+im→中间时期→过渡时期

[考] in the interim 在这期间

invert⁰ [inˈvəːt] vt. 使倒转，使倒置；使颠倒

[记] 词根记忆：in(进入)+vert(转向)→使倒置

invert

irrespective⁰ [ˌiriˈspektiv] a. 不考虑的，不顾及的

[记] 联想记忆：ir(不)+ respect(注意，考虑)+ive→不考虑的，不顾及的

[考] irrespective of 不考虑…的

irrigation⁰ [ˌiriˈgeiʃən] n. 灌溉

isle⁰ [ail] n. 小岛，岛

[记] 和 island (n. 岛)一起记

jog⁰ [dʒɔg] n. / v. 慢跑；(尤指不正当地) 轻轻碰撞(或推搡)

[记] 联想记忆：一边慢跑(jog)一边遛狗(dog)

[考] jog one's memory 唤起某人的记忆

注意：jog 指慢跑；run 为普通用词，指跑步；race 是赛跑，比 run 快；pace 指慢步走。

juvenile⁰ [ˈdʒuːvənail] a. 少年的，少年特有的；幼稚的，不成熟的 n. 未成年人，少年

[记] 词根记忆：juven(年轻)+ile(…的)→幼稚的

lace⁰ [leis] n. 网眼花边，透孔织品，花边；鞋带，系带 vt. 用系带束紧

[记] 发音记忆："蕾丝"→花边

[考] lace up 用系带束紧

lame⁰ [leim] *a.* 跛的，瘸的；站不住脚的；差劲的，蹩脚的

[记] 发音记忆："累母"→孩子瘸了，做母亲的也跟着受累→跛的

lame "累母"

lash⁰ [læʃ] *v.* (用绳索等)将(物品)系牢；鞭打，抽打，(风、雨等)猛烈打击；猛烈抨击，严厉斥责 *n.* 鞭打；假睫毛；鞭梢

[记] 联想记忆：l+ash(灰)→敌人的鞭打似有挫骨扬灰之势→鞭打，抽打

[考] lash out (at) 猛烈抨击

latent⁰ [ˈleitənt] *a.* 潜在的，隐伏的，不易察觉的

[记] 联想记忆：lat(看作 late，后面的)+ent→后面的→潜在的，隐伏的

layman⁰ [ˈleimən] *n.* 外行，门外汉

[记] 组合词：lay(外行的)+man(人)→外行，门外汉

legend⁰ [ˈledʒənd] *n.* 传说，传奇故事；传奇人物

[记] 联想记忆：联想集团(原名 Legend)总裁柳传志是一位传奇人物(legend)

lever⁰ [ˈliːvə] *n.* 杠，杠杆；途径，手段，工具 *vt.* (用杠杆)撬动，撬起

[记] 词根记忆：lev(举起，变轻)+er→用来举起东西的工具→杠杆

levy⁰ [ˈlevi] *vt.* 征收(税等) *n.* 征税，税款

[记] 词根记忆：lev(升，举)+y→命令将钱物上交→征收；征税

低频词汇

List 28

lieutenant⁰	[lef'tenənt; lu:'tenənt] *n.* 陆军中尉；海军上尉
limp⁰	[limp] *a.* 软弱的，无生气的，无精神的；软的，松沓的 *vi.* 一瘸一拐地走，蹒跚 *n.* 跛行
linen⁰	['linin] *n.* 日用织品，亚麻织品；亚麻布 [记] 联想记忆：line(绳)+n→亚麻编的绳→亚麻织品
liner⁰	['lainə] *n.* 衬里；大客轮
locality⁰	[ləu'kæliti] *n.* 地区，地点 [记] 来自 local(*a.* 地方的)
locomotive⁰	[ˌləukə'məutiv] *n.* 机车 *a.* 运动的 [记] 词根记忆：loco(地方)+mot(移动)+ive→从一个地方移动到另一个地方的→运动的
lofty⁰	['lɔfti] *a.* 高傲的，傲慢的；崇高的，高尚的；高耸的，极高的 [记] 联想记忆：loft(阁楼)+y→阁楼是高耸的→高耸的
loyal⁰	['lɔiəl] *a.* 忠诚的，忠心的 [记] 联想记忆：对皇家的(royal)事情是忠诚的(loyal) [考] be loyal to 忠诚于…
lunar⁰	['lu:nə] *a.* 月的；月球的
magistrate⁰	['mædʒistreit] *n.* 地方行政官，地方法官，治安官 [记] 联想记忆：magi(看作 magn，大)+strate(看作 state，州)→州里的大官→地方法官

magnet[0] [ˈmægnit] *n.* 磁铁，磁体；有吸引力的人和事物

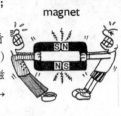

magnet

[记] 联想记忆：mag(看作 magic，有魔力的)+net(互联网)→网络像磁石一样有魔力，吸引人→磁铁，磁体

majesty[0] [ˈmædʒisti] *n.* [M-] 陛下(对帝王、王后的尊称)；雄伟，壮丽，庄严

[记] 联想记忆：maj(看作 major，较多的)+est(存在)+y→现存的大多数皇宫都很雄伟→雄伟

mansion[0] [ˈmænʃən] *n.* 大厦，(豪华的)宅邸

[记] 联想记忆：man(人)+sion→住人的地方→宅邸

manuscript[0] [ˈmænjuskript] *n.* 手稿，原稿，底稿；手写本

[记] 词根记忆：manu(手)+script(写)→用手写的→手稿，原稿

marble[0] [ˈmɑːbl] *n.* 大理石；(用玻璃、石头等制成的)弹子；[pl.] 弹子游戏

[记] 联想记忆：mar(看作 Mar，三月)+ble→大理三月好风光→大理石

marsh[0] [mɑːʃ] *n.* 沼泽，湿地

[记] 联想记忆：mars(火星)+h→火星上可能会有沼泽→沼泽

massacre[0] [ˈmæsəkə] *vt.* 大规模屠杀，残杀；彻底击败 *n.* 大屠杀，残杀；(比赛等)惨败

[记] 联想记忆：mass(大规模的)+acre(看作 ache，疼痛)→大规模疼痛→大屠杀

masterpiece[0] [ˈmɑːstəpiːs] *n.* 杰作

[记] 组合词：master(大师)+piece(篇章)→杰作

meadow[0] [ˈmedəu] *n.* 草地

[记] 联想记忆：mea(看作 meal，美餐)+dow→牛、羊美餐的地方→草地

melody[0] [ˈmelədi] n. 旋律，曲调；悦耳的音乐

[记] 词根记忆：mel(甜)+ody(唱)→唱出甜美的旋律→旋律，曲调

联想记忆："麦乐迪"KTV 就取自此词

menace[0] [ˈmenəs] n. 具有危险性的人(物)；威胁，威吓 vt. 威胁，威吓

[记] 联想记忆：men(人)+ace(看作 race, 赛跑)→和你赛跑的人→威胁

mercury[0] [ˈməːkjuri] n. 水银，汞

messenger[0] [ˈmesindʒə] n. 送信人，信使

[记] 来自 message(n. 信息)

metallic[0] [miˈtælik] a. 金属的，金属制的；有金属特性的，像金属的

[记] 来自 metal(n. 金属)

metropolitan[0] [ˌmetrəˈpɔlitən] a. 大都市的，大都会的

migrant[0] [ˈmaigrənt] n. 移居者，移民；候鸟，迁移动物

[记] 词根记忆：migr(移动)+ant(表人、物)→移民

missionary[0] [ˈmiʃənəri] n. 传教士

[记] 联想记忆：mission(天职)+ary→担任天职的人→传教士

mistress[0] [ˈmistris] n. 情妇；主妇，女主人

[记] 联想记忆：mistr(音似 Mr.)+ess(女性)→属于男人的女人→情妇；主妇，女主人

moan[0] [məun] vi. 呻吟，呜咽；抱怨，发牢骚 vt. 抱怨 n. 呻吟声，呜咽声；怨声，牢骚

[记] 联想记忆：你是否听见月亮(moon)上嫦娥的哀怨(moan)

[考] moan about 抱怨，发牢骚

mob[0] [mɔb] n. 暴民，乌合之众 vt. 成群围住，聚众袭击

[记] 联想记忆：那群暴民(mob)到处抢劫(rob)

mock⁰ [mɔk] vt. 嘲笑，嘲弄；（为了取笑）模仿 vi. 嘲笑，嘲弄 a. 模拟的，演习的；假的，假装的

module⁰ ['mɔdjuːl] n. 组件，模块，模件；（航天器的）舱
[记] 和 model(n. 模型)一起记

monster⁰ ['mɔnstə] n. 怪物；极其残酷的人；巨人，巨兽，巨大的东西 a. 巨大的，庞大的
[记] 发音记忆：“蒙死他”→怪物把他给吓蒙了→怪物

mortgage⁰ ['mɔːgidʒ] n. 抵押，抵押借款 vt. 抵押
[记] 联想记忆：mort(死)+gage(抵押品)→用抵押品消灭死账→抵押

municipal⁰ [mjuː'nisipl] a. 市的，市政的
[记] 词根记忆：muni(公共的)+cipal→提供城市公共服务的→市政的

murmur⁰ ['məːmə] n./v. 小声说（话）；小声抱怨，咕哝；（微风、流水等）发出连续而低沉的声音
[记] 发音记忆：“嬷嬷”→老嬷嬷上了年纪，口齿不清，喃喃自语→小声说

注意：murmur 指低沉、持续、不清楚的声音，常含有不满的情绪，例：Tony murmured in awe at Crash's pronunciation.（在克莱史表态以后，托尼害怕地小声咕哝。）mutter 指轻声嘀咕、咕哝，但所含埋怨的意味更强；whisper 指窃窃私语、耳语，无不满情绪。

mute⁰ [mjuːt] a. 缄默的，无声的；哑的，不会说话的；（字母）不发音的 vt. 消除（声音），减轻（声音）
[记] 遥控器上的 Mute 键就表示“静音”

mutter⁰ [ˈmʌtə] n. / v. 轻声低语；小声抱怨

[记] 联想记忆：m+utter(说)→她轻声低语，别人完全听不到→轻声低语

narrative⁰ [ˈnærətiv] n. 叙述文，故事；叙述，讲述

nil⁰ [nil] n. 无，零

[记] 发音记忆："尼奥"→黑客帝国表现了本无的虚幻世界→无，零

nominal⁰ [ˈnɔminəl] a. 名义上的，有名无实的；(费用等)很少的，象征性的；名词性的

[记] 词根记忆：nomin(名字)+al→名义上的

notwithstanding⁰ [ˌnɔtwiθˈstændiŋ] ad. 尽管

novelty⁰ [ˈnɔvəlti] n. 新奇事物；新奇，新奇感，新奇性；新颖小巧而廉价的物品

[记] 联想记忆：novel(新奇的；小说)+ty→新奇，新奇感

numerical⁰ [njuːˈmerikəl] a. 数字的，用数字表示的；数值的

[记] 词根记忆：numer(数字)+ical→数字的

oak⁰ [əuk] n. 栎树，橡树；栎木，橡木

[记] 联想记忆：ok 中间有个 a→一棵好橡树→栎树，橡树

oath⁰ [əuθ] n. 誓言，誓约；咒骂，诅咒语

[记] 联想记忆：洗澡(bath)的时候咒骂(oath)数学(math)太难了

[考] on/under oath 在法庭上宣过誓

obscene⁰ [əbˈsiːn] a. 淫秽的，下流的；可憎的，可恶的

[记] 联想记忆：ob(逆反)+scene(场面)→违反伦理的场面→淫秽的

offset⁰ [ˈɔːfset] vt. 补偿，抵消

[记] 来自词组 set off (抵消)

olive[0] [ˈɔliv] n. 橄榄,橄榄树
[记] 联想记忆:o+live(生活)→橄榄叶是安定生活的象征→橄榄

optimum[0] [ˈɔptiməm] a. 最合适的,最优的,最佳的
[记] 词根记忆:optim(最好)+um→最好的→最合适的

ore[0] [ɔː] n. 矿,矿石
[记] 联想记忆:ore(矿石)多一个 m 就是more(更多的)

oriental[0] [ˌɔːriˈentəl] a. 东方的,东方人的,东方文化的
[记] New Oriental School 新东方学校

outrage[0] [ˈautreidʒ] n. 义愤,愤慨;暴行,骇人听闻的事件 vt. 激起…的义愤,激怒
[记] 联想记忆:out(出)+rage(愤怒)→出奇的愤怒→激怒

overhear[0] [ˌəuvəˈhiə] vt. 无意中听到,偷听到
[记] 组合词:over(额外的)+hear(听)→无意中听到

overpass[0] [ˈəuvəpɑːs] n. 天桥,立交桥
[记] 组合词:over(在…上)+pass(通过)→在…上通过→立交桥

overt[0] [ˈəuvəːt] a. 公开的,不隐蔽的
[记] 词根记忆:o(出)+vert(转)→转出来→公开的,不隐蔽的
参考:covert(a. 隐蔽的,偷偷摸摸的)

oxide[0] [ˈɔksaid] n. 氧化物
[记] 词根记忆:oxi(=oxy,氧)+de→氧化物

pact[0] [pækt] n. 契约,协定,条约
[记] 联想记忆:p+act(行为)→签订条约定是为了约束行为→协定,条约

pamphlet[0] [ˈpæmflit] n. 小册子
[记] 来自拉丁文 pamphilus,是一首爱情名诗

低频词汇

参考：booklet(*n.* 小册子)

paperback⁰ ['peipəbæk] *n.* 平装本，简装本

[记] 组合词：paper(纸)+back(书脊)→用普通纸张包装书脊→平装本，简装本

parasite⁰ ['pærəsait] *n.* 寄生生物；寄生虫

[记] 词根记忆：para(在旁边)+sit(坐)+e→总是坐在旁边→寄生虫

pastry⁰ ['peistri] *n.* 油酥面团，酥皮糕点

[记] 来自paste(*v.* 粘贴 *n.* 面团)

pasture⁰ ['pɑ:stʃə] *n.* 牧草地，牧场 *vt.* 放牧

patron⁰ ['peitrən] *n.* 资助人，赞助人；老主顾，顾客

[记] 词根记忆：patr(父亲)+on→像父亲一样对待→资助人，赞助人

pearl⁰ [pə:l] *n.* 珍珠；珠状物；珍品

pedal⁰ ['pedəl] *n.* 踏板，踏脚 *vi.* 踩踏板，骑车 *vt.* 脚蹬，踩动…的踏板

[记] 词根记忆：ped(脚)+al→脚踏的东西→踏板

peel⁰ [pi:l] *vt.* 削…的皮，剥…的壳 *vi.* 剥落，脱皮 *n.* (水果等的)皮，外衣

[记] 发音记忆："皮儿"→脱皮

[考] peel off 剥掉，脱去

peg⁰ [peg] *n.* 小钉，栓，挂物钉；桩 *vt.* 用钉子钉，用钉(或桩等)固定；限定(价格、工资等)；将…看成，将…归入

[考] peg away at 坚持不懈地做

pendulum⁰ ['pendjuləm] *n.* 摆，钟摆；摇摆不定的事态(或局面)

[记] 词根记忆：pend(悬挂)+ulum→钟摆

penguin⁰ ['peŋgwin] *n.* 企鹅

peninsula⁰ [pə'ninsjulə] *n.* 半岛

[记] 联想记忆：pen(惩罚)+insula(岛)→作为惩罚被扔到小岛上→半岛

perfume⁰ ['pə:fju:m] *n.* 香水；香料，香气

[pə:'fju:m] *vt.* 使充满芳香；洒香水于

[记] 词根记忆：per(贯穿)+fume(气体)→萦绕在身上的气体→香水

perish[0] ['periʃ] *vi.* 丧生，毁灭，消亡；(橡胶、皮革等) 失去弹性，老化

[记] 词根记忆：peri(通过)+sh→生命通过(流逝)→丧生，毁灭

参考：cherish(*v.* 珍爱)

permissible[0] [pə'misəbəl] *a.* 允许的，许可的

[记] 词根记忆：per(全部)+miss(送，放出)+ible→全部放开的→许可的

pilgrim[0] ['pilgrim] *n.* 朝圣者

pirate[0] ['paiərit] *n.* 非法盗印(或复制)者，侵犯版权者；海盗 *vt.* 盗用，非法盗印(或复制)

pirate

大片！5块！

[记] 和 private (*a.* 私人的，秘密的)一起记

[考] pirated software 盗版软件

List 29

pistol[0] ['pistəl] *n.* 手枪

[记] 发音记忆: "匕首" →匕首和手枪都是凶器→手枪

plague[0] [pleig] *n.* 瘟疫, 鼠疫; 灾难, 祸患 *vt.* 使痛苦(或难受); 给…造成困难(或麻烦)

[记] 联想记忆: pla(PLA: 人民解放军的缩写)+gue(看作 go)→解放军走了, 祸就来了→灾难, 祸患

plaster[0] ['plɑːstə] *n.* 灰浆, 灰泥; 石膏; 橡皮膏, 膏药 *vt.* 在…上抹灰泥, 厚厚地涂

[记] 联想记忆: plaste(看作 paste, 粘贴)+r→贴膏药→膏药

plateau[0] ['plætəu] *n.* 高原; (上升后的)稳定时期(或状态)

[记] 联想记忆: plat(平)+eau→高出平地的地→高原

poke[0] [pəuk] *vt.* 戳, 捅; 用…戳(或捅), 把…戳向; 伸出, 突出 *vi.* 伸出, 突出 *n.* 戳, 捅

[记] 发音记忆: "破壳" →戳, 捅

[考] poke about/around 搜索, 探问; poke fun at 拿…开玩笑, 取笑; poke one's nose into 探问, 干预

polar[0] ['pəulə] *a.* 地极的, 近地极的; 磁极的; 正好相反的, 截然对立的

[记] 联想记忆: pol(看作 pole, 地极)+ar→地极的

pope[0] [pəup] n. [常 the P-] (天主教)教皇,罗马主教

[记] 联想记忆:pop(流行)+e→罗马主教曾盛行一时→罗马主教

pore[0] [pɔː] n. 毛孔,细孔 vi. 仔细阅读,审视

[考] pore over 仔细阅读

posture[0] ['pɔstʃə] n. 姿势,姿态;看法,态度 vi. 摆出(不自然的)姿势,装模作样

[记] 来自 pose(n. 姿势)

注意:posture 一般指身体的姿势、形态,例:She postured in front of the mirror.(她在镜子前搔首弄姿。)form 指看得见的形状、外观;mode 强调言谈举止的方式,为正式用语。

practicable[0] ['præktikəbəl] a. 可行的,适用的

[记] 联想记忆:practic(看作 practice,实行)+able(可…的)→可行的

premature[0] ['premətjuə] a. 比预期(或正常)时间早的;(做法等)不成熟的,仓促的

[记] 联想记忆:pre(预先)+mature(成熟的)→比预期时间早的

premier[0] ['premiə] n. 总理,首相 a. 首要的,首位的;首次的

profess[0] [prə'fes] vt. 表示,承认;宣称信仰

[记] 词根记忆:pro(赞同)+fess(说)→表示赞同的说法→承认

propaganda[0] [ˌprɔpə'gændə] n. 宣传

[记] 联想记忆:prop(支持者)+aganda(看作 agenda,议程)→支持者宣传议程→宣传

[考] a propaganda film 宣传片

prophet[0] ['prɔfit] n. 先知;预言者

[记] 发音记忆:发音同 profit(利益)→人们对与自身利益有关的预言感兴趣→预言者

低频词汇

proposition⁰ [ˌprɔpə'ziʃən] *n.* 论点；主张，建议；提案；命题
[记] 来自 propose(*v.* 建议)

prosecute⁰ ['prɔsikjuːt] *vt.* 对…提起公诉，告发，检举；继续从事 *vi.* 起诉，告发
[记] 词根记忆：pro(向前)+secut(跟随)+e→继续从事

prune⁰ [pruːn] *vt.* 修剪，修整；删除，削减

psychiatrist⁰ [sai'kaiətrist] *n.* 精神科医生，精神病专家
[记] 词根记忆：psych(精神)+iatrist→精神病专家

pudding⁰ ['pudiŋ] *n.* 布丁
[记] 发音记忆："布丁"

pumpkin⁰ ['pʌmpkin] *n.* 南瓜
[记] 发音记忆："胖胖金"→圆圆胖胖、金黄色的瓜果→南瓜

purify⁰ ['pjuərifai] *vt.* 使纯净，提纯；使纯洁
[记] 联想记忆：puri(看作 pure，纯)+fy(使)→使纯净

qualitative⁰ ['kwɔlitətiv] *a.* (性)质的，定性的
[记] 来自 qualify(*v.* 限定)

quart⁰ [kwɔːt] *n.* 夸脱(液量单位)
[记] 发音记忆："夸脱"

quarterly⁰ ['kwɔːtəli] *a.* 季度的，每季一次的 *ad.* 按季度，一季一次 *n.* 季刊
[记] 来自 quarter(*n.* 季度)

quartz⁰ [kwɔːts] *n.* 石英
[记] 联想记忆：quart(看作 quarter，一刻钟)+z→钟表→石英钟→石英

queer⁰ [kwiə] *a.* 奇怪的，异常的；不舒服的，眩晕的
[记] 联想记忆：排队(queue)买票真不舒服(queer)

quiver⁰ ['kwivə] *vi.* 颤抖，发抖，抖动 *n.* 颤抖，抖动，颤声

注意: quiver 指人因恐惧或情绪的压抑，导致身体局部轻微、快速、连续的抖动，但不易察觉，也指树叶颤动或昆虫、鸟类等翅膀抖动；shake 为最普通用词，含义最广；tremble 常指人因寒冷或生气而产生的不能抑制的轻微、快速的抖动；shiver 一般指因寒冷或恐惧引起肌肉短暂、迅速的颤抖。

radius [ˈreidiəs] *n.* 半径，半径范围
　　[记] 联想记忆：radiu(看作 radio，无线电)+s→无线电传播的范围→半径范围

rap [ræp] *vt.* (轻而快地)敲击，急敲；突然厉声说出；责备，训斥 *n.* (轻快的)敲击(声)，急敲(声)
　　[记] 流行音乐中的 rap 指说唱音乐
　　[考] rap out 突然厉声说出

rape [reip] *n. / vt.* 强奸
　　[记] 联想记忆：rap(急敲)+e→警方向学校和家长敲响警钟：青少年强奸案屡有发生→强奸

recede [riˈsiːd] *vi.* 退，退去，渐渐远去；向后倾斜；缩进
　　[记] 词根记忆：re(相反)+ced(走)+e→退去，渐渐远去

recipient [riˈsipiənt] *n.* 接受者，接收者
　　[记] 词根记忆：re(反)+cip(拿)+ient→不主动拿而是被动的接受者→接受者

reciprocal [riˈsiprəkəl] *a.* 相互的；互惠的
　　[记] 词根记忆：re(相互)+cip(拿)+rocal→相互索取优惠→相互的，互惠的

reconciliation [ˌrekənsiliˈeiʃən] *n.* 和解，调和

rectangular [rekˈtæŋgjulə] *a.* 长方形的，矩形的
　　[记] 词根记忆：rect(直的)+angul(角)+ar→所有内角都为直角的平行四边形→矩形的

reel [riːl] *n.* 卷轴，卷筒，卷盘 *vi.* 摇摇晃晃地移动，蹒跚；眩晕，发昏 *vt.* 卷，绕

低频词汇

[记]联想记忆：喝醉酒步履蹒跚(reel)，感觉(feel)墙走我不走

[考]reel off 一口气说，重复；reel in/up 卷，绕

refuge⁰ ['refju:dʒ] n. 庇护所，避难处；庇护

[记]联想记忆：青年一代要勇于拒绝(refuse)父母的庇护(refuge)

regiment⁰ ['redʒimənt] n. (军队的)团；大量 vt. 严格地管制，严密地编组

[记]词根记忆：reg(统治)+i+ment→严格地管制

rehearsal⁰ [ri'hə:səl] n. 排练，排演

[记]联想记忆：re(一再)+hear(听)+sal→导演在一旁一遍遍听，看她们一遍遍演→排练，排演

rein⁰ [rein] n. 缰绳 vt. 勒缰使(马)停步

[记]联想记忆：与其堕落(ruin)下去，不如悬崖勒马(rein)

[考]rein in 严格控制，严加管束；give (free) rein to 对…不加约束，放任，给…充分自由

rejoice⁰ [ri'dʒɔis] vi. 感到高兴，充满喜悦

[记]词根记忆：re(表加强)+joice(=joy，高兴)→感到高兴

relish⁰ ['reliʃ] vt. 享受，从…中获得乐趣 n. (美食等的)享受；滋味，乐趣；调味品

[记]联想记忆：rel(看作 real，真的)+ish(使)→真人无名，真水无香，是为享受人生的最高境界→享受，从…中获得乐趣

remainder⁰ [ri'meində] n. 余下的部分；剩下的人数

[记]来自 remain(v. 保留)

remnant⁰ ['remnənt] n. 残留部分

[记]参考：remain(v. 保留)

renaissance⁰ [ri'neisəns] n. [the R-] (欧洲 14 至 16 世纪的)文艺复兴，文艺复兴时期；(文学、艺术等的)复兴，再生

[记]词根记忆：re(重新)+naiss(看作 nas，出生)+ance→复兴，再生

repay[0] [riˈpei] *vt.* 归还(款项)；报答

repertoire[0] [ˈrepətwɑː] *n.* (剧团、演员等的)全部节目

[记] 词根记忆：re(反复)+pert(带)+oire→反复带着的剧目→全部节目

repression[0] [riˈpreʃən] *n.* 压抑，压制；镇压

[记] 词根记忆：re(一再)+press(压)+ion→压抑

[考] the repression of desire 克制欲望

resultant[0] [riˈzʌltənt] *a.* 作为结果的，因而发生的

rig[0] [rig] *vt.* (用不正当手段)操纵，垄断；给(船、桅杆)装配帆及索具；用临时替代材料迅速搭起 *n.* 船桅(或船帆等)的装置；成套器械

[考] rig up 用临时替代材料迅速搭起

rim[0] [rim] *n.* (圆形物体的)边，缘 *vt.* 环绕(圆形或环形物的)边缘

[记] 联想记忆：打靶(aim)不能打边(rim)

rip[0] [rip] *v.* 扯破，撕坏 *n.* 裂口，裂缝

rivalry[0] [ˈraivəlri] *n.* 竞争，竞赛，对抗

[记] 来自 rival(*v.* 竞争)

robust[0] [rəuˈbʌst] *a.* 强壮的，健康的

[记] "乐百氏"就是这个单词

romance[0] [rəuˈmæns] *n.* 恋爱，恋爱关系；浪漫气氛，传奇色彩；爱情小说，传奇故事

[记] 联想记忆：ro(看作 rose，玫瑰)+man(男人)+ce→男人拿着玫瑰追女孩的故事→恋爱

rotary[0] [ˈrəutəri] *a.* 旋转的，转动的

[记] 联想记忆：rot(腐烂的)+ary→流水不腐，户枢不蠹→转动的

royalty[0] [ˈrɔiəlti] *n.* 王族(成员)；[常 *pl.*] (著作的)版税

[记] 联想记忆：royal(王族的)+ty→王族(成员)

sacred[0] [ˈseikrid] *a.* 神圣的；宗教(性)的；神圣不可侵犯的

[记] 词根记忆：sacr(神圣的)+ed→神圣的

注意: sacred 指神圣的、宗教的, 常与普通名词连用; holy 指神圣的、圣洁的, 常与专有名词连用; religious 指宗教上的、信奉宗教的, 用途最广泛, 为最普通用词, 可与抽象或具体名词连用; spiritual 指宗教上的, 但侧重精神上的意思。

salute⁰ [sə'luːt] *vt.* 向…敬礼, 向…致意; 赞扬, 颂扬 *vi.* 敬礼, 致意 *n.* 敬礼, 致意

scrub⁰ [skrʌb] *vi.* 用力擦洗 *vt.* 用力擦洗, 把…擦净; 取消(计划等) *n.* 矮树丛, 灌木丛

[记] 联想记忆: sc+rub(摩擦)→用力擦洗

seam⁰ [siːm] *n.* 缝, 接缝; 煤层

sergeant⁰ ['sɑːdʒənt] *n.* 中士, 警官

[记] 发音记忆: "仨侦探"→三个侦探顶一个警官→警官

serial⁰ ['siəriəl] *n.* 连续剧, 连载故事 *a.* 连续的, 顺序排列的

[记] 联想记忆: 连续剧(serial)就是以某个主题为系列(series)的电视剧

shabby⁰ ['ʃæbi] *a.* 破旧的, 衣衫褴褛的; 卑鄙的; 不公正的

[记] 联想记忆: sha(拼音: 杀)+bby(看作 baby, 婴儿)→杀死婴儿的→卑鄙的

shepherd⁰ ['ʃepəd] *n.* 牧羊人, 羊倌 *vt.* 带领, 引导

shove⁰ [ʃʌv] *vt.* 乱推, 挤; 乱塞, 随意放 *vi.* 用力推, 挤 *n.* 猛推

[记] 联想记忆: 两个人挤(shove)在小浴室里刮胡子(shave)

[考] shove off 动身, 离开

shrub⁰ [ʃrʌb] *n.* 灌木

[记] 联想记忆: sh+rub(摩擦)→灌木擦伤皮肤→灌木

siege⁰ [siːdʒ] *n.* 包围, 围困

[记] 参考: besiege(*vt.* 包围, 围困)

sieve[0] [siv] *n.* 筛子，漏勺 *vt.* 筛，滤
[记] 联想记忆：si(看作 sin，罪过)+eve(前夕)
→在圣诞前夕要过滤掉自己的罪恶→滤

sip[0] [sip] *v.* 小口地喝，抿，呷 *n.* 小口喝，一小口的量
[记] 联想记忆：高档酒店喝一小口(sip)酒也得
给小费(tip)

skeleton[0] ['skelitən] *n.* 骨骼；框架，骨干；梗概，提要
[记] 发音记忆："skin 里头"→皮肤里头是骨骼→
骨骼

skull[0] [skʌl] *n.* 颅骨，脑壳
[记] 联想记忆：据说大脑壳(skull)的人掌握技
能(skill)比较快

slaughter[0] ['slɔːtə] *n. / vt.* 屠杀，杀戮；屠宰
[记] 联想记忆：s+laughter(笑声)→面对屠杀，
"戊戌六君子"之一的谭嗣同留下"我自横刀向天
笑，去留肝胆两昆仑"的绝句→屠杀
参考：slay(*v.* 杀，杀害)；suicide(*n. / v.* 自杀)；
murder(*n. / v.* 谋杀)；assassinate(*v.* 暗杀)

slick[0] [slik] *a.* 圆滑的，口齿伶俐的；精巧的；巧妙的，
灵巧的；光滑的，滑溜的

slogan[0] ['sləʊgən] *n.* 标语，口号，广告语
[记] 词根记忆：s+log(说)+an→口号

List 30

snack⁰ [snæk] *n.* 快餐，小吃，点心

sniff⁰ [snif] *v.* (哧哧地)以鼻吸气，用力吸入；嗅，闻
n. 吸气(声)；嗅，闻
[记] 联想记忆：站在悬崖(cliff)上嗅(sniff)到了危险的气息
[考] sniff out 发觉，发现

solitary⁰ ['sɔlitəri] *a.* 单独的，独自的；单个的，唯一的；孤独的，隐居的
[记] 词根记忆：sol(独自)+itary→单独的

soluble⁰ ['sɔljubəl] *a.* 可溶的；可解决的
[记] 来自solute(*n.* 溶解物)

sovereign⁰ ['sɔvrin] *n.* 君主，元首 *a.* 拥有最高统治权的，至高无上的；具有独立主权的
[记] 联想记忆：sove(看作over，在…上)+reign(统治)→在统治的层面上→君主，元首

spectator⁰ [spek'teitə] *n.* 观众，旁观者
[记] 词根记忆：spect(看)+ator→旁观者

spine⁰ [spain] *n.* 脊柱，脊椎；(动、植物的)刺，刺毛；书脊
[记] 联想记忆：s+pine(松树)→脊柱像松树一样挺拔→脊柱

spiral⁰ ['spaiərəl] *a.* 螺旋的 *n.* 螺旋(线)，螺旋式的上升(或下降) *vi.* 盘旋上升(或下降)；(物价等)不断急剧地上升(或下降)

[记] 联想记忆：spir(看作 spire，螺旋)+al→螺旋的

sponge⁰ [spʌndʒ] *n.* 海绵 *vt.* 用湿海绵(或布)擦，揩

[记] 发音记忆："死胖子"→海绵吸饱水像个死胖子→海绵

[考] sponge off 依赖他人生活

spouse⁰ [spauz] *n.* 配偶

[记] 联想记忆：sp(看作 spend，度过)+ouse(看作 house，房子)→与配偶在同一间房子里共度人生→配偶

sprinkle⁰ ['spriŋkəl] *v.* 撒，洒 *n.* 少量，少数

[记] 联想记忆：sprin(看作 spring，春天)+kle→春天的阳光洒在身上很舒服→撒，洒

squad⁰ [skwɔd] *n.* (军队的)班，小队，小组

[记] 联想记忆：各个小队(squad)在广场(square)上训练

stab⁰ [stæb] *n. / v.* 刺，戳

[考] stab in the back 背后中伤，背叛

staircase⁰ ['steəkeis] *n.* 楼梯

[记] 组合词：stair(楼梯)+case(场合)→楼梯

stalk⁰ [stɔːk] *n.* 茎，梗，柄 *vt.* 悄悄地跟踪(猎物等) *vi.* 昂首阔步地走

[记] 联想记忆：s+talk(说话)→悄悄跟踪的时候不敢说话→悄悄地跟踪

stern⁰ [stəːn] *a.* 严厉的，严格的，严峻的 *n.* 船尾

[记] 发音记忆："死等"→命令是严厉的，所以只能死等→严厉的，严格的

stitch⁰ [stitʃ] *n.* (缝、绣、编结等的)一针，线迹；缝法，针法，编结法；(肋部的)突然剧痛 *v.* 缝，绣

stray⁰ [strei] *vi.* 走失，迷路；分心，走神；离题 *a.* 迷路的，走失的；孤立的，零星的 *n.* 走失的家畜

[记] 联想记忆：待在(stay)那里等我去接，否则会迷路(stray)

低频词汇

注意：stray 强调偏离正确路线，例：Once you stray from the path you're lost entirely. (一旦你偏离那条路就会彻底迷路。) ramble 指漫游、逍遥自在地漫步，也可用于比喻说话离题；roam 强调在相当大的区域里自由移动；wander 指漫无目的地徘徊。

streak⁰ [striːk] *n.* 条纹，条痕；个性特征；一阵子，一连串 *vi.* 飞跑，疾驶 *vt.* 在…上加条纹
[记] 和 stream(*n.* 一串，一股)一起记

streamline⁰ ['striːmlain] *vt.* 使成流线型；精简，使效率更高
[记] 组合词：stream(流)+line(线)→使成流线型

stroll⁰ [strəul] *n. / vi.* 散步，闲逛
[记] 联想记忆：st+roll(摇摆，滚动)→摇摇摆摆地去散步→散步，闲逛

stump⁰ [stʌmp] *n.* 树桩；残根，残余部分 *vt.* 把…难住，使为难；在…做巡回演说 *vi.* 脚步沉重地走
[记] 和 stamp(*n.* 邮票)一起记

sturdy⁰ ['stəːdi] *a.* 强壮的；结实的，坚固的；坚定的，坚强的
[记] 联想记忆：身体强健(sturdy)是学习(study)的本钱

subsidiary⁰ [səb'sidiəri] *a.* 辅助的，次要的，附设的 *n.* 子公司，附属机构
[记] 词根记忆：sub(在下面)+sid(坐)+iary→坐在下面的→辅助的，次要的

sue⁰ [sjuː] *vi.* 控告，起诉；要求，请求 *vt.* 控告，起诉
[考] sue for 要求，请求

suffice⁰ [sə'fais] *vi.* 足够 *vt.* 使满足
[记] 词根记忆：suf(下面)+fice(做)→做出来→使满足
[考] suffice it to say (that) 只要说…就够了

suite⁰ [swiːt] *n.* (旅馆的)套间；一套家具；(同类物的)套，组，系列

[记] 联想记忆：这套家具(suite)很适合(suit)这个房间

sulfur[0] [ˈsʌlfə] *n.* 硫

summon[0] [ˈsʌmən] *vt.* 召唤，传唤；鼓起(勇气)，振作(精神)；召集，召开

[记] 联想记忆：sum(全部)+mon(看作 man)→把全部的人集合→召集

[考] summon up 鼓起(勇气)

superintendent[0] [ˌsuːpərinˈtendənt] *n.* 主管人，监管人，负责人；警长

[记] 联想记忆：super(上等的)+intend(打算)+ent(表人)→做打算、写计划的人→主管人，负责人

[考] the state police superintendent 州警察局局长

superiority[0] [suːˌpiəriˈɔriti] *n.* 优越(性)，优等

[记] 来自 superior(*a.* 优越的)

supervise[0] [ˈsuːpəvaiz] *v.* 监督，管理；指导

[记] 词根记忆：super(超过)+vis(看)+e→在超出别人高度的地方看→监督

supplementary[0] [ˌsʌpliˈmentəri] *a.* 增补的，补充的

[记] 联想记忆：supple(看作 supply，供给，补充)+ment+ary→补充的

[考] supplementary examination 补考

surge[0] [səːdʒ] *vi.* (人群等)蜂拥而出；(感情等)洋溢，奔放；(波涛等)汹涌，奔腾 *n.* (感情等的)洋溢，奔放；急剧上升，猛增；浪涛般汹涌奔腾

[记] 联想记忆：s+urge(使加快)→水流湍急→(波涛等)汹涌

swamp[0] [swɔmp] *n.* 沼泽 *vt.* 淹没，浸没；难倒，压倒

注意：swamp 指淹没，口语中常指击败某人，例：I am swamped with work. (我工作太多，忙得不可开交。) flood 强调洪水，指被水淹；overwhelm 表淹没，引申为"制服，压倒"。

swap[0] [swɔp] *n. / v.* 交换

symmetry[0] ['simitri] *n.* 对称(性)；匀称，整齐

[记] 词根记忆：sym(共同)+metry(=meter，测量)→测量相同→对称

symphony[0] ['simfəni] *n.* 交响乐，交响曲；(色彩等的)和谐，协调

[记] 词根记忆：sym(共同)+phon(声音)+y→奏出共同的声音→交响乐

syndrome[0] ['sindrəum] *n.* 综合征，综合症状；(某种条件下有共同特征的)一系列表现(事件、举动等)

synthesis[0] ['sinθisis] *n.* 综合；合成

[记] 词根记忆：syn(共同)+thesis(论题)→将论题总结→综合

tack[0] [tæk] *n.* 平头钉，大头钉；行动方向，方针 *vt.* 用平头钉钉；附加，增补

[记] 联想记忆：平头钉(tack)的背面(back)是平的

[考] tack on 附加，增补

tanker[0] ['tæŋkə] *n.* 油轮

[记] 发音记忆："坦克"→油轮富国，坦克强兵→油轮

[考] oil tanker 油轮

tease[0] [ti:z] *vt.* 戏弄，取笑；挑逗，撩拨 *n.* (爱)戏弄他人者

[记] 联想记忆：t+ease(悠闲)→悠闲时戏弄他→戏弄，取笑

terrace[0] ['terəs] *n.* (通常外表结构一样的)排屋；(屋旁)地坪，草坪；[*pl.*] (足球场四周的)露天阶梯看台；梯田

[记] 词根记忆：terr(地)+ace→地坪

terrify[0] ['terifai] *vt.* 使害怕，使惊吓

Thanksgiving[0] [,θæŋks'giviŋ] *n.* (基督教)感恩节

[记] 组合词：thanks(感谢)+giving(给予)→感谢上帝的给予→感恩节

thereafter⁰ [ðeəˈɑːftə] *ad.* 之后，以后

thermal⁰ [ˈθəːməl] *a.* 热的，由热造成的；保暖的
[记] 联想记忆：therm(看作 thermo, 热)+al→热的

thigh⁰ [θai] *n.* 大腿
[记] 联想记忆：跑完步感觉大腿(thigh)肌肉紧绷(tight)

thorn⁰ [θɔːn] *n.* 刺，荆棘；带刺小灌木
[记] 联想记忆：t+horn(角)→尖尖的角→刺，荆棘

throne⁰ [θrəun] *n.* 御座，宝座；王位，王权
[记] 联想记忆：thr(看作 the)+one→唯我独尊→王位，王权

tick⁰ [tik] *n.* 记号，钩号；(钟表)滴答声 *vt.* 给…标记号 *vi.* 发出滴答声
[记] 联想记忆：验票员在票(ticket)上做记号(tick)
[考] tick away/by (时间一分一秒地)过去

tickle⁰ [ˈtikəl] *vt.* 使发痒；使高兴，逗乐 *vi.* 发痒 *n.* 痒
[记] 联想记忆：买张电影票(ticket)逗地高兴(tickle)

tow⁰ [təu] *n. / vt.* 拖，拉，牵引
[记] 联想记忆：拉(tow)弓(bow)
[考] in tow (被)拖着，陪伴着

tract⁰ [trækt] *n.* 传单，小册子；大片(土地或森林)
[记] 联想记忆：tr(看作 try, 尝试)+act(行动)→年轻人尝试用发传单的形式来唤醒人们保护森林的意识→传单；大片(森林)

trifle⁰ [ˈtraifəl] *n.* 琐事，小事，无价值的东西 *vi.* 嘲笑，轻视
[记] 词根记忆：tri(三)+fle→分成三份后变琐碎了→琐事，小事
[考] a trifle 有点儿，稍微；trifle with 嘲笑，轻视

tub⁰ [tʌb] *n.* 桶，塑料杯，纸杯；盆，洗澡盆，浴缸
[记] 和 tube(*n.* 管子)一起记

ultraviolet⁰ [ˌʌltrəˈvaiəlit] *a.* 紫外(线)的
[记]联想记忆：ultra(超…的)+violet(紫罗兰，紫色)→紫外(线)的

undermine⁰ [ˌʌndəˈmain] *vt.* 暗中破坏，逐渐削弱；侵蚀…的基础
[记]组合词：under(下面)+mine(挖)→在下面挖→暗中破坏

valve⁰ [vælv] *n.* 阀，活门；(心脏的)瓣膜；(管乐器的)活瓣

vein⁰ [vein] *n.* 静脉，血管；叶脉；纹理，纹路；方式，风格

velocity⁰ [viˈlɔsiti] *n.* 速度，速率

velvet⁰ [ˈvelvit] *n.* 天鹅绒，丝绒
[考] green velvet drapes 绿色丝绒窗帘

ventilate⁰ [ˈventileit] *vt.* 使通风；把…公开，公开讨论
[记]词根记忆：vent(风)+il+ate(使)→使通风

verse⁰ [vəːs] *n.* 诗，诗句
[记]词根记忆：vers(转)+e→诗歌是转化、表达思想的一种方式→诗，诗句

vicious⁰ [ˈviʃəs] *a.* 恶毒的，凶残的；剧烈的，严重的
[记]来自 vice(*n.* 罪恶)

vocational⁰ [vəuˈkeiʃənəl] *a.* 职业的，业务的
[记]词根记忆：voc(声音)+ation+al→聆听顾客的声音是职业的需求→职业的
[考] vocational guidance 就业指导

wardrobe⁰ [ˈwɔːdrəub] *n.* 衣柜；(个人的)全部衣物
[记]联想记忆：ward(保护)+robe(衣服，长袍)→保护衣服的地方→衣柜

watertight⁰ [ˈwɔːtətait] *a.* 不透水的，防水的；严密的，无懈可击的
[记]组合词：water(水)+tight(紧密的，不漏水的)→防水的

wax[0] [wæks] *n.* 蜡，石蜡 *vt.* 给…上蜡

[考] sealing wax 封蜡，火漆

weary[0] ['wiəri] *a.* 疲劳的，疲倦的；使人疲劳的，令人厌倦的 *vi.* 厌烦，不耐烦

[记] 联想记忆：wear(穿戴)+y→同一件衣服穿戴久了就会厌烦→厌烦，不耐烦

[考] weary of 厌烦，不耐烦

wedge[0] [wedʒ] *n.* 楔(子) *vt.* 把…楔牢，塞入

[记] 和 edge(*n.* 边缘)一起记

withhold[0] [wið'həuld] *vt.* 拒绝，不给；抑制，制止

[记] 联想记忆：with(向后)+hold(保留，控制)→向后控制→拒绝；抑制

wrinkle[0] ['riŋkəl] *n.* 皱纹 *v.* (使)起皱纹

[记] 联想记忆：眼睛一眨一眨(twinkle)都起皱纹(wrinkle)了

yacht[0] [jɔt] *n.* 快艇，(竞赛用的)帆船，游艇

[记] 发音记忆："游特"→特快的游船→快艇

yoke[0] [jəuk] *n.* 牛轭；束缚，枷锁 *vt.* 结合，连接

[记] 联想记忆：听个笑话(joke)，摆脱束缚(yoke)

zinc[0] [ziŋk] *n.* 锌

[记] 锌的化学符号为 Zn

低频词汇

超纲词汇

abut [ə'bʌt] v. 邻接，毗连

[记] 联想记忆：a(无)+but(但是)→没有转折→
不需要经过绕弯就能直接到达→邻接，毗连

accessible [æk'sesəbəl] a. 易达到的；易受影响的

[记] 联想记忆：access(接近)+ible(易…的)→
易接近的→易达到的

accusation [ˌækjuː'zeiʃən] n. 控告，谴责

[记] 来自 accuse(v. 控告，谴责)

advent ['ædvənt] n. 到来，来临，出现

[记] 词根记忆：ad(表加强)+vent(来)→到来，
来临

affluent ['æfluənt] a. 富裕的，富足的

[记] 词根记忆：af(不断)+flu(流)+ent→富得流
油→富足的 *affluence 财富. n.*

alarmist [ə'lɑːmist] n. 危言耸听的人

[记] 联想记忆：alarm(警报)+ist(表人)→常报
警的人→危言耸听的人

allegiance [ə'liːdʒəns] n. 拥护，忠诚

[记] 词根记忆：al+leg(法律)+iance→法律需要
人人拥护→拥护

analyst ['ænəlist] n. 分析家，化验员；心理分析学家

[记] 词根记忆：ana(分开)+lyst→分类研究→分
析家

announcement [ə'naunsmənt] n. 宣告，发表

[记] 来自 announce(v. 宣布，通告)

antenna [æn'tenə] n. 触角，触须；天线

[记] 联想记忆：ant(蚂蚁)+enna→蚂蚁头上长
触角→触角，触须

appreciable [ə'priːʃəbəl] a. 可评估的；可以观察到的，明显的

[记]词根记忆：ap(表加强)+preci(价值)+able→可以给出价值的→可评估的

aroma [əˈrəumə] *n.* 芳香，香气

[记]发音记忆："爱罗马"→《罗马假日》中奥黛丽·赫本如维菊般芳香四溢→芳香

arson [ˈɑːsn] *n.* 纵火，放火

[记]词根记忆：ars(热)+on→纵火，放火

aspire [əˈspaiə] *vi.* (to, after)渴望，追求，有志于

[记]词根记忆：a+spir(呼吸)+e→因为太渴望得到而不停地呼吸→渴望

assessment [əˈsesmənt] *n.* 估价，评估

assessor [əˈsesə] *n.* 估价员，评税员

[记]以上两词均来自assess(v. 估价)

astronomer [əˈstrɔnəmə] *n.* 天文学家

[记]联想记忆：astro(星星)+nom(看作nomy，学科)+er(表人)→研究星学的人→天文学家

astronomer

audible [ˈɔːdəbəl] *a.* 听得见的

[记]词根记忆：aud(听)+ible(能…的)→能听的→听得见的

audit [ˈɔːdit] *vt.* 审计，检查(账目)

[记]词根记忆：aud(听)+it→审计要多听取意见→审计

auditorium [ˌɔːdiˈtɔːriəm] *n.* 观众席，听众席；礼堂

[记]词根记忆：audi(听)+torium(地点)→让大家听演讲的地方→礼堂

auditory [ˈɔːditəri] *a.* 听觉的，听觉器官的

[记]词根记忆：audi(听)+tory→听觉的

automated [ˈɔːtəmeitid] *a.* 自动化的

[记]词根记忆：auto(自动)+mated→自动化的

benevolent [biˈnevələnt] *a.* 仁慈的，善意的，慈善的

[记]词根记忆：bene(好)+vol(意志)+ent→善意的，慈善的

benign [bi'nain] *a.* 善良的，慈祥的；(肿瘤等)良性的，无危险的

[记] 词根记忆：ben(好)+ign→好的→良性的

betrayal [bi'treiəl] *n.* 背叛

[记] 来自 betray(*v.* 背叛)

bloodshed ['blʌdʃed] *n.* 流血；杀戮

[记] 联想记忆：blood(血)+shed(流出)→血流成河→杀戮

brittle ['britl] *a.* 易碎的，脆弱的；冷淡的，不友好的；(声音)尖利的

budge [bʌdʒ] *v.* 移动

[记] 联想记忆：bud(芽)+ge→抽芽→移动

canteen [kæn'ti:n] *n.* 食堂，小卖部；(带帆布套的)水壶

[记] 联想记忆：cant(说，唱)+een→战士们背着水壶在食堂唱歌→食堂；水壶

capability [ˌkeipə'biliti] *n.* 能力；潜质；容量

[记] 联想记忆：cap(拿，抓)+ability(能力)→能掌握的能力→能力，潜质

carcass ['kɑ:kəs] *n.* (鸟、兽的)尸体，(宰后除脏去头的)畜体；(人的)身躯，躯壳

[记] 联想记忆：car(汽车)+cass(看作 cast，投掷)→发生车祸，汽车被甩到一边，留下尸体→(鸟、兽的)尸体

chancellor ['tʃɑ:nsələ] *n.* (英国某些大学的)名誉校长，(美国的)大学校长

[记] 联想记忆：chance(机会，运气)+llor→他当上大学校长全凭运气→大学校长

clinical ['klinikəl] *a.* 临床的

collaborate [kə'læbəreit] *v.* 合作，协作；通敌

[记] 词根记忆：col(共同)+labor(劳动)+ate→共同劳动→合作，协作

combustion [kəmˈbʌstʃən] *n.* 燃烧
[记] 联想记忆：com(共同)+bus(汽车)+tion→火灾中，数辆消防车齐上阵→燃烧

compactness [kəmˈpæktnɪs] *n.* 紧密；简洁
[记] 词根记忆：com(共同)+pact(压紧)+ness→一起压紧→紧密

compassion [kəmˈpæʃən] *n.* 同情，怜悯
[记] 联想记忆：com(共同)+passion(感情)→同情

comprehend [ˌkɔmprɪˈhend] *v.* 理解，领会
[记] 词根记忆：com(全部)+prehend(抓住)→全部抓住→理解，领会

condemnation [ˌkɔndemˈneɪʃən] *n.* 谴责
[记] 来自 condemn(*v.* 谴责)

confession [kənˈfeʃən] *n.* 供认，坦白，忏悔
[记] 来自 confess(*v.* 承认，坦白)

confinement [kənˈfaɪnmənt] *n.* 限制，禁闭
[记] 来自 confine(*v.* 限制，禁闭)

contamination [kənˌtæmiˈneɪʃən] *n.* 污染，玷污
[记] 词根记忆：conta(看作 contra，反对)+min(最小)+ation→污染再小，我们也要反对，所谓"勿以恶小而为之，勿以善小而不为"→污染

contributor [kənˈtrɪbjutə] *n.* 贡献者，捐助者；投稿者
[记] 词根记忆：con(共同)+tribut(付，赠予)+or(表人)→贡献者

converse [kənˈvɜːs] *vi.* 交谈，谈心
[ˈkɔnvɜːs] *n.* [the ~] 相反的事物，反面说法
[记] 词根记忆：con(共同)+vers(改变)+e→共同讨论，互有改变→交谈

correlation [ˌkɔrəˈleɪʃən] *n.* 相互关系
[记] 词根记忆：cor(共同)+relation(关系)→相互关系

cosmonaut [ˈkɔzmənɔːt] *n.* 宇航员

cosmopolitan [ˌkɔzməˈpɔlitən] *a.* 世界性的，全球的；世界主义

的, 四海为家的 n. 世界主义者, 四海为家的人

[记] 联想记忆: cosmo(世界, 宇宙)+poli(看作 polis, 城市)+tan→世界城的→世界性的

coup [ku:] n. 政变; 意外而成功的行为

[记] 联想记忆: 以摔杯(cup)为号发动政变(coup)

发音记忆: "酷"→这次意外而成功的行为好酷啊! →意外而成功的行为

credential [kri'denʃəl] n. [常 pl.]证明, 资格; 证明书, 证件

[记] 词根记忆: cred(相信)+ential→让人相信的东西→证明书

cult [kʌlt] n. 异教, 邪教; 时尚, 狂热的崇拜

[记] 联想记忆: culture(文化)去掉 ure→没文化, 搞狂热的献身或崇拜→狂热的崇拜

curt [kə:t] a. 简短的, 草率的, 简单粗暴的

[记] 联想记忆: cut(切)中间加 r→把 r 一刀切了→简短的, 草率的

cyberspace ['saibəspeis] n. 虚拟信息空间, 网络空间, 计算机世界

[记] 组合词: cyber(计算机)+space(空间)→计算机世界, 网络空间

dealer ['di:lə] n. 商人; 发牌者

[记] 联想记忆: deal(交易)+er(表人)→交易的人→商人

deceptive [di'septiv] a. 骗人的, 造成假象的; 靠不住的

[记] 词根记忆: de(去掉)+cept(取)+ive→不可取的→骗人的; 靠不住的

decode [di:'kəud] vt. 译(码), 解(码)

[记] 联想记忆: de(去掉)+code(密码)→解除密码→译(码), 解(码)

deed [di:d] n. (土地或建筑物的)转让契约, 证书

defective [di'fektiv] a. 有缺点的, 不完美的, 不完全的

[记] 词根记忆: de+fect(做)+ive→做得不完美也胜过什么都不做→不完美的

deficient [di'fiʃənt] *a.* 缺乏的，不充足的，不适当的

[记] 词根记忆：de(变坏)+fic(做)+ient→做得不好的→缺乏的，不充足的，不适当的

demonstration [ˌdemən'streiʃən] *n.* 论证，证实；示威

[记] 词根记忆：de(表加强)+monstr(显示)+ation→证实；示威

deplore [di'plɔː] *v.* 悲悼，哀叹；谴责

[记] 词根记忆：de(变坏)+plore(流出)→流露出伤心的情绪→悲悼，哀叹

depressed [di'prest] *a.* 消沉的，沮丧的；凹陷的

[记] 来自 depress(*v.* 使沮丧)

devastating ['devəsteitiŋ] *a.* 毁灭性的，破坏力极强的；令人震惊的；强有力的，极有效的

[记] 联想记忆：de(变坏)+vast(巨大的)+ating→破坏力极强的

devotion [di'vəuʃən] *n.* 投入，热爱，忠实

[记] 来自 devote(*v.* 投入于)

diagnosis [ˌdaiəg'nəusis] *n.* 诊断

[记] 来自 diagnose(*v.* 诊断)

disapprove [ˌdisə'pruːv] *v.* 不赞成，反对，否决

[记] 联想记忆：dis(不)+approve(赞成)→不赞成

disconnect [ˌdiskə'nekt] *v.* (使)不连接，(使)分离

[记] 联想记忆：dis(不)+connect(连接)→(使)不连接

discrimination [diˌskrimi'neiʃən] *n.* 歧视；辨别力，识别力

[记] 词根记忆：dis(分开)+crim(控诉)+ination→对控辩双方分别对待→歧视

disproportionate [ˌdisprə'pɔːʃinit] *a.* 不成比例的，不相称的

[记] 联想记忆：dis(不)+proportion(比例)+ate→不成比例的

diverted [dai'vəːtid] *a.* 转移的

[记] 词根记忆：di(分开)+vert(转)+ed→转移的

doubtfully [ˈdautfuli] *ad.* 怀疑地，含糊地
[记] 来自 doubtful(*a.* 可疑的)

downfall [ˈdaunfɔːl] *n.* 垮台，衰落；垮台(或衰落等)的原因
[记] 联想记忆：down(向下)+fall(降落)→向下降落→垮台，衰落

downplay [ˈdaunplei] *vt.* 对…轻描淡写；贬低，低估
[记] 联想记忆：down(向下)+play(扮演)→向下层表演→贬低

dramatically [drəˈmætikli] *ad.* 戏剧性地；引人注目地
[记] 来自 drama(*n.* 戏剧)

drastically [ˈdræstikli] *ad.* 激烈地，彻底地
[记] 来自 drastic(*a.* 激烈的)

dressing [ˈdresiŋ] *n.* 穿衣，装饰；(食物)调料；包扎伤口的用品，敷料
[记] 联想记忆：dress(穿衣)+ing→穿衣，装饰

duke [djuːk] *n.* 公爵
[记] 联想记忆：公爵(duke)像只鸭子(duck)一样摆着屁股走路

durability [ˌdjuərəˈbiliti] *n.* 经久，耐久力

dyslexia [disˈleksiə] *n.* 诵读困难
[记] 联想记忆：看着这个词就难读→诵读困难

embryo [ˈembriəu] *n.* 胚，胚胎；事物的萌芽期
[记] 词根记忆：em+bryo(变大)→种子等变大→胚胎

emergence [iˈməːdʒəns] *n.* 出现，显现，暴露
[记] 来自 emerge(*v.* 显现)

emission [iˈmiʃən] *n.* (光、热等的)散发，发射；散发物
[记] 词根记忆：e(出)+miss(放出)+ion→放出→(光、热等的)散发，发射

empirically [imˈpirikli] *ad.* 以经验为主地
[记] 来自 empirical(*a.* 以经验为主的)

encouragement [inˈkʌridʒmənt] *n.* 鼓励，激励，促进
[记] 来自 encourage(*v.* 鼓励)

enormously [iˈnɔːməsli] *ad.* 庞大地，巨大地
[记] 词根记忆：e(出)+norm(标准)+ous+ly→超出标准→巨大地

enslave [inˈsleiv] *vt.* 奴役；征服，制服
[记] 词根记忆：en(使处于…状态)+slave(奴隶)→使沦为奴隶→奴役

envious [ˈenviəs] *a.* 嫉妒的，羡慕的
[记] 来自 envy(*v.* 嫉妒)

eruption [iˈrʌpʃən] *n.* 爆发
[记] 来自 erupt(*v.* 爆发)

ethic [ˈeθik] *n.* 道德准则，行为准则，伦理标准；[-s] 伦理学

eruption

ethical [ˈeθikəl] *a.* 道德的

excel [ikˈsel] *vi.* 突出，擅长 *vt.* 胜过，优于
[记] 联想记忆：Excel 是微软办公软件中非常出色的软件

exceptionally [ikˈsepʃənəli] *ad.* 异常地，罕见地，特殊地
[记] 来自 exceptional(*a.* 异常的)

exclusively [ikˈskluːsivli] *ad.* 排外地，专有地，专门地
[记] 来自 exclusive(*a.* 排外的)

exhausted [igˈzɔːstid] *a.* 精疲力竭的
[记] 来自 exhaust(*v.* 使精疲力竭)

expanding [ikˈspændiŋ] *a.* 展开的，扩大的，增加的
[记] 来自 expand(*v.* 扩大)

explicitly [ikˈsplisitli] *ad.* 明确地，明白地
[记] 来自 explicit(*a.* 明确的)

extinction [ikˈstiŋkʃən] *n.* 灭绝，绝种，消失
[记] 来自 extinct(*a.* 灭绝的)

extravagantly [ikˈstrævəgəntli] *ad.* 挥霍无度地
[记] 词根记忆：extra(超出的)+vaga(流浪)

+ntly→挥霍时想想那些流浪街头的人们→挥霍无度地

factual [ˈfæktʃuəl] *a.* 事实的,真实的;确凿的
[记]联想记忆: fact(事实)+ual(…的)→事实的

feudal [ˈfjuːdl] *a.* 封建的,封建制度的
[记]发音记忆:"辅导"→封建社会的家长给孩子们找很多辅导老师→封建的

fiber [ˈfaibə] *n.* 纤维
[记]联想记忆: fi(看作 five,五)+ber→由五种或更多的材料合成→纤维

fin [fin] *n.* 鳍;(飞机的)垂直尾翼
[记]本身为词根,意为:结束→鳍;垂直尾翼

forcibly [ˈfɔːsəbli] *ad.* 用力地,强制地,强硬地
[记]联想记忆: forc(看作 force,强制)+ibly→用力地

ford [fɔːd] *n.* 可涉水而过之处,浅滩 *vt.* 涉过
[记]联想记忆:若要攻入堡垒(fort),须涉过浅滩(ford)

fore [fɔː] *a.* 在前部的 *ad.* 在前面
[记]本身为词根,意为:前面

glaring [ˈgleəriŋ] *a.* 耀眼的,刺目的
[记]来自 glare(*v.* 闪耀)

graciously [ˈgreiʃəsli] *ad.* 和蔼地,优雅地
[记]grace(*n.* 和蔼,优雅)

graphics [ˈgræfiks] *n.* 文字,绘图
[记]联想记忆: graph(图表)+ics→文字,绘图

gravely [ˈgreivli] *ad.* 严峻地
[记]来自 grave(*a.* 严重的)

gravitation [ˌgræviˈteiʃən] *n.* 万有引力,重力;下沉,下降;受吸引
[记]词根记忆: grav(重)+it+ation(表状态)→重力

greed [griːd] *n.* 贪食;贪心,贪婪
[记]联想记忆:大都市里的人们贪婪(greed)地

寻觅着绿色(green)

groom [gruːm] *n.* 新郎；马夫 *v.* 照看或刷洗(马等)
[记] 联想记忆：g(看作 go)+room(房间)→进房间→新郎入洞房→新郎

haven [ˈheivn] *n.* 安全的地方，避难所，庇护所
[记] 联想记忆：离天堂(heaven)差一(e)步→庇护所(haven)

helmet [ˈhelmit] *n.* 头盔，钢盔

holder [ˈhəuldə] *n.* 持有者，占有者；支托物；夹具

hostility [hɔˈstiliti] *n.* 敌对，敌意，对抗；抵制，反对；[*pl.*] 交战，战争
[记] 来自 hostile(*a.* 敌对的)

hybrid [ˈhaibrid] *n.* 杂交生成的生物体，杂交植物(或动物)；混合物，合成物

iceberg [ˈaisbəːg] *n.* 冰山

identically [aiˈdentikli] *ad.* 同一地，相等地
[记] 词根记忆：i+dent(牙齿)+ically→正常人牙齿数相等→相等地

illuminate [iˈluːmineit] *v.* 照明；说明，启发
[记] 词根记忆：il(表加强)+lumin(光)+ate→加强光亮→照明，说明

imitative [ˈimitətiv] *a.* 模仿的
[记] 来自 imitation(*n.* 模仿)

immersed [iˈməːst] *a.* 浸入的；沉思的
[记] 来自 immerse(*v.* 沉浸)

immovable [iˈmuːvəbl] *a.* 不动的，固定的，不改变的
[记] 词根记忆：im(不)+mov(移动)+able→不动的

impartial [imˈpɑːʃəl] *a.* 公正的，不偏不倚的
[记] 联想记忆：im(不)+partial(偏见的)→没有偏见的→公正的

implementation [ˌimplimenˈteiʃən] *n.* 执行
[记] 词根记忆：im(进入)+ple(满)+ment+ation→进入圆满→执行

imposing [im'pəuziŋ] *a.* 气势雄伟的，威严的，壮观的

[记] 联想记忆：impos(看作 impose，征税)+ing→古代的帝王通过征税修建气势雄伟的宫殿→气势雄伟的

inaccessible [ˌinæk'sesəbəl] *a.* 不能得到的，难到达的，不可及的

[记] 联想记忆：in(不)+accessible(易达到的)→难到达的

incompatible [ˌinkəm'pætəbəl] *a.* 不协调的，合不来的，不兼容的

[记] 联想记忆：in(不)+compatible(协调的)→不协调的

incredibly [in'kredəbli] *ad.* 不能相信地

[记] 词根记忆：in(不)+cred(相信)+ibly→不能相信地

indefinitely [in'defənitli] *ad.* 不确定地；无穷尽地

[记] 来自 indefinite(*a.* 不确定的)

inevitably [in'evitəbli] *ad.* 不可避免地，必然地

infection [in'fekʃən] *n.* 传染病；传染，传播，感染

[记] 词根记忆：in(进入)+fect(做)+ion→做手术要防止细菌感染→感染

infinitely ['infinitli] *ad.* 无限地，无穷地

[记] 词根记忆：in(不，无)+fin(结束)+itely→无穷地

informed [in'fɔ:md] *a.* 受过教育的，见多识广的

[记] 词根记忆：in(进入)+form(形成)+ed→进入知识体系的形成→见多识广的

infrastructure ['infrəstrʌktʃə] *n.* 基础，基础结构；行政机构；(建筑)基础

infusion [in'fju:ʒən] *n.* 灌输，注入

[记] 词根记忆：in(进入)+fus(流)+ion→注入

initially [i'niʃəli] *ad.* 开头，最初，首先

[记] 词根记忆：init(开始)+ially→开头

innate [i'neit] *a.* 天生的，固有的，天赋的

[记] 词根记忆：in(在…内)+nat(出生)+e→出生时带来的→天生的

innovative ['inəuveitiv] *a.* 革新的，新颖的；富有革新精神的

[记] 来自 innovation(*n.* 改革，创新)

insanity [in'sæniti] *n.* 精神错乱，疯狂

[记] 来自 insane(*a.* 患精神病的)

inspection [in'spekʃən] *n.* 检查，细看

[记] 来自 inspect(*v.* 检查)

inspirational [ˌinspə'reiʃənəl] *a.* 有灵感的，给予灵感的

[记] 来自 inspiration(*n.* 灵感)

inspiring [in'spaiəriŋ] *a.* 使人振奋的，鼓舞的

[记] 词根记忆：in(使)+spir(呼吸)+ing→使呼吸澎湃的→使人振奋的

instability [ˌinstə'biliti] *n.* 不稳定(性)，不稳固

[记] 联想记忆：in(不)+stab(看作 stable，稳定的)+ility→不稳定(性)

instructive [in'strʌktiv] *a.* 有益的，教育性的

[记] 来自 instruct(*v.* 教导，教学)

intake ['inteik] *n.* 吸入，纳入；进气口，入口

[记] 联想记忆：in(进入)+take(拿)→拿进去→吸入，纳入

intercity [ˌintə'siti] *a.* 城市间的；来往于城市间的

[记] 联想记忆：inter(在中间)+city(城市)→城市间的

interruption [ˌintə'rʌpʃən] *n.* 中断，打断，阻碍

[记] 来自 interrupt(*v.* 打断)

intervention [ˌintə'venʃən] *n.* 介入，干涉，干预

[记] 来自 intervene(*v.* 干涉，干预)

intestine [in'testin] *a.* 内部的 *n.* 肠

ironically [aiˈrɔnikəli] *a.* 具有讽刺意味地；嘲讽地，挖苦地

[记] 来自 ironical(*a.* 讽刺的)

irreplaceable [ˌiriˈpleisəbəl] *a.* 不能代替的，不能调换的

[记] 联想记忆：ir(不)+replace(代替)+able→不能代替的

irreversible [ˌiriˈvəːsəbəl] *a.* 不能改变的

[记] 词根记忆：ir(不)+re(相反)+vers(转)+ible→不能改变的

irritation [ˌiriˈteiʃən] *n.* 愤怒，急躁；刺激

[记] 来自 irritate(*v.* 激怒，恼怒)

itinerary [aiˈtinərəri] *n.* 路线，旅行计划

[记] 联想记忆：it+iner(看作 inner，内部的)+ary→这条路线属内部的→路线

jack [dʒæk] *n.* 千斤顶 *v.* 用千斤顶顶起；停止，放弃；提高，增加

[记] 联想记忆：杰克(Jack)顶起(jack up)了千斤顶(jack)

juggle [ˈdʒʌgəl] *v.* (用球等)玩杂耍；篡改(数字等)以图掩盖

[记] 联想记忆：平时多努力(struggle)，考完试就不用改分数来掩盖(juggle)了

kerosene [ˈkerəsiːn] *n.* 煤油

[记] 参考：gasoline(*n.* 汽油)；petroleum(*n.* 石油)

kin [kin] *n.* 亲属，家属

[记] 联想记忆：皇(king)亲国戚(kin)

legacy [ˈlegəsi] *n.* 遗赠的财物，遗产

[记] 词根记忆：leg(送)+acy→送的东西→遗产，遗赠的财物

linguist [ˈliŋgwist] *n.* 语言学家

[记] 词根记忆：lingu(语言)+ist→语言学家

linguistic [liŋˈgwistik] *a.* 语言的，语言学的

literate [ˈlitərit] *a.* 有读写能力的，有文化修养的

[记] 词根记忆: liter(文字)+ate→有文化修养的

longevity [lɔn'dʒeviti] *n.* 长寿，寿命

[记] 词根记忆: long(长)+ev(年龄)+ity→长寿，寿命

malnutrition [ˌmælnju'triʃən] *n.* 营养不良

[记] 联想记忆: mal(坏)+nutrition(营养)→营养不良

mammal ['mæməl] *n.* 哺乳动物

[记] 联想记忆: mamma(妈妈)+l→靠吃妈妈的奶长大→哺乳动物

manifestation [ˌmænife'steiʃən] *n.* 显示，表现

[记] 来自 manifest(*a.* 显然的)

manure [mə'njuə] *n.* 肥料 *v.* 施肥

[记] 联想记忆: 将树叶发酵成熟(mature)，就成了很好的肥料(manure)

mar [mɑː] *vt.* 破坏，毁坏

[记] 发音记忆: "骂"→因损坏了东西而挨骂→破坏，毁坏

mash [mæʃ] *v.* 把…捣成糊状 *n.* 糊状物

[记] 联想记忆: m(看作 mix, 混合)+ash(灰)→把灰和水混合成糊状→把…捣成糊状

mason ['meisən] *n.* 石匠，泥瓦匠

[记] 联想记忆: 盖大厦(mansion)的人→泥瓦匠(mason)

mechanize ['mekənaiz] *v.* 机械化

[记] 词根记忆: mechan(机械)+ize→机械化

mentality [men'tæliti] *n.* 心态，思想方法

[记] 词根记忆: ment(心智)+al+ity→心态

merciful ['məːsiful] *a.* 仁慈的，慈悲的

[记] 联想记忆: merci(看作 mercy, 仁慈，慈悲)+ful→仁慈的，慈悲的

meteorite ['mi:tiərait] *n.* 流星，陨石

[记] 联想记忆：meteor(流星)+ite→流星，陨石

methodology [ˌmeθə'dɔlədʒi] *n.* (科学的)一套方法；方法论；教学法

[记] 联想记忆：method(方法)+ology(学科)→研究某学科的方法→方法论

migration [mai'greiʃən] *n.* 迁居，定期迁移

[记] 来自 migrate(*v.* 迁移)

modernize ['mɔdənaiz] *v.* 使现代化

[记] 来自 modern(*a.* 现代的)

modification [ˌmɔdifi'keiʃən] *n.* 修改，修正，改正

[记] 联想记忆：modifi(看作 modify，修改)+cation(状态)→修改

molten ['məultən] *a.* 熔融的，熔化的

[记] 联想记忆：molt(动物换毛，外表改变)+en(使…的)→使外表改变的极端办法是熔化→熔融的，熔化的

monologue ['mɔnəlɔg] *n.* 自言自语，独白；长篇谈话

[记] 词根记忆：mono(单个)+logu(说话)+e→一个人说话→自言自语，独白

motto ['mɔtəu] *n.* 箴言，格言，座右铭

[记] 词根记忆：mot(动)+to(给予)→给予动作的指示→箴言，座右铭

multicultural [ˌmʌlti'kʌltʃərəl] *a.* 多种文化的

[记] 联想记忆：multi(多)+cultural(文化的)→多种文化的

neatly ['ni:tli] *ad.* 有序地，整齐地

[记] 来自 neat(*a.* 整洁的)

negligence ['neglidʒəns] *n.* 疏忽，粗心大意

[记] 词根记忆：neg(不)+lig(选择)+ence→不加选择→疏忽

obsession [əb'seʃən] *n.* 困扰，无法摆脱的思想(或情感)

[记] 词根记忆：ob(逆)+sess(=sit，坐)+ion→坐立不安→困扰

occupancy ['ɔkjupənsi] *n.* 占有，使用，居住

[记] 来自 occupy(*v.* 占有)

optimist ['ɔptimist] *n.* 乐观的人，乐观主义者

[记] 词根记忆：optim(最好)+ist(表人)→什么都往好的方面想的人→乐观的人

optimistically [,ɔpti'mistikli] *ad.* 乐观地，乐天地

originality [ə,ridʒə'næliti] *n.* 创造性，独特性，创意，新奇

[记] 来自 original(*a.* 新颖的，独创的)

outwardly ['autwədli] *ad.* 表面地，外面地

[记] 联想记忆：out(外面的)+ward(方向)+ly→外面地

participation [pɑːtisi'peiʃən] *n.* 分享，参与

[记] 来自 participate(*v.* 参与)

partnership ['pɑːtnəʃip] *n.* 合伙(关系)，合伙经营(的企业)，合伙人身份

[记] 联想记忆：partner(合伙人)+ship(表身份)→合伙(关系)

payload ['peiləud] *n.* (运输工具的)商务载重；(火箭的)有效载重；(企业单位等的)工资负担

permanence ['pəːmənəns] *n.* 永久，持久

[记] 词根记忆：per(始终)+man(拿住)+ence→始终拿着→永久，持久

persistence [pə'sistəns] *n.* 坚持不懈，持续

[记] 来自 persist(*v.* 坚持)

perspiration [,pəːspə'reiʃən] *n.* 汗水；出汗，流汗

[记] 词根记忆：per(通过)+spira(呼吸)+tion(表名词)→透过皮肤呼吸→出汗

pertinent ['pəːtinənt] *a.* 有关系的，相关的

[记] 词根记忆：per(始终)+tin(拿住)+ent→始终拿在手里放不下→有关系的，相关的

pertinently ['pəːtinəntli] *ad.* 确切地

pesticide [ˈpestisaid] n. 杀虫剂, 农药

[记] 词根记忆: pest(害虫)+i+cide(杀)→杀虫剂, 农药

pharmacy [ˈfɑːməsi] n. 药方; 药店; 药剂学; 制药业; 一批备用的药品

pinpoint [ˈpinpɔint] v. 准确描述 a. 微小的 n. 尖端

[记] 组合词: pin(针)+point(点)→尖端

poultry [ˈpəultri] n. 家禽, 禽肉

[记] 联想记忆: poult(幼禽)+ry→家禽, 禽肉

predominantly [priˈdɔminəntli] ad. 占优势地, 主要地

[记] 联想记忆: pre(预先)+dominant(占优势的)+ly→占优势地

prevailing [priˈveiliŋ] a. 盛行的, 流行的, 占优势的

[记] 来自 prevail(v. 流行)

pristine [ˈpristiːn] a. 早期的, 太古的; 质朴的

[记] 词根记忆: prist(=prim, 最早的)+ine→早期的, 太古的

probation [prəˈbeiʃən] n. 缓刑(期), (以观后效的)察看

[记] 词根记忆: prob(检查, 考试)+ation→察看

proficient [prəˈfiʃənt] a. 熟练的 n. 精通

[记] 词根记忆: pro(大量)+fic(做)+ient→做得多了就熟练了→熟练的

prosper [ˈprɔspə] vi. 兴旺, 繁荣, 成功

[记] 词根记忆: pro(向前)+sper(希望)→希望在前面→繁荣, 成功

quaint [kweint] a. 离奇有趣的

[记] 联想记忆: quai(形似拼音 guai, 怪)+nt→离奇有趣的

radically [ˈrædikli] ad. 根本上

[记] 词根记忆: radi(根)+cally→根本上

ramp [ræmp] *n.* 斜面，坡道；活动舷梯，轻便梯

[记] 联想记忆：野营(camp)去爬坡(ramp)

reproduction [ˌriːprə'dʌkʃən] *n.* 繁殖；复制品

[记] 联想记忆：re(重新)+product(产品)+ion→复制品

resignation [ˌrezig'neiʃən] *n.* 放弃，辞职；辞职书；顺从

[记] 来自resign(*v.* 辞职)

respectable [ri'spektəbəl] *a.* 值得尊敬的；名声好的，正派的

[记] 来自respect(*v.* 尊敬，敬重)

respectful [ri'spektful] *a.* 恭敬的，有礼的

revel ['revl] *n. / v.* 狂欢

[记] 联想记忆：狂欢(revel)也分级别(level)

reverse [ri'vəːs] *vt.* 撤销，推翻；使位置颠倒，使互换位置；使反向，使倒转 *vi.* 反向，倒转

[记] 联想记忆：颠倒(reverse)去掉s是尊敬(revere)

revision [ri'viʒən] *n.* 修订，修改，修正；修订本

[记] 来自revise(*v.* 修订，修正)

rewarding [ri'wɔːdiŋ] *a.* 有益的，值得做的

[记] 来自reward(*n.* 奖赏，报酬)

rigor ['rigə] *n.* 严酷，严格，严厉

[记] 联想记忆：rig(操纵)+or→表面是严格要求，其实是一手操纵→严格

scrutinize ['skruːtinaiz] *v.* 详细检查，细看

[记] 词根记忆：scrutin(检查)+ize→详细检查

sediment ['sedimənt] *n.* 沉淀，沉渣，沉积(物)

[记] 联想记忆：se(分离)+dim(模糊的)+ent→让混浊的水沉淀，分成两层→沉淀

shear [ʃiə] *vt.* 剪(羊毛、头发等)；使折断，使弯曲 *n.* [*pl.*] (剪羊毛、树枝等的)大剪刀

[记] 联想记忆：sh(看作she)+ear(耳朵)→她把耳朵边上的头发剪掉→剪(羊毛、头发等)

shifting [ˈʃiftiŋ] *a.* 运动的, 变动的
[记] 来自 shift(*v.* 改变, 移位)

shrimp [ʃrimp] *n.* 虾, 小虾; 矮小的人
[记] 联想记忆: 虾仁(shrimp)一下热锅就收缩(shrink)

simultaneously [ˌsiməlˈteiniəsli] *ad.* 同时地
[记] 词根记忆: simult(相同)+aneously→同时地

slate [sleit] *n.* 板岩, 页岩; 石板, 石板瓦; 石板色, 暗蓝灰色 *vt.* 提名, 将…列入候选人名单; 预定, 规划
[记] 联想记忆: s+late(迟到的)→迟到的人要被记在名单上

smog [smɔg] *n.* 烟雾
[记] 联想记忆: 抽烟(smoke)搞得屋内烟雾(smog)缭绕

smoothly [ˈsmuːðli] *ad.* 顺利地, 平稳地
[记] 来自 smooth(*a.* 平稳的)

sociable [ˈsəuʃəbl] *a.* 好交际的, 友好的, 合群的
[记] 词根记忆: soci(结交)+able→好交际的

solicit [səˈlisit] *v.* 恳求; 教唆
[记] 联想记忆: soli(看作 sole, 唯一, 全部)+cit(引出)→引出某人做事→教唆; 恳求

solitude [ˈsɔlitjuːd] *n.* 单独, 独居, 隐居
[记] 词根记忆: sol(独自)+itude→单独, 独居

spear [spiə] *n.* 矛, 梭镖, 矛尖 *v.* 刺, 戳
[记] 联想记忆: 用 s 刺(spear)梨(pear)
参考: shield(*n.* 盾)

spotlight [ˈspɔtlait] *n.* (舞台的)聚光灯; 公众注意的中心 *vt.* 使公众注意, 使突出醒目; 聚光照明
[记] 组合词: spot(点)+light(灯光)→聚在一点上的灯光→聚光灯

standardize [ˈstændədaiz] *v.* 使…标准化, 使…符合标准
[记] 来自 standard(*n.* 标准)

standing ['stændiŋ] *n.* 名望，身份 *a.* 固定的，常设的
[记] 来自 stand(*v.* 维持不变)

stark [stɑːk] *a.* 光秃秃的，荒凉的；无装饰的；严酷的，苛刻的，严峻的；完全的，十足的 *ad.* 完全地，十足地
[记] 联想记忆：star(星球)+k→宇宙中大部分星球是荒凉的→光秃秃的，荒凉的

stationery ['steiʃənəri] *n.* 文具；(配套的)信笺信封
[记] 联想记忆：station(位置)+ery→信封上要标明具体位置→文具；(配套的)信笺信封

stylish ['stailiʃ] *a.* 时髦的，入时的，漂亮的
[记] 来自 style(*n.* 时尚)

suborbital [sʌb'ɔːbitəl] *a.* (卫星、火箭等)不满轨道一圈的；眼眶下的

supple ['sʌpəl] *a.* 伸屈自如的；逢迎的；顺从的
[记] 联想记忆：suppl(看作 supply，供给，支持)+e→因得到供给而逢迎顺从的→逢迎的；顺从的

sustainable [sə'steinəbəl] *a.* 能保持的，能持续的，能维持的
[记] 来自 sustain(*v.* 维持)

tenure ['tenjuə] *n.* (大学教师等被授予的)终身职位；任期；(土地)保有权，保有期
[记] 词根记忆：ten(拿住)+ure→永久拿住职位→终身职位

touched [tʌtʃt] *a.* 被感动的
[记] 来自 touch(*v.* 感动)

transformation [ˌtrænsfə'meiʃən] *n.* 转变，变形
[记] 来自 transform(*v.* 使…变形)

triumphant [trai'ʌmfənt] *a.* 得胜的，得意洋洋的
[记] 联想记忆：triumph(胜利)+ant→得胜的，得意洋洋的

trolley ['trɔli] *n.* 手推车，台车；〈美〉无轨电车；〈英〉有轨电车

[记]发音记忆:"巧力"→推手推车需要用巧力→手推车

tumor ['tjuːmə] *n.* 肿瘤,肿块

[记]联想记忆:虽然长了肿瘤(tumor),他还是一如既往地幽默(humor)

turkey ['təːki] *n.* 火鸡,火鸡肉

[记]联想记忆:土耳其(Turkey)的火鸡(turkey)最好吃

twinkle ['twiŋkəl] *n. / v.* 闪烁,闪亮

[记]联想记忆:儿歌"twinkle, twinkle, little star"

uncommon [ʌn'kɔmən] *a.* 不凡的,罕有的,难得的

underprivileged [ˌʌndə'privilidʒd] *a.* 被剥夺基本权利的;贫困的,社会经济地位低下的;生活水平低下的人们的

[记]联想记忆:under(在…之下)+privileged(有特权的)→在有特权的人下面的→被剥夺基本权利的

undue [ʌn'djuː] *a.* 不适当的

[记]联想记忆:un(不)+due(适当的)→不适当的

uranium [ju'reiniəm] *n.* 铀

urine ['juərin] *n.* 尿

vacancy ['veikənsi] *n.* 空白,空缺

[记]词根记忆:vac(空的)+ancy(状态)→空白,空缺

validity [və'liditi] *n.* 有效性,合法性

[记]联想记忆:valid(有效的)+ity→有效性

vengeance ['vendʒəns] *n.* 报复,报仇,复仇

[记]来自 venge(*v.* 替…复仇)

waxy ['wæksi] *a.* 光滑的;苍白的

[记]联想记忆:wax(蜡)+y→打了蜡的→光滑的

wholesaler ['həulseilə] *n.* 批发商

willingness ['wiliŋnis] *n.* 愿意, 情愿

[记] 来自 willing (*a.* 心甘情愿的)

wretch [retʃ] *n.* 不幸的人

[记] 联想记忆：wre(看作 wreck, 遇难)+t(看作 to, 去)+ch(看作 China)→老张开车去中国, 撞 了!→不幸的人

熟词僻义表

act [ækt]	**常义**：v. 行动，举止，表演；见效 n. 行为 **僻义**：n. 法令；(一)幕 **举例**：an *Act* of Parliament 英国议会的法令
address [ə'dres]	**常义**：n. 地址 vt. (在信封或包裹上)写姓名地址 **僻义**：vt. 对…发表演说；称呼；对付 n. 演说，谈吐 **举例**：Abraham Lincoln delivered his most famous *address* in Gettysburg. 亚伯拉罕·林肯在葛底斯堡发表了他最著名的演说。
administer [əd'ministə]	**常义**：vt. 掌管，料理…的事务；实施 **僻义**：vt. 给予，派给；投(药) **举例**：The government *administered* relief to famine victims. 政府向灾民发放了救济品。
advance [əd'vɑːns]	**常义**：v. 提前 a. 预先的，先行的 n. 进展 **僻义**：v. 前进，提高，上涨；预先发放 n. 预付(款等) **举例**：Your performance will *advance* when you study hard. 你只要努力学习，成绩就会进步。
air [eə]	**常义**：n. 空气；空中 **僻义**：n. 样子 vt. 晾干，使通风；使公开 **举例**：Mike smiles with a triumphant *air*. 迈克面带胜利的微笑。
arch [ɑːtʃ]	**常义**：n. 拱，拱门，拱形(结构) v. 使成(拱形) **僻义**：a. 调皮的，淘气的 **举例**：an *arch* look 淘气的表情
article ['ɑːtikəl]	**常义**：n. 文章；物品；冠词 **僻义**：n. 条款 **举例**：Now let me talk about *Article* II on Labour

Law. 现在，我来谈谈《劳工法》的第二项条款。

attend [əˈtend]	**常义**: *v.* 出席；专心，致力于 **僻义**: *v.* 照顾，护理 **举例**: The queen has a good doctor *attending* her. 女王有一个好医生照料她。
bachelor [ˈbætʃələ]	**常义**: *n.* 学士，学士学位 **僻义**: *n.* 单身男子，单身汉 **举例**: The *bachelor* remained a *bachelor* all his life. 这个学士一辈子独身。
badly [ˈbædli]	**常义**: *ad.* 坏，差 **僻义**: *ad.* 严重地 **举例**: be *badly* damaged 遭到严重破坏
bar [bɑː]	**常义**: *n.* 酒吧间；条，杆，栅栏 **僻义**: *vt.* 闩(门、窗等)；阻拦，封锁 **举例**: Poverty *bars* the way to progress. 贫穷阻碍了进步。
battle [ˈbætl]	**常义**: *n.* 战役，斗争 **僻义**: *vi.* 作战 **举例**: They *battled* with the wind and the waves. 他们与风浪搏斗。
bear [beə]	**常义**: *vt.* 容忍，负担；生育；运输 *n.* 熊，粗鲁的人 **僻义**: *vt.* 写(或刻、印)有 *n.* (证券交易中)卖空者 **举例**: The ring *bears* an inscription. 这枚戒指上刻有字。
belt [belt]	**常义**: *n.* 带，腰带，皮带 **僻义**: *n.* 区 **举例**: It is the country's cotton *belt*. 这里是国家的产棉区。
book [buk]	**常义**: *n.* 书，书籍 **僻义**: *vt.* 预订 **举例**: I'd like to *book* three seats for tonight's concert 我想为今晚的音乐会预订三个座位。

bother	
['bɔðə]	常义：*v.* 烦扰，迷惑；担心
	僻义：*n.* 麻烦，焦急；令人烦恼的人(或事物)
	举例：We had a lot of *bother* finding our way. 我们费了很大劲儿才找到这里。

branch	
[brɑːntʃ]	常义：*n.* 树枝；支流，分叉
	僻义：*n.* 分部，分科
	举例：Lincoln hoped the firm would transfer him to the Paris *branch*. 林肯希望公司可以将他调到巴黎的分部工作。

bridge	
[bridʒ]	常义：*n.* 桥，桥梁
	僻义：*n.* 桥牌 *vt.* 架桥于，把…连接起来
	举例：I partnered my sister at *bridge*. 我和妹妹搭档玩桥牌。

browse	
[brauz]	常义：*vi.* 随意翻阅，浏览
	僻义：*vi.* (牛、羊等)吃草
	举例：Cattle are *browsing* in the fields. 牛在田间吃草。

button	
['bʌtn]	常义：*n.* 扣子；按钮
	僻义：*vt.* 扣紧
	举例：This dress *buttons* at the back. 这件连衣裙是在背后系扣的。

capital	
['kæpitl]	常义：*n.* 首都
	僻义：*n.* 资金；大写字母 *a.* 大写的；可处死刑的
	举例：Chicken raising also demands *capital*. 养鸡也需要资金。

cell	
[sel]	常义：*n.* 细胞；小房间
	僻义：*n.* 电池；基层组织
	举例：The camera can't work without *cell*. 没有电池，照相机无法工作。

change	
[tʃeindʒ]	常义：*n. / v.* 改变，变化
	僻义：*n.* 零钱
	举例：I've no small *change*. 我没有零钱。

cheap [tʃiːp]	**常义**：*a.* 廉价的，劣质的 **僻义**：*a.* 卑鄙的 **举例**：Henry is just a *cheap* crook. 亨利就是个卑鄙的骗子。
coat [kəut]	**常义**：*n.* 外套，上衣 **僻义**：*n.* 表皮，皮毛 **举例**：There is a dog with a smooth *coat*. 那儿有一只毛皮光滑的狗。
code [kəud]	**常义**：*n.* 密码，代码 **僻义**：*n.* 准则，法典 *vt.* 把…编码 **举例**：You must abide the highway *code*. 你必须遵守公路法规。
coin [kɔin]	**常义**：*n.* 硬币 *vt.* 铸造（硬币） **僻义**：*vt.* 创造（新词） **举例**：Do not *coin* terms that are intelligible to nobody. 不要生造谁也不懂的术语。
collect [kə'lekt]	**常义**：*v.* 收集，收款；领取；积聚 **僻义**：*a. / ad.* （打电话）由对方付费的（地） **举例**：call sb. *collect* 拨打对方付费电话
company ['kʌmpəni]	**常义**：*n.* 公司，商号 **僻义**：*n.* 一群；连队 **举例**：You may know a man by the *company* he keeps. 观其友则知其人。
composition [ˌkɔmpə'ziʃən]	**常义**：*n.* 作品，写作，创作 **僻义**：*n.* 构成 **举例**：They did an experiment to determine the *composition* of the molecules. 他们做实验来测定分子的组成成分。
concert ['kɔnsət]	**常义**：*n.* 音乐会，演奏会 **僻义**：*n.* 一致 **举例**：Tom is working in *concert* with his colleagues. 汤姆与他的同事合作。

content	常义：['kɔntent] n. [pl.]内容，目录；所含之物
	僻义：[kən'tent] vt. 使满足 a. 满意的，满足的
	举例：Nothing will ever *content* him. 什么也不会使他满足。

couch	常义：n. 长沙发；(病人受检查时躺的)长榻
[kautʃ]	僻义：vt. 表达
	举例：His reply was carefully *couched*. 他的回答措辞严谨。

course	常义：n. 课程；过程；行动方针，路线
[kɔːs]	僻义：n. (一)道(菜)
	举例：The main *course* was a vegetable stew. 主菜是炖蔬菜。

crop	常义：n. 农作物，庄稼；收成
[krɔp]	僻义：n. 一批 vt. 剪短，修剪
	举例：The program brought quite a *crop* of complaints from viewers. 该节目招致观众诸多不满。

custom	常义：n. 习惯，风俗
['kʌstəm]	僻义：n. [pl.]海关；关税
	举例：We will go through the *customs* in 20 minutes. 我们将在20分钟后通过海关。

deal	常义：vt. 处理 n. 交易，协议
[diːl]	僻义：vt. 给予，分给
	举例：Jane *dealt* me four cards. 简发给我4张牌。

deed	常义：n. 行为；功绩
[diːd]	僻义：n. 契约，证书
	举例：Do you have the *deed* to the house? 你有房契吗？

degree	常义：n. 程度，度
[di'griː]	僻义：n. 学位
	举例：Jim will take the *degree* in law this summer. 今年夏天吉姆将获得法律学位。

deliver [di'livə]	常义: *vt.* 投递，送交；发表
	僻义: *vt.* 给（产妇）接生；给予（打击等）；解救，拯救
	举例: The police *delivered* the kid from danger. 警察把小孩从危险中救了出来。

description [di'skripʃən]	常义: *n.* 描写，形容
	僻义: *n.* 种类
	举例: boats of every *description* 各种各样的船

desert	常义: ['dezət] *n.* 沙漠
	僻义: [di'zə:t] *v.* 离弃，擅离
	举例: Anyone who *deserts* his post is punished severely. 任何擅离职守的人都要受到严惩。

dividend ['dividənd]	常义: *n.* 被除数
	僻义: *n.* 红利；股息；回报，效益
	举例: an annual *dividend* 年度分红

edge [edʒ]	常义: *n.* 边缘，边；刀口
	僻义: *n.* 优势 *v.* 侧着移动
	举例: Children *edged* their way to the front of the crowd to see the beautiful bride more clearly. 孩子们侧身挤到人群的前面想更清楚地看看美丽的新娘。

employ [im'plɔi]	常义: *vt.* 雇用，用 *n.* 受雇，雇用
	僻义: *vt.* 使忙于
	举例: Frank was busily *employed* in cleaning his shoes. 弗兰克忙着擦鞋。

even ['i:vən]	常义: *ad.* 甚至；甚至更，还
	僻义: *a.* 均匀的；平的 *v.* （使）相等
	举例: A billiard-table must be perfectly *even*. 台球桌必须十分平。

| express [ik'spres] | 常义: *vt.* 表示，表达 |
| | 僻义: *ad.* 用快递方式；乘直达快车 *n.* 快车；快递 *a.* 特快的；明确的 |

举例: the T66 special *express* to Beijing 开往北京的 T66 次特快

fair [feə]	**常义**: *a.* 公平的；相当的 *ad.* 公正地，公平地
	僻义: *a.* 金发的；白皙的；晴朗的 *n.* 定期集市，博览会
	举例: a charming woman with *fair* hair 金发美女
familiar [fə'miljə]	**常义**: *a.* 熟悉的；随便的
	僻义: *a.* 冒昧的，放肆的
	举例: The girl felt a little uncomfortable at his *familiar* behavior. 女孩对他放肆的行为感到有点不舒服。
file [fail]	**常义**: *n.* 档案，文件夹；纵列
	僻义: *v.* 把…归档；提出(申请书等)；排成纵队行进
	举例: The secretary *files* away letters in a drawer. 秘书把信件归档放入抽屉中。
film [film]	**常义**: *n.* 电影
	僻义: *n.* 胶卷；薄层 *vt.* 拍摄
	举例: The television company is *filming* in our town. 电视公司正在我们镇上拍片子。
fine [fain]	**常义**: *a.* 美好的；纤细的；健康的；晴朗的 *ad.* 很好，妙
	僻义: *n.* 罚金，罚款 *vt.* 处…以罚金 *a.* 精致的；颗粒微小的
	举例: It is a punitive *fine* system. 这是一个惩罚性的罚款系统。
firm [fə:m]	**常义**: *a.* 结实的，坚固的
	僻义: *n.* 商行，商号；公司
	举例: Our *firm* has made 200 workers redundant. 我们公司已裁减了 200 名雇员。
flow [fləu]	**常义**: *vi.* 流动；飘拂
	僻义: *n.* 流动；流量
	举例: a steady *flow* of traffic 川流不息的车辆

garage	常义：*n.* 车库
['gærɑːʒ]	僻义：*n.* 汽车修理行
	举例：Are there any *garages* nearby? 这附近有汽车修理行吗?

general	常义：*a.* 总的，一般的
['dʒenərəl]	僻义：*n.* 将军
	举例：My uncle is *General* Roberts. 我叔叔是罗伯茨上将。

gift	常义：*n.* 礼物，赠品
[gift]	僻义：*n.* 天赋
	举例：According to this passage, some animals have the *gift* of recognizing human faces. 根据这篇文章，一些动物具有识别人面孔的天赋。

goal	常义：*n.* 目的；球门
[gəul]	僻义：*n. / v.* 得分
	举例：Don't say that I haven't scored *goals*! 别说我没有进球得分!

golden	常义：*a.* 金色的
['gəuldən]	僻义：*a.* 极好的
	举例：I think it is a *golden* opportunity. 我觉得这是个极好的机会。

hail	常义：*n.* 雹；一阵 *vi.* 下雹
[heil]	僻义：*vt.* 招呼，高呼；热情赞扬，为…喝彩
	举例：People *hailed* him as a hero. 人民赞他为英雄。

hand	常义：*n.* 手，人手
[hænd]	僻义：*n.* 指针
	举例：the hour *hand* of a watch 手表的时针

handsome	常义：*a.* (男子)英俊的；(女子)端庄健美的
['hænsəm]	僻义：*a.* 相当大的
	举例：It is a painting that commanded a *handsome* price. 这是一幅相当值钱的画。

harp [hɑːp]	常义：n. 竖琴
	僻义：vi. (on, upon)唠叨，喋喋不休地说
	举例：My mother is always *harping* about my mistakes. 我妈妈对我的错误总是唠叨个没完。

hear [hiə]	常义：vt. 听见，听说
	僻义：vt. 审讯
	举例：Which judge will *hear* the case? 哪位法官将审理这个案件？

hero [ˈhiərəu]	常义：n. 英雄，勇士
	僻义：n. 男主角
	举例：You are the *hero* in my life. 你是我生命中的男主角。

house	常义：[haus] n. 房屋，住宅
	僻义：[haus] n. 商号；[H-] 议院 [hauz] vt. 给…房子住
	举例：Scofield owned a publishing *house*. 斯科菲尔德拥有一家出版社。

immediate [iˈmiːdiət]	常义：a. 立即的
	僻义：a. 直接的
	举例：On an artist, the visual impact of the war is *immediate*. 对于艺术家，战争的视觉冲击是直接的。

industry [ˈindəstri]	常义：n. 工业，产业
	僻义：n. 勤劳
	举例：I honour endurance, *industry* and talent. 我尊重忍耐、勤奋和才能。

iron [ˈaiən]	常义：n. 铁，烙铁
	僻义：vt. 熨(衣)，熨平
	举例：I think we can *iron* out any differences in the meeting. 我认为我们能够在会上消除所有分歧。

kill [kil]	**常义**：*vt.* 杀死；扼杀，终止，否决；使疼痛；致死 **僻义**：*vt.* 消磨(时间) **举例**：My train was delayed, so I *killed* time skimming a magazine. 火车晚点了，于是我翻看杂志打发时间。
last [lɑ:st]	**常义**：*a.* 最后的 *ad.* 最后 **僻义**：*vi.* 持续，持久，耐久 **举例**：The illusion did not *last* long. 这种幻想没有持续太久。
lead	**常义**：[li:d] *v.* 为…带路，领导；诱使；过(某种生活)；导致；领先 *n.* 领导；主角 **僻义**：[led] *n.* 铅，铅制品 **举例**：*Lead* in food does harm to your health. 食物中的铅有害健康。
letter [ˈletə]	**常义**：*n.* 信；字母 **僻义**：*n.* 证书 **举例**：We need your bank *letter* of credit. 我们需要您的银行信用证。
library [ˈlaibrəri]	**常义**：*n.* 图书馆 **僻义**：*n.* 藏书 **举例**：Ken has many foreign books in his *library*. 肯的藏书中有许多外国书。
lot [lɔt]	**常义**：*n.* 许多，大量 **僻义**：*n.* 签，阄 **举例**：Laura was chosen by *lot* to represent us. 劳拉抽中签当我们的代表。
mark [mɑ:k]	**常义**：*n.* 记号 *vt.* 标明 **僻义**：*n.* 斑点 **举例**：Who made these dirty *marks* on my new book? 谁把我的新书弄上了这些污迹？
master [ˈmɑ:stə]	**常义**：*n.* (男)主人；能手 *vt.* 掌握；征服 **僻义**：*n.* 原版；[M-] 硕士 *a.* 主要的；优秀的

	举例：William got his *master* degree last year. 威廉去年拿到了硕士学位。
mean [miːn]	**常义**：*vt.* 表示…的意思，意指；打算；怀有特定意义
	僻义：*a.* 自私的，吝啬的；平均的 *n.* 平均值
	举例：I don't like the girl who is very *mean* with money. 我不喜欢那个吝啬的女孩。
might [mait]	**常义**：*v. aux.* 可能，会，也许
	僻义：*n.* 力量，威力；权势
	举例：It's beyond your *might*. 此事非你力所能及。
mine [main]	**常义**：*pron.* 我的
	僻义：*n.* 矿，矿山；地雷
	举例：They are measuring the depth of the *mine*. 他们正在测量矿藏的深度。
minute	**常义**：[ˈminit] *n.* 分，分钟；一会儿
	僻义：[maiˈnjuːt] *a.* 微细的，极少的
	[ˈminit] *n.* [*pl.*] 会议记录
	举例：The effect of gravity on them is *minute*. 地心引力对它们的影响很小。
mirror [ˈmirə]	**常义**：*n.* 镜子
	僻义：*vt.* 反映，反射
	举例：Even a simple toy can *mirror* the artistic tastes of the time. 哪怕一个简易的玩具都可以反映出一个时代的艺术品位。
moon [muːn]	**常义**：*n.* 月球，月亮
	僻义：*n.* 卫星
	举例：How many *moons* does Jupiter have? 木星有多少卫星？
novel [ˈnɔvl]	**常义**：*n.* (长篇)小说
	僻义：*a.* 新颖的
	举例：The rule of monogamy is neither *novel* nor strange to them. 对他们来说，一夫一妻制既不新颖也不陌生。

nurse	常义：n. 保姆，护士
[nə:s]	僻义：vt. 看护
	举例：I'll *nurse* you back to health. 我会一直照顾你直到你康复。

paper	常义：n. 纸，报纸；文件
['peipə]	僻义：n. 论文；试卷 a. 纸质的 vt. 用墙纸裱糊
	举例：Don't mess my *papers*! 别弄乱我的卷子！

park	常义：n. 公园
[pɑ:k]	僻义：n. 停车场 v. 停放（车辆等）
	举例：Don't *park* the car in the lawn. 不得在这片草坪上停车。

part	常义：n. 一部分，零件 v.（使）分开
[pɑ:t]	僻义：n. 角色；器官 ad. 部分地
	举例：Carla was given a minor *part* in the new play. 卡拉在这出新戏里被分派扮演一个小角色。

peanut	常义：n. 花生
['pi:nʌt]	僻义：n. [pl.] 很少的钱
	举例：Susan gets paid *peanuts* for doing that job. 苏珊那份工作的报酬很少。

period	常义：n.（一段）时期
['piəriəd]	僻义：n. 学时；句号
	举例：a teaching *period* of 45 minutes 一堂45分钟的课

permit	常义：[pə'mit] vt. 允许；（使）有可能
	僻义：['pə:mit] n. 执照
	举例：Thomas said it would take at least six months to get a *permit*. 托马斯说拿到执照至少需要六个月。

piece	常义：n. 碎片，块
[pi:s]	僻义：vt. 拼合
	举例：Let's *piece* together the torn scraps of paper in order to read what was written. 让我们把破碎的文件拼凑起来阅读上面的内容吧。

pipe	常义：*n.* 管子，导管
[paip]	僻义：*n.* 烟斗；[*pl.*] 管乐器 *vt.* 用管道输送
	举例：The *pipe* lighted; smoke belched forth. 烟斗点着了，烟雾冒了出来。

plain	常义：*n.* 平原
[plein]	僻义：*a.* 清楚的
	举例：The markings along the route are quite *plain.* 沿途的路线标志都很清楚。

plane	常义：*n.* 飞机
[plein]	僻义：*n.* 平面 *a.* 平坦的
	举例：*plane* surface 平面

plant	常义：*n.* 植物 *vt.* 栽种；放置
[plɑ:nt]	僻义：*n.* 工厂；间谍
	举例：Jack reopened the *plant*, starting from scratch. 杰克从零开始，使工厂重新开工。

plate	常义：*n.* 板，片，盘
[pleit]	僻义：*n.* 金属牌 *vt.* 电镀
	举例：This ring wasn't solid gold; it was only *plated.* 这枚戒指不是纯金的，只是镀金的。

pool	常义：*n.* 水塘，游泳池；(液体等的)一摊，一片
[pu:l]	僻义：*vt.* 共用 *n.* 共用物
	举例：*pool* (together) our efforts 共同努力

post	常义：*n.* 邮政；邮件；岗位，职位；哨所
[pəust]	僻义：*n.* 柱，桩，杆 *vt.* 贴出；投寄；宣布，公告
	举例：Monitor *posted* a circular on the wall. 班长将一张通知贴在墙上。

pound	常义：*n.* 磅；英镑
[paund]	僻义：*vt.* 捣碎，舂烂，猛击
	举例：The ship was *pounded* to pieces against the rocks. 船在岩石上撞得粉碎。

power	常义：*n.* 能力，力，权力；强国
['pauə]	僻义：*n.* 幂 *vt.* 使开动

举例：Atomic energy *powers* the submarine. 该潜
艇由原子能推动。

present	常义：[priˈzent] *vt.* 赠送
	[ˈprezənt] *n.* 目前；礼物，赠送物 *a.* 现在的；出席的
	僻义：[priˈzent] *vt.* 介绍，提出
	举例：I will *present* my new assistant to you. 我会向你介绍我的新助手。

press [pres]	常义：*v.* 压，按；压迫；催促
	僻义：*n.* 新闻界，舆论界；出版社；印刷机
	举例：The majority of the *press* support the Government's policy. 舆论界多数支持政府的政策。

pretty [ˈpriti]	常义：*a.* 漂亮的，标致的
	僻义：*ad.* 很，相当
	举例：The film was *pretty* rotten. 这部电影十分差劲。

pride [praid]	常义：*n.* 骄傲，自豪
	僻义：*vt.* 自夸
	举例：Robert *prides* himself on his tailoring. 罗伯特对自己的裁缝手艺感到得意。

prize [praiz]	常义：*n.* 奖赏，奖金
	僻义：*vt.* 珍视
	举例：He *prized* my friendship above everything else. 他把我的友谊看得比其他任何东西都宝贵。

program [ˈprəugræm]	常义：*n.* 程序
	僻义：*n.* 节目单；大纲
	举例：a *program* of lectures for first-year students 一年级学生的教学大纲

| pronounce
[prəˈnauns] | 常义：*vt.* 发…的音 |
| | 僻义：*vt.* 宣布，宣判 |

举例: I now *pronounce* you husband and wife. 我现在宣布你们结为夫妻。

pupil ['pjuːpəl]	常义: *n.* 学生, 小学生
	僻义: *n.* 瞳孔
	举例: The doctor is examining her *pupils.* 医生正在检查她的瞳孔。

race [reis]	常义: *n.* (速度的)比赛, 竞争 *v.* 参加比赛
	僻义: *n.* 人种, 种族 *v.* (使)高速运动
	举例: It transcends all *races* and creeds, and even nationalities. 它超越了所有种族、信仰甚至国籍的界限。

rapid ['ræpid]	常义: *a.* 快的
	僻义: *n.* [*pl.*] 急流
	举例: shoot the *rapids* 穿过急流

reason ['riːzn]	常义: *n.* 理由; 理性
	僻义: *v.* 推理, 分析
	举例: He *reasoned* that if we started at dawn, we would be there by noon. 他推断, 我们要是黎明出发, 中午就能到。

receive [ri'siːv]	常义: *vt.* 收到, 得到
	僻义: *vt.* 接待
	举例: The hospital *receives* patients from all over the world. 这家医院接收来自世界各地的病人。

refer [ri'fəː]	常义: *v.* 提交; 谈到; 指的是
	僻义: *v.* 参考, 查阅
	举例: I *referred* to my watch for the exact time. 我看了一下手表好知道准确的时间。

rest [rest]	常义: *n.* 其余的人(或物); 休息; 静止 *v.* (使)休息
	僻义: *n.* 支座 *v.* 靠, 停留
	举例: Ann *rested* her elbows on the table. 安将肘部靠在桌子上。

revolution [ˌrevəˈluːʃən]	**常义**：*n.* 革命 **僻义**：*n.* 旋转，绕转 **举例**：The *revolution* of the Earth is on the axis round the sun. 地球以太阳为轴旋转。
role [rəul]	**常义**：*n.* 角色 **僻义**：*n.* 作用，任务 **举例**：This organization plays an important *role* in international relations. 这个组织在国际关系方面起着重要作用。
rough [rʌf]	**常义**：*a.* 粗糙的，表面不平的 **僻义**：*a.* 粗略的，大致的 **举例**：Give me a *rough* idea of your plan. 请把你那个计划的大概意思告诉我。
row [rəu]	**常义**：*n.* （一）排，（一）行 **僻义**：*v.* 划（船等） **举例**：They *rowed* the boat across the river. 他们划船过了河。
rush [rʌʃ]	**常义**：*v.* 冲，奔 *n.* 冲；匆忙，繁忙 **僻义**：*v.* 催促；仓促完成 *n.* 需求的激增；（身体的）一阵感觉 **举例**：Don't *rush* me. This needs thinking about. 别催我，这事得考虑考虑。
safe [seif]	**常义**：*a.* 安全的；谨慎的 **僻义**：*n.* 保险箱 **举例**：This is the money that banks keep in their *safes*. 这些就是银行放在保险箱里的钱。
sandwich [ˈsænwidʒ]	**常义**：*n.* 三明治 **僻义**：*vt.* 夹入 **举例**：Jeffrey was *sandwiched* between two strange guys. 杰弗里被夹在两个陌生的家伙中间。
satisfaction [ˌsætisˈfækʃən]	**常义**：*n.* 满意；快事 **僻义**：*n.* 赔偿（物）

举例：When I didn't get any *satisfaction* from the local people I wrote to the head office. 我在当地部门那里没有得到任何赔偿，因而向其总部投诉。

save [seiv]	常义：*vt.* 救；节省；储蓄
	僻义：*prep.* 除…之外
	举例：All is lost *save* honor. 除荣誉外一切都丧失了。

school [sku:l]	常义：*n.* 学校，学院
	僻义：*n.* 学派；上课(时间)
	举例：I don't belong to the *school* of thought that favors radical. 我不属于激进派。

season ['si:zn]	常义：*n.* 季，季节
	僻义：*n.* 时节
	举例：the growing *season* 生长时节

sentence ['sentəns]	常义：*n.* 句子
	僻义：*n.* 判决 *vt.* 宣判
	举例：Alex was *sentenced* to death for apostasy. 亚历克斯因叛党而被判处死刑。

share [ʃeə]	常义：*n.* 份；份额 *v.* 分享
	僻义：*n.* [常 *pl.*] 股份
	举例：*The Financial Times*' *share* index went up five points yesterday.《金融时报》的股票指数昨天上升了 5 点。

shoot [ʃu:t]	常义：*vt.* 发射；射中；拍摄 *n.* 打猎
	僻义：*vt.* 疾驰 *n.* 嫩枝
	举例：A *shoot* sprouts out from the ground. 一株嫩芽破土而出。

shoulder ['ʃəuldə]	常义：*n.* 肩，肩膀
	僻义：*vt.* 肩负，承担，挑起
	举例：The enterprise should *shoulder* unlimited liability. 该企业应该承担无限责任。

silence	常义：*n.* 沉默，寂静
[ˈsailəns]	僻义：*vt.* 使沉默
	举例：Julia *silences* him with a tender caress. 朱丽叶温柔的爱抚使他安静下来。

skirt	常义：*n.* 女裙
[skə:t]	僻义：*n.* 边缘；郊区 *vt.* 位于…的边缘；绕开
	举例：There is a base camp on the *skirt* of the mountain. 山脚下有一个军营。

society	常义：*n.* 社会，团体
[səˈsaiəti]	僻义：*n.* 上流社会，社交界
	举例：They are the leaders of *society*. 他们是上流社会的顶尖人物。

soil	常义：*n.* 泥土，土壤，土地
[sɔil]	僻义：*v.* 弄脏，变脏
	举例：Tony refused to *soil* his hands. 托尼不愿把手弄脏。

sort	常义：*n.* 种类，类别
[sɔ:t]	僻义：*vt.* 整理
	举例：Joe was *sorting* his foreign stamps. 乔正在整理他的外国邮票。

sound	常义：*n.* 声音 *v.* (使)发声；探测；听起来
[saund]	僻义：*a.* 健康的，完好的；精湛的；正确的；彻底的 *ad.* 充分地，酣畅地
	举例：The doctor certified that Kay was of *sound* mind. 医生诊断表明凯心智健全。

spare	常义：*a.* 多余的；备用的
[speə]	僻义：*vt.* 节约；饶恕，免去
	举例：They killed the men but *spared* the children. 他们把男人杀了，但放过了孩子。

| spring | 常义：*n.* 春天，春季 |
| [spriŋ] | 僻义：*v.* 跳，跃；突然提出，突然出现 *n.* 跳跃；泉；弹簧，发条 |

举例：Fred *sprang* forward to help me. 弗雷德纵身上前帮了我一把。

stage [steidʒ]	**常义**：*n.* 舞台；戏剧
	僻义：*n.* 阶段
	举例：It's only in the experimental *stage* at this moment. 现在只是在实验阶段。
stamp [stæmp]	**常义**：*n.* 邮票；标志
	僻义：*n.* 戳子；跺脚 *v.* 踩踏；在…上盖印；重步走
	举例：There is no *stamp* on the document. 那个文件上没盖图章。
stomach ['stʌmək]	**常义**：*n.* 胃；肚子
	僻义：*n.* 食欲 *vt.* 忍受
	举例：I can't *stomach* being disturbed when I read. 我读书时最怕被人打扰。
student ['stjuːdənt]	**常义**：*n.* 学生
	僻义：*n.* 研究者；学者
	举例：Near the tent, a *student* is delivering a fiery speech. 在靠近帐篷的地方，一位学者正情绪激昂地演讲。
succeed [sək'siːd]	**常义**：*v.* 成功
	僻义：*v.* 继…之后，继承
	举例：Early in life, Winston determined to *succeed* where his father had failed. 很小的时候，文斯顿就决定接替他父亲未完成的事业。
suggest [sə'dʒest]	**常义**：*vt.* 建议
	僻义：*vt.* 暗示，启发
	举例：Her gesture *suggested* their liaison. 她的姿势暗示了他们的暧昧关系。
suit [sjuːt]	**常义**：*n.* 一套衣服 *vt.* 适合，中…的意
	僻义：*n.* 起诉，诉讼
	举例：John brought a divorce *suit* against his wife. 约翰向妻子提起了离婚诉讼。

sunny [ˈsʌni]	常义: *a.* 阳光充足的 僻义: *a.* 快活的 举例: Annie looks on the *sunny* side of everything. 安妮对每件事都抱乐观态度。
table [ˈteibəl]	常义: *n.* 桌子，餐桌 僻义: *n.* 项目表 举例: a *table* of contents 目录
tablet [ˈtæblit]	常义: *n.* 药片 僻义: *n.* 碑，牌，(木、竹)简 举例: They build a *tablet* as a memorial. 他们建了 一座碑作为纪念。
tank [tæŋk]	常义: *n.* 坦克 僻义: *n.* 大容器；槽；池塘 举例: They used to swim in a big water *tank*. 他们 过去常在池塘里游泳。
tap [tæp]	常义: *n. / v.* 轻叩 僻义: *v.* 开发；窃听 *n.* 塞子，龙头；窃听 举例: This approach is to *tap* renewable resource. 这种方法将用于开发可再生资源。
ticket [ˈtikit]	常义: *n.* 票，券 僻义: *n.* (交通违章)罚款传票；候选人名单 举例: traffic *ticket* 交通罚单
tower [ˈtauə]	常义: *n.* 塔，高楼 僻义: *vi.* 屹立，高耸 举例: James still *towered* in the forefront of politics. 詹姆斯在政治学前沿仍然独领风骚。
treasure [ˈtreʒə]	常义: *n.* 财富，珍宝 僻义: *vt.* 珍视 举例: I will always *treasure* our friendship. 我会 一直珍视我们的友谊。
try [trai]	常义: *n. / v.* 尝试 僻义: *v.* 审问

举例: Daniel was *tried* for taking a bribe. 丹尼尔因受贿而被审讯。

uniform	常义: *a.* 一样的
[ˈjuːnifɔːm]	僻义: *n.* 制服
	举例: The worker was in blue *uniform*. 那个工人身上穿着蓝色制服。

wage	常义: *n.* [常 *pl.*] 工资, 报酬
[weidʒ]	僻义: *vt.* 开展(运动)
	举例: We shall *wage* the cruelest war against you. 我们将发动最残酷的战争来对付你们。

want	常义: *vt.* 想要
[wɔnt]	僻义: *n.* 需要, 缺乏
	举例: We are in *want* of new knowledge. 我们需要新知识。

wind	常义: [wind] *n.* 风; 气息, 呼吸
	僻义: [waind] *v.* 绕, 缠绕; 上发条
	举例: The river *winds* down to the sea. 这条河蜿蜒流向大海。

world	常义: *n.* 世界, 世人, 世间
[wəːld]	僻义: *n.* 界, 领域
	举例: His *world* is narrow. 他的生活圈子狭窄。

wound	常义: *n.* 创伤, 伤
[wuːnd]	僻义: *vt.* 使受伤
	举例: The bullet *wounded* his arm. 子弹打伤了他的胳膊。

索 引

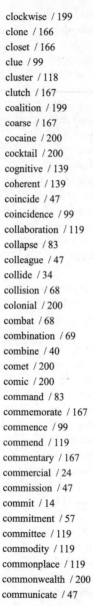